ACCESO GRATIS *a la Lectura en la Nube*

Para visualizar el libro electrónico en la nube de lectura envíe junto a su nombre y apellidos una fotografía del código de barras situado en la contraportada del libro y otra del ticket de compra a la dirección:

ebooktirant@tirant.com

En un máximo de 72 horas laborables le enviaremos el código de acceso con sus instrucciones.

UN PROYECTO PARA UNA LEY ORGÁNICA DE HUELGA

NORMAS DE LA COLECCIÓN:

Admisión de originales:

Los originales serán evaluados por el Consejo científico y sometidos a informe externo por expertos anónimos. Cualquiera de los evaluadores puede hacer observaciones o sugerencias a los autores, siempre y cuando el trabajo haya sido aceptado. Se comunicarán a los autores, en su caso, concediéndoles un período de tiempo suficiente para introducir las modificaciones oportunas.

UN PROYECTO PARA UNA LEY ORGÁNICA DE HUELGA

Francisco Agustín Rodrigo Sanbartolomé
Universitat de València

tirant lo blanch
Valencia, 2026

En caso de erratas y actualizaciones, la Editorial Tirant lo Blanch publicará la pertinente corrección en la página web www.tirant.com.

EDITA: TIRANT LO BLANCH
C/ Artes Gráficas, 14 - 46010 - Valencia
TELFS.: 96/361 00 48 - 50
FAX: 96/369 41 51
Email:tlb@tirant.com
www.tirant.com
Librería virtual: www.tirant.es
DEPÓSITO LEGAL: V-1265-2026
ISBN: 978-13-7040-642-4
MAQUETA: Tink Factoría de Color

Si tiene alguna queja o sugerencia, envíenos un mail a: *atencioncliente@tirant.com*. En caso de no ser atendida su sugerencia, por favor, lea en *www.tirant.net/index.php/empresa/politicas-de-empresa* nuestro procedimiento de quejas.

Responsabilidad Social Corporativa: http://www.tirant.net/Docs/RSCTirant.pdf

Índice

ABREVIATURAS PRINCIPALES

AA.VV.:	Autores varios
AN:	Audiencia Nacional
CC:	Código Civil
CP:	Código Penal
CE:	Constitución española
CEDH:	Convenio Europeo de Derechos Humanos
DUDH:	Declaración Universal de Derechos Humanos
ERE:	Expediente de Regulación de Empleo
ERTE:	Expediente de Regulación Temporal de Empleo
ET:	Estatuto de los Trabajadores
ETT:	Empresa de Trabajo Temporal
ITSS:	Inspección de Trabajo y Seguridad Social
LGSS:	Ley General de Seguridad Social
LISOS:	Ley de Infracciones y Sanciones en el Orden Social
LOE:	Ley Orgánica sobre derechos y libertades de los extranjeros en España y su integración social.
LOLS:	Ley Orgánica de Libertad Sindical
LOPJ:	Ley Orgánica del Poder Judicial
LPRL:	Ley de Prevención de Riesgos Laborales
LRJS:	Ley reguladora de la Jurisdicción Social
OIT:	Organización Internacional del Trabajo
PIDCP:	Pacto Internacional de Derechos Civiles y Políticos
PIDESC:	Pacto Internacional de Derechos Económicos, Sociales y Culturales
RD:	Real Decreto
RDL:	Real Decreto Ley
RDLeg.:	Real Decreto Legislativo
RDLRT:	Real Decreto Ley 17/1977, de 4 de marzo, de relaciones de trabajo.
SAN:	Sentencia de la Audiencia Nacional
STC:	Sentencia del Tribunal Constitucional

STJCE/STJUE: Sentencia del Tribunal de Justicia de las Comunidades Europeas/Unión Europea
STS: Sentencia del Tribunal Supremo
STSJ: Sentencia del Tribunal Superior de Justicia
STC: Sentencia del Tribunal Constitucional
TC: Tribunal Constitucional
TJCE/STJUE: Tribunal de Justicia de las Comunidades Europeas/Unión Europea
TS: Tribunal Supremo
TSJ: Tribunal Superior de Justicia
UE: Unión Europea

1. INTRODUCCIÓN

El art. 28.2 de la Constitución española de 27 de diciembre de 1978 (CE) contiene un mandato dirigido al legislador. Concretamente, le encomienda la aprobación de una Ley (Orgánica, ex art. 81.1 CE) que regule el ejercicio del derecho fundamental de huelga, estableciendo las garantías precisas para asegurar el mantenimiento de los servicios esenciales de la comunidad. No obstante, como es sabido, actualmente, la regulación de la huelga en nuestro país se contiene en un Real Decreto Ley preconstitucional: el RDLRT 17/1977, de 4 de marzo, de Relaciones de Trabajo.

Si bien es cierto que, desde un punto de vista práctico, tras más de cuatro décadas de incumplimiento del mandato constitucional, el citado RDLRT 17/1977, de 4 de marzo, ha bastado, con la depuración constitucional realizada por la STC 11/1981, de 8 de abril, para la regulación del derecho de huelga en nuestro país y, si bien, también es posible —pese a las deficiencias de ajuste constitucional en cuanto a forma que la vigencia de esta norma implica— realizar una valoración positiva en cuanto a contenido por su regulación integral, especialmente tras un análisis de derecho comparado con los países de nuestro entorno que se caracterizan por una normativa de huelga dispersa y fragmentada[1], cabe apuntar una serie de razones de consideración en favor de la necesidad de aprobación de una Ley Orgánica que regule la huelga en nuestro país. Así:

1.- En primer lugar, resulta precisa la promulgación de una norma con el rango formal adecuado para cumplir con las exigencias

---

[1] En los países más afines a nuestro sistema jurídico, como Francia e Italia, la huelga se reconoce como derecho a nivel constitucional si bien, curiosamente, el fenómeno huelguístico no es objeto de un desarrollo legal unitario y sistematizado, sino a través de varias normas dispersas y antiguas, principalmente referidas al sector público, con lo cual, *prima facie*, comparativamente, podría hasta quedar disculpado el caso español y ser vistas con cierta indulgencia sus deficiencias en cuanto su regulación por una norma preconstitucional depurada por el TC sin el rango formal exigido por la norma constitucional pues, al menos, aquí se cuenta con una norma unitaria que trata de regular la huelga en su conjunto.

derivadas del mandato constitucional. Resulta difícilmente justificable, transcurridos más de cuarenta años desde la promulgación de nuestra Carta Magna que, todavía hoy, la huelga siga regulada por una norma preconstitucional que carece del exigible rango de Ley Orgánica derivado de la ubicación del art. 28.2 CE en la Sección 1ª del Capítulo II del Título I de la Constitución, en concordancia con lo prevenido en los arts. 81 y 53 de la misma. La depuración, criba e interpretación en sede constitucional realizada por el TC en sentencia 11/1981, de 8 de abril y posteriores[2], si bien cumplió su función en su momento, debió ser entendida como una solución provisional, pero no un pretexto para una acomodación que desembocara en una interinidad permanente.

2.- De otro lado, desde el punto de vista social, las distintas huelgas que se han ido sucediendo durante el tiempo de vigencia provisional de esta norma en el ámbito de sectores estratégicos de la sociedad, como los transportes públicos y, en particular, algunos casos más flagrantes en el concreto ámbito del transporte aéreo, han generado, por momentos, cierta crispación general, y un caldo de cultivo favorable a la culminación de una regulación más completa y equilibrada de la huelga que contribuya a garantizar mejor todas las implicaciones de este derecho fundamental, al tiempo que permita limitar en mayor medida las manifestaciones abusivas del mismo. En este último sentido, cabe subrayar la importancia —que no puede obviarse ni olvidarse— de la salvaguardia de los servicios esenciales para la comunidad —a la que se refiere expresamente el constituyente— ya que, al tratarse del único condicionante en la configuración del contenido de este derecho que aquel introduce de forma explícita, hace una idea de su gran relevancia.

---

2 STC 26/1981, de 17 de julio; STC 33/1981, de 5 de noviembre; STC 72/1982, de 2 de diciembre; STC 66/1983, de 21 de julio; STC 120/1983, de 15 de diciembre; STC 13/1984, de 3 de febrero; STC 41/1984, de 21 de marzo; STC 90/1984, de 5 de octubre; STC 13/1986, de 30 de enero; STC 26/1986, de 19 de febrero; STC 51/1986, de 24 de abril; STC 53/1986, de 5 de mayo; STC 99/1987, de 11 de junio; STC 254/1988, de 21 de diciembre; STC 27/1989, de 3 de febrero; STC 43/1990, de 15 de marzo; STC 123/1990, de 2 de julio, STC 48/1991, de 28 de febrero; STC 152/1991, de 8 de julio y STC 8/1992, de 16 de enero.

3.- Actualmente, como se ha apuntado certeramente (Göerlich Peset, 2020, p. 95), exigencias de índole práctica aconsejan, asimismo, la adaptación de una regulación obsoleta de la huelga —como la vigente— pensada y alumbrada sobre un sustrato económico, social y tecnológico basado en un modelo puramente industrial superado por el creciente protagonismo del sector servicios y, sobre todo, por un nuevo contexto de las relaciones laborales que resulta de importantes transformaciones generadas por el inusitado desarrollo de las tecnologías de la información y la comunicación (*TIC*), la generalización del uso de las redes sociales y, en general, por la expansión del fenómeno conocido como *digitalización*. En efecto, entre otras consecuencias, estos cambios han repercutido en la potenciación del teletrabajo y del trabajo a distancia, en general, y han provocado que la prestación de servicios se caracterice, ahora, en muchos sectores y actividades, por la dispersión, frente a la tradicional concentración simultánea de trabajadores en un centro de trabajo, lo cual incide directamente sobre las circunstancias y posibilidades organizativas y de comunicación subyacentes en la iniciación y desarrollo de las huelgas y de las actividades sindicales, en general. A su vez, estas nuevas herramientas suscitan, en este ámbito, problemas concretos nuevos —a los que también me referiré—, como el denominado *esquirolaje tecnológico*. Junto al comentado fenómeno tecnológico, el inusitado éxito —con su consiguiente desarrollo y expansión generalizada— de la externalización de actividades empresariales y la descentralización productiva en general, como fórmula organizativa empresarial predilecta en la mayor parte de sectores de actividad, generan nuevos e importantes retos en lo referido al ejercicio y desarrollo del derecho de huelga, a la imputabilidad de responsabilidades empresariales y, en particular, en materia de esquirolaje, como también será abordado en su momento.

Sin embargo, es preciso apuntar que la apatía, seguramente, no ha sido la principal razón para la postergación de la aprobación de tal norma. Asimismo, existen razones de fondo que parecen explicar la demora:

A.- Tratándose de una materia relativa a un derecho fundamental ("el derecho fundamental de huelga"), es necesaria —como ya he avanzado— su regulación por Ley Orgánica y ello exige, desde el punto de vista formal, su aprobación por mayoría absoluta en el

Congreso de los Diputados pero, desde un punto de vista de legitimidad material, siempre ha permanecido latente el sentimiento de que, para que la norma cumpla correctamente su función, sería deseable que contara con un amplio consenso social y con la implicación de todos los sectores afectados. Lo cual, generalmente, no se ha conseguido (*v. gr.*: la oposición de la patronal al acuerdo con los sindicatos mayoritarios para el Proyecto de Ley Orgánica de 1993).

B.- De otro lado, desde la perspectiva sindical y de algunas posiciones de izquierda —pueden consultarse en el Anexo II de esta obra las intervenciones del senador Prof. VIDA SORIA en el debate parlamentario constitucional con relación a que ya era suficiente con constitucionalizar la huelga—, se ha defendido tradicionalmente que "la mejor Ley de huelga es la que no existe", propugnando el establecimiento de procedimientos de autorregulación sindical del derecho de huelga, al modo del modelo italiano intentado desde los años ochenta (Domínguez Bautista, 1993; García-Perrote Escartín, 1993).

Sobre la base de las necesidades y condicionantes que se derivan del planteamiento anterior, en lo que sigue desarrollaré un ensayo jurídico que, siguiendo el esquema trazado por el articulado de un hipotético Proyecto de Ley Orgánica de Huelga, abordará el análisis doctrinal y científico-jurídico de las distintas materias relacionadas con el fenómeno huelguístico (concepto, modalidades, procedimiento, garantías, tutela judicial, efectos de la huelga y responsabilidades) con el fin de alumbrar, *de lege ferenda*, una propuesta óptima para su regulación global que cumpla con el mandato constitucional del art. 28.2 CE, con soluciones eficaces y modernas, adaptadas a la realidad actual de las relaciones laborales de nuestro país.

El *iter* metodológico empleado para tal fin partirá, generalmente, de un somero examen del contenido básico del vigente régimen jurídico derivado del RDLRT —teniendo en cuenta la depuración realizada por el TC en la sentencia 11/1981, de 8 de abril y posteriores, pero sin perder de vista la jurisprudencia ordinaria principal a considerar— que será puesto en relación con dos referencias principales:

a) el Derecho comparado de los países más representativos tanto de nuestro entorno jurídico (*civil law*), como de los máximos exponentes de la cultura jurídica del *common law*;

b) y, sobre todo, el contenido de los frustrados Proyectos de Ley Orgánica de Huelga de 1992 y 1993[3].

1.1. PROPUESTA DE EXPOSICIÓN DE MOTIVOS

Con base en las consideraciones anteriores, se propone el siguiente texto para la exposición de motivos de un hipotético Proyecto (o Proposición) de Ley Orgánica o, en su caso, para el preámbulo de la consiguiente Ley Orgánica aprobada:

Exposición de Motivos

1. De acuerdo con el artículo 1.1 de la Constitución española, España se constituye en un Estado Social y Democrático de Derecho. Una de las consecuencias principales de la caracterización como social del Estado democrático instituido por la Carta Magna es el papel predominante que a los agentes sociales y, en particular, a las organizaciones sindicales corresponde en el marco jurídico, laboral y social resultante, como se desprende del contenido del artículo 7 y de su propia ubicación en el Título Preliminar.

Junto a este importante papel constitucional genérico, una de las manifestaciones fundamentales concretas que distingue la actividad sindical propia de los sindicatos, y la diferencia de la de cualesquiera otras asociaciones constituidas al amparo del artículo 22 de la Constitución, —junto con el derecho a la negociación colectiva que les viene reconocido en el artículo 37.1 de la norma suprema en la Sección segunda del Capítulo segundo del Título primero (dentro de los derechos y deberes de los ciudadanos)— viene constituida por el derecho de huelga reconocido como derecho subjetivo fundamental de los trabajadores en el artículo 28.2 dentro de la Sección primera del Capítulo segundo del Título primero.

2. La ubicación privilegiada del derecho de huelga, así como su consiguiente caracterización como fundamental (artículo 53.2 de la Constitución española) exige su regulación por medio de una Ley Orgánica

3 En junio de 1992 fue aprobado un Proyecto de Ley Orgánica de Huelga en el Congreso de los Diputados, pero, en noviembre del mismo año, se pactó con las organizaciones sindicales más representativas, UGT y CC.OO., un nuevo texto con importantes modificaciones, que no contó con el beneplácito de CEOE. Finalmente, tras haber sido aprobado ya por el pleno del Senado, este nuevo intento también quedó frustrado, por la disolución anticipada de las Cortes Generales en 1993, pocos días antes de la fecha en que estaba prevista la votación definitiva en el Congreso de los Diputados.

(artículo 81 de la Constitución española). El artículo 28.2 de la Constitución española encomienda expresamente al legislador la regulación del ejercicio de este derecho y, asimismo el artículo 9.2 de esta mima norma, atribuye a los Poderes Públicos el objetivo de promover las condiciones para que la libertad y la igualdad del individuo y de los grupos en que se integra sean reales y efectivas, para cuyo cumplimiento la huelga se revela como un instrumento idóneo y especialmente eficaz.

3. Mientras el derecho a la libre sindicación reconocido en el artículo 28.1 de la Constitución española, contó con cumplido desarrollo en la temprana Ley Orgánica 11/1985, de 2 de agosto y el derecho a la negociación colectiva reconocido en mencionado artículo 37.1 de la norma constitucional fue regulado en su Título III por el Estatuto de los trabajadores, incluso antes, desde su versión original de la Ley 8/1980, de 10 de marzo, la tarea de continuar y completar el desarrollo de la Constitución española en materia de relaciones laborales ha quedado abandonada en materia de derecho de huelga, el cual continúa rigiéndose, por una norma preconstitucional y sin el debido rango de Ley Orgánica: el Real Decreto Ley 17/1977, de 4 de marzo, de Relaciones de Trabajo. La vigencia de esta norma ha motivado la necesidad de múltiples sentencias del Tribunal Constitucional dirigidas a trazar el perfil constitucional del derecho de huelga. Entre ellas, destaca sobremanera la sentencia 11/1981, de 8 de abril, que declaró la inconstitucionalidad de diversos preceptos del citado Real Decreto-Ley e indicó en qué sentido habría que interpretar otros artículos de esta disposición normativa para poder seguir siendo aplicada conforme a los principios constitucionales.

Sin embargo, la falta de rigor formal y la provisionalidad resultante de la situación anterior, junto con la obsolescencia de la precitada norma de 1977 que acusa el paso de los años y no responde adecuadamente a los nuevos problemas y necesidades propios de las relaciones laborales de nuestro tiempo (como son, particularmente, los derivados de la implantación de enormes y numerosos avances tecnológicos, así como de fórmulas descentralizadoras y de externalización en las estructuras organizativas empresariales), obligan a la adopción de una norma que, a la vez que cumpla debidamente con las exigencias constitucionales, contenga una regulación con un contenido moderno y actual más acorde con el mundo laboral, la sociedad y la economía del presente.

4. Transcurridos más de 45 años desde la promulgación de la norma constitucional resulta preciso, pues, por fin y sin más dilación, abordar esta tarea encomendada al legislador, dando cumplimiento mediante la presente Ley a dicho mandato del constituyente en beneficio de los importantes intereses y bienes constitucionalmente protegidos descritos, mediante una regulación que, asimismo, tenga en cuenta la necesidad de su ponderación y conciliación con los demás derechos constitucionales implicados. En este sentido, en especial, el artículo 28.2 de la Constitución española obliga al legislador a establecer las garantías precisas para asegurar el mantenimiento de los servicios esenciales para la comunidad.

1.2. ANTECEDENTES HISTORIOGRÁFICOS DE LA REGULACIÓN DE LA HUELGA

Como ha sido subrayado por la doctrina (Ojeda Avilés, 2003, p. 441 y 443), el acercamiento histórico al tratamiento jurídico de la huelga no puede abordarse de forma aislada de su entorno natural: el conflicto social; siendo éste la disputa y aquélla un medio (de presión) para su solución, pese a que se suela identificar con el conflicto mismo por excelencia. Desde esta perspectiva amplia, es posible apreciar cierta evolución histórica: así, las ideas cristianas de armonía, fraternidad y aceptación de un supuesto orden natural o divino de las cosas llevaron inicialmente al repudio del conflicto como opuesto al orden y la armonía social que persigue el Derecho mediante la supresión del conflicto mismo, dando paso, con posterioridad, paulatinamente, a que germinase "la convicción liberal, sustentada a partir de Darwin, de que la tensión sirve de impulso al progreso social, de igual forma que la lucha por la supervivencia perfecciona la especie" (Ojeda Avilés, 2003, p. 442). En cualquier caso, jurídicamente, este proceso de transformación histórica se irá acompañando, de forma latente, de la consolidación del principio de que es mejor reconocer y canalizar jurídicamente el conflicto (sometiéndolo a límites y procedimientos legales) que tratar de soterrarlo o prohibirlo, en tanto que, en la realidad, no se consigue impedirlo y se evita así el riesgo de quiebra del sistema social mismo.

Paralelamente, desde antaño (Calamandrei, 1954, p. 222 y ss.), es tradicional la distinción de tres formas históricas de abordar el fenómeno huelguístico, partiendo de su tipificación como delito, pasando por su consideración como libertad (con las consecuencias que, eventualmente, pudieran derivarse de su consideración como incumplimiento contractual), hasta su reconocimiento como derecho, incluso, como actualmente en nuestro país, a nivel constitucional y, más concretamente, como derecho fundamental. Como podrá comprobarse a continuación, la historiografía de la regulación jurídica del fenómeno huelguístico revela que en España se reprodujo, en lo esencial, este mismo esquema[4].

---

4 En efecto, desde una perspectiva histórica basada en el esquema clásico de Calamandrei (1954, p. 222 y ss.) resulta clara la distinción de tres formas de abordar el fenómeno huelguístico. Partiendo de un tratamiento generalizado originario de

1.2.1. La regulación primigenia del derecho de huelga

Desde los albores de la revolución industrial y del movimiento obrero, el tratamiento jurídico de esta materia estuvo basado en un doble enfoque: a) con relación a las huelgas laborales en sentido estricto, se partía, desde una concepción económica, de su consideración como mecanismos perturbadores de la libre formación de los precios; b) mientras que, con relación las huelgas con reivindicaciones más generales o con tintes políticos, se tendía a su incardinación en el delito de sedición. En efecto, desde la primera de las perspectivas descritas, los códigos penales de la época, plasmando, en el ám-

---

prohibición (incluyendo, en muchos casos, su tipificación como delito), pasando por su consideración como libertad cuyo ejercicio únicamente llevaría aparejadas responsabilidades contractuales y que patentiza una posición de neutralidad el Estado, hasta llegar, finalmente, en la mayor parte de los países desarrollados a alcanzar su consagración como derecho, incluso fundamental, con el consiguiente papel activo y garantizador por parte de los poderes públicos, que excluye las consecuencias sancionadoras para el trabajador, si la huelga se ejerce legalmente. No obstante, en los países más representativos de la tradición jurídica de la *common law* predomina la consideración de la huelga como libertad. Así, en Inglaterra, ya desde antaño, la denominada "Golden formula" patentizó un régimen de libertad de huelga con garantía de irresponsabilidad por daños del sindicato (Ley de Conflictos Laborales de 1906 y, posteriormente, Ley de Sindicatos y Relaciones Laborales de 1974). La huelga no se configuraría como un derecho sino como un mero ejercicio de la libertad individual, de modo que si, en su caso, se considerase un incumplimiento contractual, de originar el despido no sería impugnable, salvo discriminación. En EE. UU., desde 1932, La Ley Norris-La Guardia estableció un sistema muy similar al inglés, basado en la inmunidad jurisdiccional del sindicato, canalizándose las exigencias de responsabilidad por parte del empresario de forma individual frente a los trabajadores huelguistas, que pueden ser despedidos sin causa. En este contexto, la Ley Wagner de 1935 trató de limitar los posibles abusos por parte del lado empresarial. Sin embargo, como es connatural en los sistemas jurídicos del *common law*, cuya piedra angular es el precedente judicial, es la jurisprudencia del Tribunal Supremo de dicho país la que ha ido delimitando la huelga en un sentido en ciertos aspectos, paradójicamente, bastante similar al vigente en otros sistemas como el nuestro que constituye un claro ejemplo de la tradición jurídica del Civil Law. Por lo demás, en este caso, sí cabe la impugnación del despido por parte del trabajador despedido por participación en huelga legal, en primer lugar, mediante un procedimiento administrativo ante la Agencia Federal *National Labor Relations Board*, con posibilidad de apelación ante los Tribunales Federales de Apelación que podrían imponer la readmisión (Domínguez Bautista, 1993, p. 13).

bito penal, los principios propios del Derecho civil de corte liberal surgido de las revoluciones burguesas, y con cierta confusión latente con el papel que en el pasado habían desempeñado los gremios, penalizaron la acción sindical y la huelga en cuanto maquinaciones para interferir en la libre fijación del precio del trabajo. Así, en España, el Decreto de 8 de junio de 1813, del Conde de Toreno, prohibió las asociaciones profesionales (no sólo los gremios, sino también los sindicatos de trabajadores) afirmando, así, el principio de libertad de contratación en el ámbito del trabajo, mientras que el art. 461 del Código Penal de 1848 tipificó las huelgas, insertas en el capítulo V: "De las maquinaciones para alterar el precio de las cosas", como coligaciones dirigidas a encarecer o abaratar abusivamente el precio del trabajo (Sala Franco, 1997, p. 57).

De manera análoga, la asociación sindical fue tipificada, asimismo, como delito de asociación ilícita o conspiración. De un lado, el liberalismo político impedía la existencia de sociedades intermedias entre el Estado (emanado de la soberana voluntad popular bajo la idea del contrato social) y los individuos libres y formalmente iguales. De otro lado, el liberalismo económico, defendía la propiedad privada y el libre encuentro entre las distintas fuerzas económicas que no podía ser limitado por *corporaciones* (Ley Le Chapelier de 1791), como los antiguos gremios, que tratasen de interferir limitando la libertad de fijación de los precios, de organización y de producción, de contratación, de trabajo y de acceso a la profesión, etc. En palabras de García Murcia (1985, p. 29): "(...) es notorio que la época se caracterizaba por la defensa y los intentos de consolidación de las reglas del mercado, dentro de una concepción bastante próxima al más puro liberalismo. La trascendencia más relevante de estas posiciones, al menos a nuestros efectos, fue la supresión de todas las corporaciones, grupos o «cuerpos intermedios». Solamente el Estado y los individuos estaban legitimados para intervenir y tomar decisiones en la vida económica. El papel del Estado, además, prácticamente debía quedar reducido a vigilar y garantizar el libre juego dentro del mercado".

El siguiente paso evolutivo lleva al denominado por los anglosajones *double standard*, por virtud del cual se pasaron a tolerar inicialmente las reuniones de empleadores, informales —a diferencia de las obreras más llamativas, por más numerosas, que obligaba a convocarlas formalmente— y que no se consideraban nocivas para el progreso económico. El avance hacia la permisividad de asociaciones de tipo de obrero se inició, precisamente, por aquellas (de tipo mutualista, cooperativo o filantrópico) que se estimaba que no tenían potencialidad para afectar a la determinación del precio de la mano de obra (Sala Franco y Albiol Montesinos, 1994, p. 59). En nuestro país, cabe citar la pionera Real Orden Circular de 28 de febrero de 1839 con relación a las denominadas sociedades de socorros mutuos.

Sin embargo, aunque las Constituciones liberales de 1869 y 1876 contemplaron el derecho de reunión y de asociación (ya introducidos antes, respectivamente, por el Decreto-ley de 1 de noviembre de 1868 y el Decreto-ley de 20 de noviembre de 1868 y desarrollados pocos años después por sendas Leyes de reunión y asociación de 1880 y 1887), no llegó a reconocerse expresamente el derecho de asociación sindical y en el art. 556 del Código Penal de 1870 se mantuvo la penalización de la conducta de los que «coligaren con el fin de encarecer o abaratar abusivamente el precio del trabajo o regular sus condiciones» (García Murcia, 1985, p. 33; Sala Franco, 1997, p. 58-59).

El último paso hacia el reconocimiento del derecho de libertad sindical es progresivo —y variable según países— pero encuentra un notable impulso normativo internacional en 1919, tras la primera guerra mundial y la revolución rusa (1917), con la creación de la OIT (Tratado de Versalles) y en sus posteriores Convenios 87 y 98, así como, tras la segunda guerra mundial, en la Declaración Universal de Derechos Humanos de 1948, en la Convención Europea de Derechos Humanos y Libertades Fundamentales de 1950 y en el Pacto Internacional de Derechos Civiles y Políticos de 1966[5].

---

5 Pese a que su influencia en Europa quedó mitigada en gran medida por la 1ª Guerra Mundial (Ojeda Avilés, 2003, p. 496) no puede desdeñarse la importancia de la pionera Constitución mexicana de Querétaro (1917) que, por vez primera (antes que la Constitución de Weimar de 1919), recogió específica y minuciosamente los derechos sociales y reconoció la licitud de las huelgas "cuando tengan por objeto conseguir el equilibrio entre los distintos factores de producción, armonizando los derechos del trabajo con los del capital", reputando ilícitas únicamente las ejercidas con violencia sobre personas o propiedades y, en

En España, tras una tramitación parlamentaria que se prolongó nada menos que durante 8 años (el primer proyecto se envió al Congreso de los Diputados en el año 1901), la aprobación de la Ley *de Huelgas y Coligaciones* de 27 de abril de 1909 supuso el reconocimiento de la huelga por motivos profesionales y estableció ciertas reglas, como plazos de preaviso y sanciones para los infractores, garantizando la libertad de trabajo de los no coaligados. Pese a contarse con esta regulación, los años que median entre 1909 y 1923 se caracterizaron por una conflictividad social desmedida: la "semana trágica" de Barcelona, la huelga de ferrocarriles de 1912 o la famosa huelga de "La Canadiense" en 1919, que llevaron a la aplicación por los jueces del régimen sancionador previsto en aquélla, si bien al mismo tiempo se sucedieron los sistemáticos indultos y amnistías que propiciaban cada cambio de gobierno (Suárez González, 2007, p. 555).

Posteriormente, todavía bajo la vigencia de la Ley *de Huelgas* de 1909, que había derogado el comentado art. 556 del CP de 1870[6]

---

caso de guerra, sobre establecimientos o servicios dependientes del Gobierno. Parece, además, que este texto constitucional pudo influir, tras el *crash* de 1929, en EE.UU., en la Ley Wagner *(Wagner Act)* de 1935.

6 García Murcia (1985, p. 33) describe cómo en los años previos, incluso cuando todavía se mantenía vigente el citado art. 556 de la norma penal de 1870, la posición de las autoridades del momento (Circular del Ministerio de la Gobernación de 21 de junio de 1902, Gaceta de 22 de junio) frente a la huelga se fue suavizando, siguiendo los criterios de la Fiscalía del Tribunal Supremo contenidos en la Circular de 20 de junio de 1902, en la que se clarificaba el significado del término «abusivamente» de citado precepto penal, que antes no había sido definido. La Circular de 1902 ofrece tres tipos de consideraciones: En primer lugar, señala que la cesación en el trabajo por parte de los obreros para regular ventajosamente su contrato de arrendamiento de servicios es un derecho natural, según «opinión común», inherente a la personalidad del individuo, cuyo ejercicio pacífico no admite trabas ni limitaciones. Es una manifestación de la libertad humana a la luz de los principios de la ciencia jurídica. En segundo lugar, pone de manifiesto que la asociación de obreros creada al amparo del artículo 13 de la Constitución y de la Ley de 1887 para mejorar las condiciones de trabajo es lícita. Y, por último, encuadra la decisión de cesar en la prestación de servicios, como medida de presión laboral, en el juego de la oferta y la demanda propio del mercado. La conclusión de todo ello es que la coligación y la huelga efectuada para obtener ventajas en las condiciones de trabajo y mejoras en la cuantía de la remuneración no constituyen delito si se desarrollan de forma pacífica. Para la Fiscalía del Tribunal Supremo, en definitiva, el artículo 556 CP castiga esos hechos únicamente cuando existe «abuso».

—despenalizando la huelga, pero todavía sin reconocerla como derecho sino como mera libertad («sin perjuicio de los derechos que dimanen de los contratos que hayan celebrado»)—, con el caldo de cultivo de la inestabilidad político-social y de los conflictos mencionados, aconteció, en 1923, el golpe de Estado que instauró la dictadura del General Primo de Rivera, cuyo Código Penal de 1928 suprimió la tipificación penal de las huelgas pacíficas en su acepción estrictamente económica, penalizando únicamente sus posibles manifestaciones de cariz político. En este sentido, el art. 289.3 tipificaba como delito de sedición: «suspender o paralizar un servicio público de interés general del Estado, de la Provincia o del Municipio». Muy significativamente, el art. 290 consideraba, asimismo, delito de sedición: «(...) las coligaciones de patronos que tengan por objeto paralizar el trabajo y las huelgas de obreros cuando unas y otras, por su extensión y finalidad, no puedan ser calificadas de paros o huelgas encaminados a obtener ventajas puramente económicas en la industria o en el trabajo respectivos sino que tiendan a combatir los Poderes públicos o a realizar cualesquiera clase de actos comprendidos en los delitos de rebelión o en el artículo anterior»[7].

Este término significa aquí el ejercicio de aquellas medidas mediante coacción o violencia. No es abusiva, y, por tanto, es lícita, la coligación o la huelga que se realiza pacíficamente. Incluso se añade otra matización de importancia: si la adopción de una medida como la huelga produce la falta de luz o de agua en una población, suspende el funcionamiento de los ferrocarriles o priva de la asistencia a los enfermos o asilados en un establecimiento de beneficencia, sin que se haya preavisado para evitar la desatención de esos servicios, la autoridad competente estará legitimada para requerir a los huelguistas para que atiendan los trabajos en los que han cesado, por razones de orden público y humanidad. La oposición o desobediencia a ese requerimiento constituirá un hecho criminal y generará la responsabilidad consiguiente. Como García Murcia (1985, p. 33) subraya "estamos ya ante una primera delimitación de lo que son servicios esenciales o necesarios para la comunidad y ante la consagración de un principio que será una constante en la regulación de la huelga y el conflicto colectivo de trabajo: el de la restricción del ejercicio de esos derechos como mecanismo de salvaguarda de los intereses generales de la sociedad o como garantía para el mantenimiento del orden público y de las instituciones políticas".

7 El art. 737 del Código Penal de 1928 seguía manteniendo dentro de la rúbrica de los «delitos de maquinación para alterar el precio de las cosas» a los que atentaren, mediando violencia o amenazas, contra la libertad de comercio, industria o trabajo, impidiendo con ello el aprovisionamiento de fábricas, establecimientos o naves, o el abastecimiento de poblaciones, u ocasionaran la

Este último precepto en especial, juntamente con el tratamiento jurídico previo de la huelga descrito, sin perjuicio del evidente juicio de valor negativo que corresponde hacer a su contenido represivo de la huelga, ofrecen, no obstante, a nivel conceptual, una diferenciación de enorme interés. Pues, confirman que, desde sus mismos orígenes, el tratamiento jurídico de la huelga partió de su consideración como un instrumento fundamentalmente económico de reequilibrio en la conformación del precio del trabajo, en el primer sentido avanzado el principio de este apartado. Así ocurrió, primero con la malsana intención de reprimirla y penalizarla y, posteriormente, con el objetivo de permitirla[8] y diferenciarla de otras manifestaciones cualitativamente distintas *no encaminadas a obtener ventajas en la industria o en el trabajo respectivos sino a combatir los poderes públicos u otros actos propios del delito de rebelión.* Llama la atención, asimismo, en el último precepto citado, que la potencialidad para producir estas otras consecuencias o manifestaciones de tipo político se atribuyesen no sólo a las "huelgas de obreros" sino, incluso en primer lugar, a las "coligaciones de patronos que tengan por objeto paralizar el

---

suspensión o interrupción de una obra o servicio, todo ello «con el fin de ejercer algún acto de odio o de venganza, de imponer determinadas condiciones o de conseguir trabajo o aumento de salarios». Se reproducía en este precepto la antigua prohibición de las coligaciones para alterar el libre funcionamiento del mercado de trabajo, pero con la importante matización de que era necesario el elemento violencia o amenaza para la concurrencia del tipo delictivo (García Murcia,1985, p. 49).

8 Estos pasos hacia la libertad de huelga (descriminalización, pero no derecho), en el contexto de una sociedad en que la burguesía habría ganado preponderancia sobre la nobleza militar, obtuvieron sustento jurídico en diversos fundamentos liberales (Ojeda Avilés, 2003, 493-494): a) El reconocimiento de la libertad de no trabajar como una manifestación de la libertad individual del ciudadano, plasmada en el CC, por ejemplo, en la prohibición de los arrendamientos de servicios vitalicios (art. 1583 CC: "El arrendamiento hecho por toda la vida es nulo"); b) El paralelismo con las posibilidades reconocidas en el ámbito de los contratos civiles y mercantiles de interrupción de las prestaciones en caso de desacuerdo en la revisión de sus cláusulas o la acción resolutoria del art. 1124 CC en caso de incumplimiento por la contraparte, hacían injustificado que cuando la renegociación de condiciones o el incumplimiento era del empresario con relación a sus trabajadores, estas mismas posibilidades de paralización de las prestaciones que venían reconocidos en la legislación civil con carácter general, fuese reputado delito para las leyes penales cuando se tratase de personas trabajadoras.

trabajo", poniendo en evidencia que estos otros aspectos políticos no son exclusivos de las huelgas y, por tanto, escapan de su concepto esencial. Reluce pues ya —si bien todavía sólo conceptualmente— la idea de que si lo que se trata de reprimir son las finalidades sediciosas podría ser suficiente el tipo penal general del delito de rebelión, sin necesidad de penalizar específicamente las huelgas[9].

La II República aportó un nuevo talante al tratamiento de las reclamaciones colectivas de modificación del régimen de trabajo, que se trataron de encauzar a través de procedimientos pacíficos. Si bien el derecho de huelga no llegó a constitucionalizarse —a diferencia del de sindicación, reconocido junto al derecho de asociación en el art. 39 de la Constitución de 1931—, en la Ley del contrato de trabajo del mismo año (art. 91) se estableció que "las huelgas o los *lock-outs* en general no rescindirán el contrato de trabajo", configurando una causa de suspensión del contrato de trabajo, durante la cual no se trabajaba ni percibían salarios, que supuso un primer paso de la libertad de huelga hacia el derecho de huelga, impidiendo despedir al trabajador. No obstante, este reconocimiento del derecho de huelga se acompañaba, en el párrafo segundo del mismo precepto[10], de un deber paz relativo, proscribiendo las huelgas novatorias[11].

Tras el breve paréntesis de la II República, la dictadura franquista (1939-1975), especialmente en sus primeras etapas —primero, en la Declaración XI.2 del Fuero del Trabajo de 1938 (delito de lesa pa-

---

9 Esta idea se reivindicará más modernamente por la doctrina (Ramírez Martínez, 1980, p. 448) con posterioridad a la Constitución española de 27 de diciembre de 1978.

10 "No obstante, si durante el tiempo de vigencia de un pacto colectivo por el cual deba regularse el contrato de que se trate, se plantease una huelga o "lock-out" para mejorar o empeorar las condiciones del trabajo estipuladas en el contrato, tales medios de lucha podrán ser motivo de rescisión y dar lugar a indemnizaciones, pago de daños, etc., y, en todo caso, cualquiera que sea el término del conflicto, mientras el pacto colectivo se halle en vigor, no podrán obligar condiciones distintas de las anteriormente contratadas".

11 Suárez González (2007, p. 556) señaló, además, que, no obstante lo anterior, primero provisionalmente, la Ley de Defensa de la República de 21 de octubre de 1931 consideró las huelgas ilegales "actos de agresión a la República" y, más tarde, la Ley de Orden Público de 28 de julio de 1933 las incluyó entre los actos contrarios a ese orden público.

tria[12]), después a través de la Ley de Seguridad del Estado de 1941 y, por último, mediante el art. 222 del Código Penal de 1944—, retomó el tono represivo de las eventuales supuestas manifestaciones sediciosas de las huelgas, hasta que, tras un paulatino proceso de moderación, en sus últimos momentos (1975), se procedió a su admisión/regulación, previa a su consagración como derecho en 1977 (en plena transición política), como pasos que precedieron, por fin, a su reconocimiento constitucional democrático en 1978.

1.2.2. Dos pasos previos a la constitucionalización: la legalización de la huelga y su regulación como derecho

Como se ha avanzado, en los últimos años del régimen franquista, el tratamiento de la huelga se fue suavizando, primero, con su despenalización mediante la Ley 104/1965, de 21 de diciembre, que reformó el art. 222 del CP entonces vigente, así como —a nivel programático o pseudo-constitucional— mediante la modificación, en el ámbito de las Leyes Fundamentales del Reino, del Fuero del Trabajo, cuya Declaración XI dejó de calificar como delito de lesa patria los actos individuales o colectivos que, de cualquier modo, turbasen o atentasen la normalidad de la producción[13], dejando en manos de la legislación ordinaria la calificación de aquellos actos como legales o

---

[12] El Fuero del Trabajo de 9 de marzo de 1938 (una de las 8 Leyes fundamentales de la dictadura franquista), en su Declaración XI.2, establecía: "Los actos individuales o colectivos que de algún modo turben la normalidad de la producción o atenten contra ella serán considerados como delitos de lesa patria".

[13] El Fuero del Trabajo, tras su modificación por la Ley Orgánica de 10 de enero de 1967, en su Declaración XI pasó a establecer: "1. La producción nacional constituye una unidad económica al servicio de la Patria. Es deber de todo español defenderla, mejorarla e incrementarla. Todos los factores que en la producción intervienen quedan subordinados al supremo interés de la Nación. 2. Los actos ilegales, individuales o colectivos, que perturben de manera grave la producción o atenten contra ella, serán sancionados con arreglo a las leyes. 3. La disminución dolosa del rendimiento en el trabajo habrá de ser objeto de sanción adecuada. 4. En general, el Estado no será empresario sino cuando falte la iniciativa privada o lo exijan los intereses superiores de la Nación. 5. El Estado, por sí o a través de los Sindicatos, impedirá toda competencia desleal en el campo de la producción, así como aquellas actividades que dificulten el normal desarrollo de la economía nacional, estimulando, en cambio, cuantas

ilegales —con las consiguientes consecuencias sancionadoras—, únicamente, cuando provocaran perturbaciones graves.

Posteriormente, mediante Decreto 1376/1970, de 22 de mayo, por vez primera desde la II República, se produjo cierta legalización de la huelga, aunque sin llegar reconocerla todavía como derecho. A partir del citado Decreto, la participación en los paros no quedaba ligada necesariamente al despido configurando cuasi automáticamente causa para el mismo, sino que, en su art. 11, se contemplaban como causa de suspensión del contrato de trabajo los casos en que los representantes de los trabajadores hubieran formulado reclamaciones sobre el cumplimiento de disposiciones legales o convencionales cuando no fueran contestadas por los empresarios o éstos obstaculizasen la negociación de los convenios.

a. El Decreto-ley 5/1975, de 22 de mayo, sobre regulación de los conflictos colectivos de trabajo

El 20 de febrero de 1975, el entonces Ministro de Trabajo, Licinio De la Fuente, presentó ante el Consejo de Ministros lo que, en un principio, se pretendía fuese un proyecto de Ley de Huelga[14]. Con anterioridad se había propuesto la aprobación de una Ley Básica del

---

iniciativas tiendan a su perfeccionamiento. 6. El Estado reconoce la iniciativa privada como fuente fecunda de la vida económica de la Nación".

14 Licinio De la Fuente fue nombrado Ministro de Trabajo en 1969. Durante su mandato, hasta su dimisión en marzo de 1975, se produjeron en España importantes avances sociales (en términos relativos, pues hay que situarse en el contexto histórico del régimen franquista), tales como el Decreto de 1376/1970 antes mencionado sobre conflictos laborales y huelga o también un —muy avanzado para su tiempo— Decreto 2310/1970, de 20 de agosto, por el que se regulaban los derechos laborales de la mujer trabajadora, en cuyo art. 1.1 se reconocía, expresamente, que: "La mujer tiene derecho a prestar servicios laborales en plena situación de igualdad jurídica con el hombre y a percibir por ello idéntica remuneración". En materia de seguridad social se aprobó también en 1970 el todavía vigente Decreto 2530/1970, de 20 de agosto, por el que se regula el RETA y, posteriormente, la LGSS de 1974. En general, en aquellos años se extendió enormemente la cobertura de la S.S. a nuevos sectores sociales y se dio un gran impulso a la protección sanitaria, con la creación de numerosos centros hospitalarios a nivel nacional. Paradójicamente, parece que De la Fuente tuvo también un papel destacado en los debates parlamentarios constitucionales como impulsor del actual art.

Trabajo (que hubiera sido una especie de antecedente histórico del actual Estatuto de los Trabajadores), pero cierto disenso en el Consejo de Ministros franquista de la época abocó a su fragmentación en normas separadas: Ley de Relaciones Laborales (que, finalmente, se aprobó por Ley 16/1976, de 8 de abril) y esta Ley de huelga propuesta en 1975 pero que, tras no pocas disputas entre los miembros del Gobierno, terminó siendo rechazada y provocando la dimisión del Ministro de Trabajo que la impulsó, siendo finalmente regulada (bajo el mandato del nuevo Ministro de Trabajo Fernando Suárez González) por el Decreto-ley 5/1975, de 22 de mayo, sobre regulación de los conflictos colectivos de trabajo (De la Fuente De la Fuente, 1998).

Este Decreto-Ley, tras calificar, en su preámbulo, a su predecesor Decreto 1376/1970 como "una norma experimental y provisional", se presentó a sí mismo como innovador al legalizar el recurso a la huelga. Sin embargo, la huelga en él es tildada de "expresión" —no derecho— en el pasado "relegada, prácticamente, al ámbito penal estricto; de ahí su carga política negativa". Pero, con cierto pragmatismo, a partir de esta norma se trató de superar aquella visión "para asumir la realidad económica y social, en sus hechos y en sus nombres" (en aquellos años adquirieron fama las palabras "A la huelga la llamaremos huelga", pronunciada por el Ministro de Relaciones Sindicales ante la permanente del Congreso sindical).

El objetivo del Decreto-ley 5/1975 no fue, pues, el reconocimiento del derecho a la huelga sino la ordenación del fenómeno huelguístico "con firmeza y claridad, evitando los desajustes, cuando no la ruptura, entre el mundo social y el mundo de las normas", bajo una concepción de la huelga como mero instrumento de apoyo a las reivindicaciones que "no resuelve el conflicto colectivo de trabajo" y que habría de ajustarse estrictamente a los requisitos de fondo y forma que el propio Decreto-ley establecía en concordancia con la legislación penal y de orden público y con sujeción, en todo caso, a los límites que derivaban del prevalente respeto a la libertad individual,

---

129.2 CE: "Los poderes públicos (...) También establecerán los medios que faciliten el acceso de los trabajadores a la propiedad de los medios de producción".

a la propiedad privada, al interés colectivo de la *Empresa*, así como al interés general.

Procedimentalmente, el recurso a la huelga quedaba así configurado con el carácter de última *ratio* o "remedio extremo" tras el agotamiento y fracaso de los procedimientos de negociación o, en su caso, de composición pacífica entre las partes, a través de sus representantes legales. De ahí que se exigiera el agotamiento previo de dichas instancias y que el acuerdo de huelga tuviera que ser adoptado, a propuesta de los representantes sindicales del personal, por los trabajadores que fueran a ser afectados por el paro. Tales trabajadores podían desistir en cualquier momento y someterse a la decisión de la autoridad laboral e, igualmente, cuando concurrieran razones graves, el Gobierno podía requerir a los interesados para que sometieran sus diferencias a la decisión de dicha autoridad.

Sin embargo, cuando no se respetasen tales requisitos y limitaciones que la norma exigía, se mantenía la advertencia y consideración de la "huelga improcedente" como un acto contrario a Derecho que, de acuerdo con sus motivaciones y su manifestación, podría ser sancionado por el propio Derecho del Trabajo o, incluso, someterse a las prescripciones de la legislación penal y de orden público.

Ello no obstante, el Decreto-Ley de 1975 —en palabras del propio Ministro de Trabajo que lo auspició (Suárez González, 2007, pp. 556-557)— supuso "una trascendental innovación que implicó un singular cambio de actitud en las concepciones de aquel Régimen y que abrió el camino para que fuera ya fácil el reconocimiento del derecho de huelga en el Real Decreto-Ley de 4 de marzo de 1977".

b. El Real Decreto Ley de Relaciones de Trabajo 17/1977, de 4 de marzo

Ya en plena transición política (tras la Ley 1/1977, de 4 de enero, para la Reforma Política) fue promulgado el —parcialmente aún vigente— RDLRT, en cuyo preámbulo, primero se reconocía que el antes comentado Decreto-Ley de 1975 "supuso una etapa importante en la evolución histórica de la legislación laboral, en cuanto que consagró la legitimidad del recurso a la huelga, siempre que se observaran los requisitos de fondo y de forma que el propio texto legal contenía" por el que este "(...) fenómeno social, que durante años había constituido delito, pasaba a una etapa de libertad". Posteriormente, atribuyendo a la dinámica social y los cambios políticos experimentados en aquellos años, la justificación de la necesidad de sustitución aquella norma, en el RDLRT quedaba, por fin, consagrada la huelga como derecho, aligerando el procedimiento para su ejercicio y fijando sus límites en las fronteras determinadas por la salvaguardia de los intereses superiores de la comunidad.

Así, frente a la regulación de la norma que lo precedió, en el RDL-RT se suprimió el carácter de último recurso de la huelga, siendo los trabajadores quienes libremente podrán decidir, sin necesidad de apurar obligatoriamente otras instancias previas de negociación oficial, cuándo ejercitar su derecho a la cesación concertada del trabajo, con el único requisito de un preaviso de 5 días naturales (10 cuando se trate de empresas encargadas de la prestación de cualquier género de servicios públicos, en las cuales ahora expresamente se reconoce la posibilidad de ejercicio del derecho de huelga, sin riesgo a sanciones penales). De este modo, venía a establecerse una presunción general de licitud de la huelga, salvo que se incurriese en alguno de los supuestos de ilegalidad taxativamente enunciados en la nueva norma. Asimismo, como consecuencia de la configuración de la huelga como derecho, durante su ejercicio, se establece (art. 6.2 RDLRT) que el contrato de trabajo se entenderá suspendido y el trabajador no tendrá derecho al salario, permaneciendo el trabajador en huelga en situación de alta especial en la Seguridad Social (art. 6.3 RDLRT).

Casi inmediatamente después de la aprobación del RDLRT (marzo de 1977), tras las elecciones generales del día 15 de junio de 1977, el Congreso de los Diputados ejerció la iniciativa constitucional que le otorgaba el art. 3 de la Ley para la Reforma Política y, en la sesión de 26 de julio de 1977, se creó una Comisión Constitucional con el encargo de redactar un proyecto de Constitución.

Sobre la base del anteproyecto derivado de los trabajos de la ponencia constitucional, la citada comisión del Congreso de los Diputados abordó el debate sobre las materias, entre otras, relativas a derecho de huelga y libertad sindical que aquí interesan. En el Anexo II de la presente obra se desarrollan, extractan y comentan los principales de debates y discusiones parlamentarias de dicha Comisión, de la del Senado, así como los correspondientes a los plenos de ambas cámaras. Dichos trabajos parlamentarios abordaron y culminaron el proceso constituyente en lo que se refiere a las materias relacionadas con el objeto de esta obra (e influyeron, posteriormente, en la aprobación de la Ley Orgánica Sindical, cuyo debate parlamentario también se anexa —Anexo II—, resume y comenta), dando lugar al texto constitucional vigente y a la noción de derecho de huelga que del mismo se desprende que será objeto de estudio en el capítulo siguiente.

2. *CONCEPTO DE HUELGA*

2.1. EL DERECHO FUNDAMENTAL DE HUELGA EN LA CONSTITUCIÓN ESPAÑOLA DE 1978 Y SU CONCILIACIÓN CON OTROS DERECHOS CONSTITUCIONALES

En aras al objetivo planteado en este estudio en orden a la formulación de un Proyecto de Ley Orgánica de Huelga completo, moderno y equilibrado que dé respuesta adecuada a las distintas necesidades que tiene desatendidas la regulación vigente, resulta de crucial importancia la delimitación del contenido esencial de este derecho fundamental desde el punto de vista constitucional, de modo que no sólo quede asegurado el eficaz ejercicio del derecho de huelga sino también el respeto a los demás derechos constitucionales concurrentes.

2.1.1. La noción de huelga en la Constitución

La jurisprudencia constitucional ha entendido, desde la archiconocida STC 11/1981, de 8 de abril, que "el contenido esencial del derecho de huelga consiste en una *cesación del trabajo*, en cualquiera de las manifestaciones o modalidades que puede revestir" (F.J.10).

Ante la dicotomía doctrinal (García Murcia, 2014, p. 83) sobre si la finalidad de la huelga es la cesación en el trabajo con ánimo de presión a la empresa o, más bien, la producción de un daño a la misma para hacer valer esa capacidad de presión[15], pese a la indefinición

---

[15] García Murcia (2014, p. 106) analiza esta segunda concepción (amplia) de huelga al referirse a las opiniones de autores, entre los que cita a Baylos Grau (2005, p. 89 y ss.) para los que la huelga quiere verse como instrumento de trastorno o perturbación en la correspondiente actividad productiva, más allá del simple efecto del cese en el trabajo. Por su parte, Grau Pineda (2021, p. 55) defiende que el derecho de huelga es un derecho subjetivo por su contenido, fundamental por su protección e instrumental, cuya esencia —más allá de la paralización de labores— consiste en la producción de un daño en la contraparte con el fin de someterla a presión psicológica con el fin de obtener un acuerdo favorable a quienes la ejercen.

de la fórmula literal del art. 28.2 CE, parece que la configuración constitucional de este derecho, como puede derivarse del referido contenido esencial atribuido al mismo por el TC, de su ubicación en el texto constitucional y, sobre todo, de las exigencias derivadas de su interrelación ordenada con otros derechos constitucionales, lleva a adoptar la opción estricta en el sentido de cesación de la prestación laboral como método de presión a la empresa, sin alcanzar la finalidad de maximización de los daños para procurar su efectividad.

El art. 28.2 CE reconoce la huelga como un derecho subjetivo fundamental y constitucional (STC 11/1981, de 8 de abril, F.J. 9)[16], superando el tratamiento como mera libertad de huelga que significaría la ausencia de prohibiciones, pero sin una función de garantía del Estado que permanecería neutral sin impedir la aplicación de las reglas del Derecho privado sobre incumplimiento de contratos. Por contraposición, el sistema de «derecho de huelga» reconocido en la CE implica "colocar el contrato de trabajo en una fase de suspensión

---

16 STC 11/1981, de 8 de abril (F.J. 9):"La huelga se consagra como un derecho constitucional, lo que es coherente con la idea del Estado social y democrático de Derecho establecido por el artículo 1.1 de la Constitución, que, entre otras significaciones, tiene la de legitimar medios de defensa a los intereses de grupos y estratos de la población socialmente dependientes, y entre los que se cuenta el de otorgar reconocimiento constitucional a un instrumento de presión que la experiencia secular ha mostrado ser necesario para la afirmación de los intereses de los trabajadores en los conflictos socioeconómicos, conflictos que el Estado social no puede excluir, pero a los que sí puede y debe proporcionar los adecuados cauces institucionales; lo es también con el derecho reconocido a los sindicatos en el artículo 7.° de la Constitución, ya que un sindicato sin derecho al ejercicio de la huelga quedaría, en una sociedad democrática, vaciado prácticamente de contenido, y lo es, en fin, con la promoción de las condiciones para que la libertad y la igualdad de los individuos y grupos sociales sean reales y efectivas (art. 9.2 de la Constitución)". En el mismo sentido cabe citar la STC 123/1992 reconociendo el carácter de "derecho subjetivo del trabajador que simultáneamente se configura como un derecho fundamental constitucionalmente protegido".

Según Vivero Serrano (2002, p. 284) es posible reconocer en el derecho de huelga aspectos propios de los derechos de libertad (por el modo en que se ejercita el derecho de huelga), de los derechos de participación (porque tiene como finalidad incrementar el peso político de los trabajadores), pero, principalmente, de los derechos sociales (por su conexión funcional con la consecución de la igualdad material).

y de ese modo limitar la libertad del empresario, a quien se le veda contratar otros trabajadores y llevar a cabo arbitrariamente el cierre de la empresa".

Así pues, al tratarse de un derecho de huelga —no mera libertad de huelga—, la relación jurídica de trabajo se mantiene, quedando en suspenso, y permitiéndose a los huelguistas colocarse provisionalmente fuera del marco del contrato de trabajo, desligándose temporalmente de sus obligaciones jurídico-contractuales, con la correlativa suspensión de su derecho al salario. Además, la eficacia del derecho de huelga se garantiza mediante la prohibición al empresario de sustituir a los huelguistas por otros trabajadores (art. 6.5 RDLRT) y la limitación del poder de cierre patronal. El derecho de los huelguistas es, así, un derecho a incumplir transitoriamente el contrato, pero es también un derecho a limitar, en estos aspectos, la libertad del empresario (STC 11/1981, de 8 de abril, F.J. 10).

Para la STC 11/1981, de 8 de abril (F.J.8), desde el punto de vista constitucional, además, es cuestión clave determinar el contenido esencial de los derechos, entendiendo por tal aquella parte del contenido del derecho que es absolutamente necesaria para que los intereses jurídicamente protegibles, que dan vida al derecho, resulten real, concreta y efectivamente protegidos. De este modo, se rebasa o se desconoce el contenido esencial cuando el derecho queda sometido a limitaciones que lo hacen impracticable, lo dificultan más allá de lo razonable o lo despojan de la necesaria protección. Por ello, ningún derecho constitucional puede ser ilimitado[17] y también el de huelga ha de respetar los límites que se derivan de su eventual interrelación con otros derechos y bienes constitucionalmente protegidos, pudiendo el legislador introducir limitaciones o condiciones de ejercicio del derecho siempre que con ello no rebase su contenido esencial. Ello implica que la huelga exige una proporcionalidad y unos sacrificios mutuos que hacen que, cuando tales exigencias no se observen, las huelgas puedan considerarse abusivas (STC 11/1981, de 8 de abril, F.J.10), como también puede ocurrir con determinadas conductas empresariales durante la misma.

---

[17] Salvo el derecho del art. 15 CE a la vida y a la integridad física y moral, así como a no sufrir torturas, tratos inhumanos o degradantes (STC 34/2008, F.J. 5).

2.1.2. Conciliación con otros derechos constitucionales

El derecho a la huelga de los trabajadores para la defensa de sus intereses se configura en la CE como un derecho fundamental (sección 1ª, capítulo II, título I) con todas las garantías específicas previstas en el art. 53.2 CE. Así, adicionalmente a las que el art. 53.1 contempla para todos los derechos reconocidos en el capítulo II del título I, cabe subrayar que no sólo goza de reserva de Ley —cuya regulación debe respetar su contenido esencial— sino que ésta debe ser Orgánica (art. 81.1 CE), no sólo tiene aplicabilidad directa e inmediata ante los tribunales ordinarios sin necesidad de Ley de desarrollo, sino que, además, debe sustanciarse ante estos un procedimiento preferente y sumario, y, finalmente, ante el Tribunal Constitucional no sólo son aplicables el recurso y la cuestión de inconstitucionalidad, sino también el recurso de amparo.

Sin embargo, este tratamiento privilegiado en cuanto a garantías de los derechos fundamentales y libertades públicas reconocidos en la sección 1ª del capítulo II del título I y en el art. 14 de la CE no implica que estos derechos, por su ubicación, tengan un mayor rango jerárquico, como tampoco las Leyes orgánicas tiene mayor jerárquico que las ordinarias (García Murcia, 2014, p. 86)[18].

Por el contrario, todos los derechos reconocidos en la Constitución deben ser conciliados —y regulados— de modo que el ejercicio de unos no desborde el límite del contenido esencial de los otros, aplicando para ello el principio de proporcionalidad genérico que, a su vez, se descompone en tres subprincipios específicos: principio de idoneidad, principio de necesidad y principio de proporcionalidad en sentido estricto.

Esta misma *ratio* resultará, por tanto, aplicable a las relaciones entre el derecho de huelga y otros derechos concomitantes que pueden

---

[18] Grau Pineda (2021, pp. 47-48), siguiendo a Montoya Melgar (2004, p. 131), recuerda que, tras la superación de las indecisiones iniciales del TCO y según amplia doctrina, todos los derechos de la Capítulo II del Título I de la CE deben considerarse fundamentales. Por tanto, la libertad de empresa, con independencia de su ubicación sistemática en el texto constitucional, tiene un importante papel en la configuración del modelo económico-social de la CE.

resultar especialmente afectados por aquél: libertad de empresa (art. 38 CE), libertad de trabajo y derecho a la estabilidad en el empleo de los trabajadores no huelguistas (art. 35 CE), como también los derechos de los consumidores y usuarios (art. 51 CE).

Pues, si bien la paralización concertada de la oferta de fuerza de trabajo en que la huelga consiste lleva aparejada por su propia naturaleza, como *efecto colateral,* la producción de perjuicios económicos y/u organizativos sobre los intereses de la empresa y eventualmente sobre terceros, por virtud del principio de proporcionalidad —que a continuación será desarrollado—, dichos daños han de ser los estrictamente necesarios. Sin que pueda aceptarse que, amparándose en el ejercicio de este derecho fundamental, por su ubicación constitucional privilegiada, quede autorizada (so pretexto de formar parte del contenido de esencial de tal derecho) la maximización de las lesiones a los intereses y demás bienes jurídicamente protegidos de los titulares de los demás derechos concurrentes.

Esta interpretación es, además, totalmente coherente con la preocupación específica del propio constituyente (art. 28.2 CE) por la garantía de los servicios esenciales para la comunidad, así como con la tutela por los arts. 6.7 y 12.1 c) RDLRT (constitucionalizados por la STC 11/1981, de 8 de abril), por medio de servicios de seguridad y mantenimiento en el primero de los casos, de la integridad de personas y cosas, locales, maquinaria, instalaciones, materias primas, así como, en el segundo caso, mediante la autorización del cierre patronal para la protección de los intereses de la empresa cuando la huelga impida gravemente el proceso normal de producción.

Desde antiguo, la jurisprudencia constitucional (SSTC 62/1982, F.J.5; 66/1985, F.J.1; 19/1988, F.J.8; 85/1992, F.J.5; 50/1995, F.J.7 y 55/1996, F.J.3) vino exigiendo la presencia de cierta correlación entre los fines perseguidos y los medios empleados para conseguirlos. De modo que, en caso de desequilibrio entre las medidas de gravamen que se impongan sobre los derechos y libertades constitucionales y los bienes, valores o derechos que se pretenda proteger o satisfacer, desde la perspectiva del enjuiciamiento de su constitucionalidad, se podrá entender vulnerado el principio de proporcionalidad si implica un sacrificio excesivo e innecesario de los derechos que la Constitución garantiza.

No obstante, fue a partir de la STC 66/1995, de 8 de mayo, que resolvió un recurso de amparo interpuesto por *FEBASO-UGT* contra la sentencia confirmatoria de una resolución de la Delegación del Gobierno en Madrid que acordó prohibir la concentración convocada para apoyar la negociación del Convenio de la Banca Privada, cuando hizo enorme fortuna el siguiente texto contenido en la misma:

"Para comprobar si la medida (...) supera el juicio de proporcionalidad exigible, es necesario constatar si cumple los siguientes tres requisitos o condiciones: si tal medida era susceptible de conseguir el objetivo propuesto (...); si, además, era necesaria en el sentido de que no existía otra medida más moderada para la consecución de tal propósito con igual eficacia; y, finalmente, si la misma era proporcionada, en sentido estricto, es decir, ponderada o equilibrada por derivarse de ella más beneficios o ventajas para el interés general que perjuicios sobre otros bienes o valores en conflicto" (F.J. 5).

En efecto, la meritada expresión del TC comprensiva del triple filtro del principio de proporcionalidad (idoneidad, necesidad, proporcionalidad en sentido estricto) ha sido reiterada por innumerables sentencias ulteriores, tanto del propio TC (SSTCO 55/1996 de 28 de marzo, 207/1996 de 16 de diciembre, 37/1998 de 17 de febrero, 186/2000, de 10 de julio, entre otras muchas) como de los Tribunales ordinarios (por ejemplo, en materia de despidos colectivos, tras la reforma laboral de 2012: la STS de 17 de julio de 2014, Rec. 32/2014, que cita las SSTS de 27 de enero de 2014, Rec. 100/2013 y 26 de marzo de 2014, Rec. 158/2013).

Concretando en la materia de huelga aquí estudiada, también la STC 26/1981, de 17 de julio, vino a referirse a "la real justificación de las medidas que se adopten o se hayan adoptado y la proporcionalidad de los sacrificios impuestos a los huelguistas y a los usuarios de los servicios, pues es claro que entre unos y otros debe existir siempre una razonable proporción" (F.J.15).

Y, por supuesto, ya en su momento, la arquetípica STC 11/1981, de 8 de abril, también sentó que se exige "una proporcionalidad y unos sacrificios mutuos, que hacen que cuando tales exigencias no se observen, las huelgas puedan considerarse como abusivas. Al lado de las limitaciones que la huelga introduce en la libertad personal del empresario se encuentra el influjo que puede ejercer en los trabajadores que no quieran sumarse a la huelga (art. 6.4 RDLRT) y la incidencia que tiene en los terceros, usuarios de los servicios de la empresa y público en general, a quienes no deben imponerse más gravámenes o molestias que aquéllos que sean necesarios" (F.J.10).

En definitiva, la necesidad de conciliación, mediante el principio de proporcionalidad, de los distintos derechos y bienes constitucionales implicados, puede llevar a que las huelgas (o, en su caso, las conductas empresariales durante las mismas) puedan considerarse abusivas si no respetan el necesario equilibrio de sacrificios mutuos y/o si el ejercicio de uno de estos derechos rebasa el contenido esencial de los demás derechos implicados. Esto es, tomando la noción de contenido esencial de la propia STC 11/1981, de 8 de abril, cuando resulte afectada aquella parte de los derechos que es indispensable para que los intereses jurídicos que le dan vida resulten real, concreta y efectivamente protegidos, provocando que los derechos en cuestión resulten impracticables, dificultados más allá de lo razonable o despojados de la necesaria protección.

De acuerdo con la STC 11/1981, de 8 de abril (F.J. 10), las huelgas pueden llegar a resultar abusivas, por desproporcionadas, como consecuencia de: a) limitaciones que la concreta huelga imponga en la libertad personal del empresario[19]; b) el influjo que pueda ejercer

---

19 García Murcia (2014, p. 105), recuerda que la regulación de la huelga del RDL 17/1977 adaptada por la jurisprudencia constitucional parece buscar un equilibrio "socialmente" aceptable entre las medidas de fuerza emprendidas por los trabajadores y los intereses legítimos de la empresa. Esa es la idea subyacente que explica las cautelas en relación con personas y bienes, y que —salvo prueba en contrario en los términos descritos por la STC 11/1981— se califiquen como "actos ilícitos o abusivos" ciertas modalidades de huelga o que, tras descartar la constitucionalidad de la prohibición general de permanencia de los trabajadores en el centro de trabajo con ocasión de la huelga (art. 7.1 RDL 17/1977), vino no obstante a considerar legítimas las órdenes empresariales de desalojo en casos de notorio peligro de vulneración de derechos, de daños en las instalaciones o de producción de desórdenes (STC 11/1981, F.J.17). Por su parte, la STC 72/1982 estableció que para que la huelga sea abusiva requiere que el daño producido sea grave y que sea buscado por los huelguistas, que llegue más allá de lo que es razonablemente requerido por el conflicto y por las exigencias de la presión que la huelga implica. En un sentido parecido cabe citar la STC 41/1984 (García-Perrote Escartín, 2005, p. 28).

en los trabajadores que no quieran sumarse a la huelga (art. 6.4 RDLRT); c) la incidencia que tenga en terceros, usuarios de los servicios de la empresa y público en general, a quiénes no deben imponerse más gravámenes o molestias que aquellos que sean necesarios; d) cuando una minoría de huelguistas consiguen la ineludible participación en el plan huelguístico de los trabajadores no huelguistas, de manera que el concierto de unos pocos extienda la huelga a todos, como ocurre en algunas huelgas: tapón o trombosis (a las que el art. 7.2 RDLRT se refiere como huelgas de trabajadores que prestan servicios en sectores estratégicos), cuando la finalidad es interrumpir el proceso productivo e imponer la cesación en el trabajo a todos por decisión de unos pocos[20].

Al respecto de esto último cabe recordar que la propia STC 11/1981, de 8 de abril, suprimió los requisitos de asistencia de un quorum mínimo del 75% a la reunión de representantes de los trabajadores en que fuera adoptada la huelga, así como, en el caso de las decididas en asamblea, el requisito de que fuera sometida a votación de la misma por al menos un 25% de los trabajadores de la plantilla de cada centro de trabajo[21]. La supresión de estos requisitos junto

---

20 La STC 41/1984, sintetizó esta doctrina constitucional sobre los motivos de la abusividad de las huelgas: "Tal doctrina se encuentra recogida en las Sentencias de 8 de abril de 1981 y de 2 de diciembre de 1982 (...). Según ella, hay dos grupos de huelgas que se pueden considerar abusivas: a) las previstas en el art. 7.2 del Real Decreto-ley 17/1977, para las que la norma establece una presunción iuris tantum del abuso del derecho, y b) las restantes manifestaciones respecto de las cuales debe presumirse su validez sin que pueda excluirse que las circunstancias concurrentes las conviertan en abusivas. Atendiendo a los criterios establecidos por el Tribunal para poder efectuar esta calificación, se deduce que son huelgas abusivas todas aquellas en las que concurran algunas de estas circunstancias: a) existencia de un daño grave, buscado de propósito por los huelguistas, más allá de lo que es razonablemente requerido por la propia actividad conflictiva; b) perjuicio adicional o efecto multiplicador que influye gravemente en la organización y capacidad productiva de la Empresa, y c) falta de proporcionalidad y sacrificios mutuos".

21 STC 11/1981, de 8 de abril (F.J. 15b): "En uno y otro caso la regulación viola el contenido esencial del derecho. En el primer caso —ejercicio por medio de representación—, porque se exige que se trate de una reunión conjunta de todos los representantes, de reunión a la que asista por lo menos el 75 por 100 y de decisión mayoritaria. Parece, enseguida, claro que, al reforzar los quórum, el ejercicio del derecho se dificulta extraordinariamente y que, además, se pri-

con la admisión misma por el TC de las denominadas huelgas salvajes o espontáneas ("dada la propia naturaleza del derecho de huelga que se define el artículo 28.2 CE como derecho perteneciente a los trabajadores hace necesario que pueda ser ejercitado directamente por los propios trabajadores, sin necesario recurso a los representantes"), lleva a que la adopción del acuerdo de huelga y su convocatoria se reconozca en términos muy amplios para evitar "ahogar el nacimiento de la huelga". Puesto que la exigencia de estos requisitos para asegurar la representatividad de un hipotético *referéndum* —en palabras de la propia STS 11/1981, de 8 de abril— sólo tendría sentido si la voluntad de la mayoría se impusiera necesariamente a la minoría de los no huelguistas, parece claro que lo más plausible para el TC es que la convocatoria de la huelga esté abierta a todos los sujetos (incluidos los trabajadores directamente) que, con independencia de su representatividad, podrán promover el paro.

Pero, entonces, hay que detener el razonamiento para reparar en una muy importante consecuencia: la efectividad del proceso huelguístico tan abiertamente convocado habrá de depender del grado de seguimiento y adhesión al mismo por parte de los trabajadores a los que se dirige tal convocatoria. En efecto, esta conclusión es, sin duda, la más coherente con la libertad y el derecho al trabajo que la Constitución y la legislación reconocen, porque respeta la libertad de convocatoria, pero, a su vez, la huelga tendrá mayor o menor repercusión, en función de si cada uno de los titulares individuales de este derecho (aunque de ejercicio colectivo), también libremente, decide o no sumarse al paro convocado.

Sin embargo, este sistema obliga a prevenir o contener posibles efectos multiplicadores de huelgas con escaso seguimiento, que habrán podido ser convocadas libremente conforme a este sistema, pero que si no gozan de seguimiento suficiente, en caso de comprometer

---

vilegia a la minoría contraria o simplemente abstencionista. Lo mismo ocurre cuando se trata de un ejercicio directo, pues se requiere, como trámite previo, que un 25 por 100 de los componentes de la plantilla de un centro de trabajo decida que se someta a votación el acuerdo sobre la huelga, que ha de ser tomado además en cada centro de trabajo. Un derecho de naturaleza individual no puede quedar coartado o impedido por minorías contrarias o simplemente abstencionistas".

los derechos e intereses mayoritarios, pueden considerarse abusivas (o en palabras de la STC 11/1981, de 8 de abril, F.J. 10: "puede considerarse que existe abuso en aquellas huelgas (...) que el concierto de unos pocos extiende la huelga a todos"). Está presente, pues, el peligro de que la efectividad de una huelga minoritaria pueda poner en riesgo no sólo los derechos e intereses del empresario y demás empresas a éste vinculadas, sino también el derecho a continuar con su actividad laboral de los trabajadores que optaron por no sumarse a la huelga, de los clientes de la empresa, consumidores y usuarios, servicios esenciales para la comunidad, etc[22].

2.1.3. Principales derechos constitucionales afectados

a. Libertad de trabajo

El principio de proporcionalidad antes delimitado ha tenido, asimismo, una aplicación específica de enorme interés jurídico con relación al principio de igualdad y la libertad de trabajo desde la STC 22/1981, de 2 julio. Esta sentencia, respecto del derecho a la libertad de trabajo y al derecho a la estabilidad en el empleo (art. 35 CE), consagró una interpretación del principio de igualdad que ha resultado paradigmática al establecer que dicho principio sólo es vulnerado si la desigualdad está desprovista de una justificación objetiva

---

22 Parece oportuno traer aquí a colación las consideraciones de la propia STC 11/1981, de 8 de abril, en su F.J.10, que contiene argumentaciones adicionales referidas a las modalidades abusivas de huelga: "El abuso se puede cometer también cuando a la perturbación de la producción que la huelga acarrea se la dota de un efecto multiplicador, de manera que la huelga desencadena una desorganización de los elementos de la empresa y de su capacidad productiva que sólo puede ser superada mucho tiempo después de que la huelga haya cesado. Así, una huelga de duración formal escasa consigue prolongar sus efectos en el tiempo, posee una duración sustancial muy superior y exige del empresario el costo adicional de la reorganización. El abuso del derecho de huelga puede, finalmente, consistir en disminuir formal y aparentemente el número de personas que están en huelga, disminuyendo el número de personas sin derecho a la contraprestación o al salario, es decir, los huelguistas reales simulan no serlo. Este elemento de simulación es contrario al deber mutuo de lealtad y de honradez que la huelga no hace desaparecer".

y razonable (en el mismo sentido: SSTC 34/1981, FJ 3, c; 76/1990, FJ 9; 6/1991, FJ 5 y 158/1993, FJ 2, b.)[23].

Para la citada STC: "El derecho al trabajo no se agota en la libertad de trabajar; supone también el derecho a un puesto de trabajo y como tal presenta un doble aspecto: individual y colectivo, ambos reconocidos en los arts. 35.1 y 40.1 de nuestra Constitución, respectivamente. En su aspecto individual, se concreta en el igual derecho de todos a un determinado puesto de trabajo si se cumplen los requisitos necesarios de capacitación, y en el derecho a la continuidad o estabilidad en el empleo, es decir, a no ser despedidos si no existe una justa causa. En su dimensión colectiva el derecho al trabajo implica además un mandato a los poderes públicos para que lleven a cabo una política de pleno empleo, pues en otro caso el ejercicio del derecho al trabajo por una parte de la población lleva consigo la negación de ese mismo derecho para otra parte de la misma" (F.J.8).

---

23 "Ahora bien, aunque es cierto que la igualdad jurídica reconocida en el art. 14 de la Constitución vincula y tiene como destinatario no sólo a la Administración y al Poder Judicial, sino también al Legislativo, como se deduce de los arts. 9 y 53 de la misma, ello no quiere decir que el principio de igualdad contenido en dicho artículo implique en todos los casos un tratamiento legal igual con abstracción de cualquier elemento diferenciador de relevancia jurídica. El Tribunal Europeo de Derechos Humanos ha señalado, en relación con el art. 14 del Convenio para la Protección de los Derechos Humanos y de las Libertades Fundamentales, que toda desigualdad no constituye necesariamente una discriminación. El art. 14 del Convenio Europeo —declara el mencionado Tribunal en varias de sus Sentencias— no prohíbe toda diferencia de trato en el ejercicio de los derechos y libertades: la igualdad es sólo violada si la desigualdad está desprovista de una justificación objetiva y razonable, y la existencia de dicha justificación debe apreciarse en relación a la finalidad y efectos de la medida considerada, debiendo darse una relación razonable de proporcionalidad entre los medios empleados y la finalidad perseguida. Así, pues, conforme a esta interpretación, de decisiva relevancia en el caso español por la remisión contenida en el art. 10.2 de la Constitución, ha de concluirse que (…) la cuestión se reduce a determinar si existe una causa justa y razonable que sirva de fundamento a la limitación contenida en la norma cuestionada, pues de ser así esa limitación tendría carácter constitucional, si bien debe sujetarse además a los términos establecidos en el art. 29.2 de la Declaración Universal de Derechos Humanos y en el art. 4 del Pacto Internacional de Derechos económicos, sociales y culturales" (F.J.3).

Concretando este derecho/libertad de trabajo en lo relativo a su interrelación con el derecho de huelga que aquí interesa, como es sabido, en el Derecho positivo vigente el art. 6.4 del RDLRT establece que: "Se respetará la libertad de trabajo de aquellos trabajadores que no quisieran sumarse a la huelga". Este precepto se ha querido relacionar, por su proximidad histórica con el antiguo art. 496 del CP, "norma introducida en la transición política —1976— en la que se castiga como delito de coacciones a los que «actuando con violencia o intimidación, en grupo o individualmente, pero de acuerdo con otros, obliguen a otras personas a iniciar o continuar una huelga, paro o cierre empresarial»" (Baylos Grau, 1989, p. 23)[24]. Para el autor citado esta connotación "terrible" del art. 6.4 RDLRT se completa con una valoración negativa en cuanto a ponderación de derechos, pues —a su juicio— utilizando incorrectamente una fórmula más general, en el sentido de la jurisprudencia constitucional referida al principio de este subapartado, que —en su opinión— debería reducirse a cumplir los genéricos compromisos constitucionalmente protegidos en el artículo 35 y 40.1 CE, se estaría protegiendo un derecho a no hacer huelga con carácter preferente al derecho fundamental reconocido en el artículo 28.2 CE: "Protegiendo de forma absoluta e indiferenciada a quien no hace huelga, al esquirol, se subvierte la intención y las estructuras del reconocimiento constitucional del derecho de huelga, más aún cuando en el artículo 28.2 no hay un protección específica de un derecho a la abstención, del comportamiento negativo de no sindicarse, como sí sucede en el artículo 28.1 CE" (Baylos Grau, 1989, p. 23).

A mi modo de ver, sin embargo, el reconocimiento de la libertad de trabajo de los no huelguistas no tiene por qué derivarse directamente del mismo precepto constitucional en que se reconoce el derecho de huelga, ni identificarse necesaria y automáticamente con el esquirolaje —como será analizado en el apartado de este estudio correspondiente a este último—, como tampoco supone hacer prevalecer un derecho sobre otro. Pues de lo que se trata es de su

---

[24] Hay que tener en cuenta que una previsión específica similar se mantuvo en el posterior y vigente Código Penal aprobado Ley Orgánica del Código Penal 10/1995, de 23 de noviembre, en su art. 315.3, hasta su derogación por Ley Orgánica 5/2021, de 22 de abril.

ponderación o conciliación, garantizando la libertad de cada trabajador individual de sumarse a la huelga convocada, cuyo éxito debería depender, por sí misma, del seguimiento alcanzado mediante, en su caso, la adhesión masiva, libre y voluntaria, de las personas trabajadoras afectadas.

Así pues, como consecuencia connatural del planteamiento desde una perspectiva de equilibrio y conciliación de derechos constitucionales, resulta evidente y palmario que, del mismo modo que el derecho de los trabajadores huelguistas a sumarse a la misma debe ser respetado y garantizado, también lo ha de ser el de los demás trabajadores de la empresa que no deseen adherirse a la misma a optar por la continuidad de su actividad laboral. Más abajo, al tratar de las medidas legales a incorporar sobre la materia *desarrollo de la huelga* se reincidirá sobre este aspecto y se concretarán las garantías.

b. Libertad de empresa

La libertad de empresa es un derecho de libertad, en el sentido de que se inserta en aquella rúbrica de derechos que consisten en el reconocimiento de un ámbito de autonomía individual que se ha de garantizar por los poderes públicos, principalmente, mediante una obligación esencialmente negativa o de abstención, permitiendo un espacio libre de injerencias estatales para el individuo y para el necesario desarrollo de sus posibilidades vitales. Por ello, la libertad de empresa reconocida en el art. 38 CE constituye una manifestación específica del libre desarrollo de la personalidad referido en el art. 10.1 CE que se concreta en la garantía de la posibilidad del individuo actuar en el ámbito económico, mediante la libertad de creación o constitución de empresa, libertad de elección del objeto social, libertad de autoorganización (ya sea por medios exclusivamente tecnológicos, predominantemente humanos, o mediante fórmulas mixtas) y externalización, libertad de contratación (mercantil y/o laboral) y libertad de cese de actividades (temporal o definitivo).

Como ha sido oportunamente subrayado (García-Perrote Escartín, 2005, pp. 17-18), no son habituales los planteamientos doctrinales que enfrenten la libertad de empresa (art. 38 CE) con el derecho de huelga (art. 28.2 CE), tal vez por el hecho de que el texto constitucional optó, en el segundo de los preceptos, por enfatizar la necesidad de mantenimiento de los servicios esenciales, otorgado así protagonismo al análisis del binomio derecho de huelga-derechos de la comunidad. Pero lo cierto es que la CE incluye el derecho de libertad de empresa (art. 38) entre los derechos y libertades del capítulo II del título I y lo dota de las garantías previstas en el art. 53.1 CE (aplicabilidad directa e inmediata, reserva de Ley que debe respetar su contenido esencial y recurso/cuestión de inconstitucionalidad), en el bien entendido que la protección de la salvaguarda de la empresa, coadyuva también, en sentido amplio, con los tradicionales fines tuitivos del derecho laboral, mediante la protección indirecta del trabajador considerado en su conjunto, a través del mantenimiento del volumen de empleo. La persecución de dicho fin constituiría también un beneficio para la sociedad y la economía en general (dentro de cuya estructura el *valor empresa* es considerado como básico y esencial). Por ello, recibe del constituyente un tratamiento especial y, por ende, ha de recibirlo también del legislador, que en todo caso ha de respetar su contenido esencial (art. 53.1 CE). Esta idea se corresponde con la defensa de la productividad que se expresa en el art. 38 CE cuya garantía y protección, según el mismo propio precepto constitucional, implica también a todos los poderes públicos.

Asimismo, como es bien sabido, en el ámbito de la Unión Europea (UE), basada desde sus orígenes en los principios de libre circulación de personas, mercancías y capitales, se reconoce actualmente en los arts. 15 y 16 de la Carta de Derechos Fundamentales de la UE (CDFUE), dentro del Capítulo II "Libertades", el derecho de todo ciudadano de la UE a buscar un empleo, a trabajar, a establecerse o prestar servicios en cualquier Estado miembro, así como la libertad de empresa de conformidad con el Derecho de la Unión y con las legislaciones y prácticas nacionales. Por su parte, los art. 49 y ss. del Tratado de Funcionamiento de la UE (TFUE) desarrolla lo relativo a los mencionados derechos de establecimiento y libre prestación de servicios.

Como es posible vislumbrar, en el ámbito UE, el derecho a trabajar y la libertad de establecimiento y de prestación de servicios aparecen reguladas muy próximas, como es lógica consecuencia de que lo económico y lo social son dos fines esenciales de la Unión Europea que deben "sopesarse" adecuadamente, con ayuda del principio de proporcionalidad, cuando entran en liza (García Murcia, 2014, p. 122)[25]. Así, las SSTJCE de 11 de diciembre de 2007, *Asunto VIKING LINE ABP* (C-438/05) y de 18 de diciembre de 2007, *Asunto Laval* (C-341/05), otorgaron eficacia horizontal a las citadas libertades económicas y de establecimiento reconocidas por el Derecho comunitario y entendieron que pueden ser vulneradas tanto por sujetos públicos como por sujetos privados (tales como representaciones colectivas de trabajadores o empresarios). Dichas libertades, a juicio del TJCE, sólo pueden ser restringidas por razones de interés general o derivadas de la concurrencia de otros derechos fundamentales, pero para que el ejercicio del derecho de huelga resulte justificado ha de estar sujeto al principio de proporcionalidad, lo cual se entendió que no se respetaba en el primer caso al apreciarse una puesta en peligro de los puestos de trabajo y, en el segundo caso, por tratar de imponerse condiciones superiores a las pactadas o establecidas en el ámbito de referencia.

A mi modo de ver, aun cuando la STC 11/1981, de 8 de abril, dijera genéricamente —o en abstracto— que la huelga es "también un derecho a limitar la libertad del empresario" (F.J.10), sólo la libertad contratación laboral (no la mercantil, salvo que —por medio de ETT— tenga por objeto la contratación indirecta de trabajadores sustitutos) y la de cese temporal (si resulta constitutivo de cierre patronal no justificado) pueden quedar limitadas ante el ejercicio del derecho de huelga con el fin de conciliar ambos derechos. Obviamente, se sobreentiende que, dada la necesaria garantía de indemnidad del trabajador huelguista, también deberá quedar limitado el ejercicio de poder disciplinario y sancionador (particularmente, el despido) y, en general, cualesquiera actuaciones empresariales que tengan por fin la "retorsión" (término de la STC 11/1981) como represalia frente al ejercicio del derecho fundamental de huelga. Pero

---

25 «Esa necesidad de articulación de principios e intereses aflora, por ejemplo, en el Reglamento CE 2679/1998, de 7 de diciembre, que tiene por objeto garantizar la libre circulación de mercancías en el espacio comunitario frente a eventuales obstáculos nacionales, y que deja a salvo en todo caso el ejercicio "de los derechos fundamentales reconocidos en los Estados miembros, incluido el derecho o libertad de huelga" (art. 2).»

ir más allá de estas limitaciones necesarias para garantizar la eficacia del derecho de huelga, supondría limitar el contenido esencial del derecho de libertad de empresa sin que lo justifique ni la idoneidad, ni la necesidad ni la proporcionalidad.

Sin embargo, hay que reconocer que, en sentido contrario, existen cualificadas y numerosas opiniones favorables a una noción amplia de huelga que defienden que la suspensión que ésta provoca no habría de circunscribirse a los contratos o a la prestación de trabajo, sino abarcar también la actividad de la empresa, e incluso los poderes empresariales. Así, esta concepción amplia de huelga afectaría de manera directa al ámbito de la libertad de empresa e implicaría dejar aparcadas también las facultades empresariales de dirección y organización del trabajo, de modo que el empresario no podría tomar decisiones en relación con las actividades que los trabajadores huelguistas dejan de realizar (no podría sustituir la actividad), e incluso con el objeto productivo de dichas actividades (no podría sustituir el correspondiente producto o servicio). Sin embargo, lo cierto es que: "La legislación vigente, desde luego, no contiene ninguna regla que avale la concepción de la huelga como instrumento de daño a la empresa" (García Murcia, 2014, pp. 106-107).

A mi juicio, el propio reconocimiento por nuestra jurisprudencia constitucional del concepto huelga abusiva determina que el grado de efectividad (o daño sobre los intereses empresariales) admisible, no es el máximo posible, sino el razonable o proporcionado. Una cosa es que, como estableció la STC 11/1981, de 8 de abril, que el art. 28.2 CE permita a los trabajadores apartarse transitoriamente, por decisión colectiva y concertada, de sus obligaciones contractuales y que, en garantía de la eficacia del derecho de huelga, se impongan al empresario ciertas limitaciones como la prohibición de sustitución de huelguistas por nuevos trabajadores, cierre patronal o represalias (despido, sanciones, diferencias de trato, etc.) y otra, bien distinta, que ello implique que el titular de la empresa deba quedar desprovisto de sus facultades de dirección y organización del trabajo (que siguen vigentes durante la huelga, en los términos previstos arts. 20, 39, 40, 41 ET y concordantes). Que la huelga pueda tener efectos negativos sobre la actividad y/o organización de la empresa o que, en garantía de su eficacia, se limiten determinadas facultades empresariales no implica que, más allá de los límites que impone el principio de proporcionalidad pueda vaciarse el contenido esencial del derecho de libertad de empresa reconocido en el art. 38 CE.

En definitiva, como García Murcia (2014, p. 107) apunta muy certeramente: "(...) no deben confundirse los efectos típicos o naturales de la huelga con el concepto de huelga, ni las consecuencias que por naturaleza tiene una cesación en el trabajo con el contenido del derecho que se ejercita. Puede admitirse que los huelguistas quieran hacer daño, pero eso no significa que el derecho de huelga deba tener forzosamente ese contenido, ni que el sistema legal deba necesariamente aceptarlo"[26].

Ello no obstante, como he anticipado, no formarán parte de la libertad de empresa:

A) El cierre patronal ofensivo: La STC 11/1981, de 8 de abril (F.J. 22) consideró que el cierre patronal, a diferencia de la huelga que debe afectar sólo al personal que ha decidido sumarse al conflicto, tiene efectos generales, alcanzando también al personal pacífico cuyos derechos y cuya libertad resultan gravemente lesionados. En este sentido, el TC afirmó que, el también conocido como «lock-out», tiene significación colectiva, si bien sólo por esta pluralidad de trabajadores afectados.

   Además, aunque también es una forma de coacción, a diferencia de la huelga, en el cierre patronal no hay reivindicación por la parte más débil para restablecer el equilibrio entre sujetos de fuerza económica desigual, sino defensa por quien ya tiene una posición de preponderancia de partida. Incluso el

---

26 El autor referencia en este sentido la STS de 17 de diciembre de 1999 (glosada también por García-Perrote Escartín, 2005, p. 30), en la que se declara que «la libertad de empresa reconocida en el artículo 38 de la Constitución faculta al empresario, dentro del respeto a los derechos de los trabajadores, para elegir el sistema de producción que considere más adecuado, sin afrontar más riesgos o eventualidades que los inevitables en cualquier actividad productiva. Dentro de estas eventualidades se pueden encontrar desde luego los daños o pérdidas de utilidad derivados del ejercicio del derecho de huelga. Pero el ejercicio del derecho de huelga consiste, en lo esencial, en suspender temporalmente la colaboración contractual con el empresario, con las consiguientes pérdidas de producción y costes de organización, pero no en causarle "perjuicios añadidos"».

«lock-out» puede funcionar como una retorsión, que se utiliza como sanción económica de la huelga después de que esta ha acabado, prorrogando de manera forzada la pérdida de salarios o para hacer inefectiva la decisión de los huelguistas de poner fin a la huelga y volver al trabajo. Esto es jurídicamente inadmisible, porque —como estableció el TC— supone sancionar el ejercicio de un derecho constitucional fundamental, vaciándolo de contenido.

Sin embargo, la STC 11/1981, de 8 de abril, sí que admitió el poder de cierre que se otorga al empresario como manifestación del poder de policía para asegurar el orden dentro de su empresa, cuando puede crearse una situación de peligro para la vida, la integridad física, las instalaciones o los bienes como consecuencia de la desorganización provocada por la huelga. Así pues, puede aceptarse el cierre patronal, y no es contrario a la CE, cuando se ejerce para asegurar la integridad de personas y de bienes, siempre que exista una decidida voluntad de apertura del establecimiento una vez desaparecido el riesgo. Pero hay que hacer notar que la STC 11/1981, de 8 de abril, al salvar la constitucionalidad —bajo esta interpretación sujeta a la salvaguarda de personas y bienes— de los arts. 12 a 14 del RDLRT, también constitucionalizó la previsión del art. 12.1 c) de la misma norma (que admite el cierre patronal en caso "que el volumen de la inasistencia o irregularidades en el trabajo impidan gravemente el proceso normal de producción"), protegiendo, indirectamente, fines aparentemente distintos como serían, en este caso, los intereses productivos de la empresa. Conviene que la jurisprudencia constitucional aclare esto último, si bien —como ha sido advertido (García-Perrote Escartín, 2005, p. 25)— la inaplicabilidad del recurso de amparo al art. 37.2 CE, complicará la existencia de algún pronunciamiento expreso[27].

---

[27] Parece que habrá que entender que se rompería el principio de proporcionalidad (STS de 31 de marzo de 2000, Rec. 2705/1999, y concordantes) en el caso de que el volumen de ausencias motivado por la huelga sea de tal magnitud que impida, prácticamente, el desarrollo del proceso productivo, si no se permite el cierre patronal (o, en su caso, la suspensión generalizada de contratos por

B) Las conductas antisindicales y el esquirolaje. Cabe afirmar que, como principio general, el empresario no puede ampararse en la libertad de empresa reconocida en el art. 38 CE para ejercer determinadas facultades empresariales que en "en otras circunstancias pueden y deben desplegar toda su eficacia" pero que, durante la huelga, se han de "anestesiar, paralizar o mantener en vida vegetativa" (STC 123/1992, de 28 de septiembre), cuando se ejerzan con la finalidad de contrarrestarla o impedirla, directamente, vulnerando la eficacia del derecho o bien tratando de sancionar o penalizar, indirectamente, su ejercicio.

En este sentido, las limitaciones pueden afectar al ejercicio del poder disciplinario y sancionador y, en general, cualesquiera actuaciones (o artimañas) empresariales adoptadas como represalia frente al ejercicio del derecho fundamental de huelga (cierre patronal o despidos, sanciones, diferencias de trato, etc.). Así, el art. 6.1 RDLRT establece que "el ejercicio del derecho de huelga no extingue la relación de trabajo, ni puede dar lugar a sanción alguna, salvo que el trabajador, durante la misma, incurriera en falta laboral". Tampoco es admisible, lógicamente, amenazar previamente o penalizar indirectamente, una vez finalizada la huelga, a los trabajadores huelguistas con traslados, movilidad funcional, cambios en la organización del calendario de vacaciones, etc. Asimismo, deben considerarse prohibidas las medidas empresariales tendentes a desincentivar la participación en las huelgas como puede ser la concesión de *primas anti-huelga* o de cualesquiera complementos que tengan por finalidad que los trabajadores no participen en la huelga (Göerlich Peset, 1994b, p. 38).

Todo este tipo de actuaciones deben ser proscritas con toda contundencia por vulneradoras y/o limitadoras de la eficacia del derecho de huelga, residiendo aquí el verdadero ámbito de jue-

---

causa de fuerza mayor), obligando así al empresario a satisfacer los salarios (y las correspondientes cuotas de seguridad social) de los no huelguistas desocupados por tal causa que, en otro caso habrían de ser satisfechos por virtud del art. 30 ET pese a no proporcionar ningún fruto de su trabajo.

go y aplicación de las garantías constitucionales que respaldan este derecho fundamental, protegiéndolo con todos los instrumentos del Estado: normativos (Ley Orgánica), jurisdiccionales (tutela preferente y sumaria ante los tribunales ordinarios, recurso de amparo ante el TC, etc.), sancionadores (arts. 8.10 y 19.3 LISOS) e, incluso, penales (arts. 315.1 y 2 CP).

Es en la solidez de la reacción de sistema jurídico frente a estas conductas donde deberá hacerse patente que estamos ante un derecho fundamental de la sección 1° del capítulo II del título I de la CE y no en tratar de atribuir a su preponderancia una pretendida capacidad anuladora de los derechos constitucionales comprendidos en otras ubicaciones de la Carta Magna. Pero, en cualquier caso, dicha protección, evidentemente, por imperativo, asimismo, de la propia CE (art. 24), debe articularse, siempre sujeta a la previa prueba de tales conductas y de sus finalidades ilícitas —por difícil que tal prueba resulte[28]— y no mediante una presunción general en contra de toda actuación que limite la efectividad de la huelga.

---

28 Puede ayudar, para tal fin, la doctrina jurisprudencial que disciplina cómo han de operar las normas de distribución de la carga de la prueba cuando se denuncian vulneraciones de derechos fundamentales. De acuerdo con el art. 181 LRJS, en el acto del juicio, una vez justificada la concurrencia de indicios de que se ha producido la violación del derecho fundamental, corresponde al demandado la aportación de una justificación objetiva y razonable, suficientemente probada, de las medidas adoptadas y de su proporcionalidad (inversión de la carga de la prueba). Pero no hay que olvidar que, según el TC (STC 207/2001) este sistema de prueba indiciaria se articula en un doble plano: Primero, la necesidad de aportación por parte de los trabajadores de un indicio razonable de que el acto empresarial lesiona su derecho fundamental (principio de prueba o prueba verosímil dirigidos a poner de manifiesto el motivo oculto que se denuncia), sin que pueda considerarse indicio suficiente la mera alegación de la vulneración constitucional, sino que debe permitir que se deduzca la posibilidad de la lesión. Segundo, sólo una vez cumplido este primer e inexcusable requisito, pasará a recaer sobre la parte demandada, la carga de probar que su actuación tuvo causas reales absolutamente extrañas a la pretendida vulneración, así como que tenían entidad suficiente para justificar la decisión adoptada. En otro caso, la ausencia de prueba empresarial trasciende el ámbito puramente procesal y determina, en última instancia, que los indicios aportados por el demandante desplieguen toda su operatividad para declarar la lesión del derecho fundamental concernido (López Cumbre, 2016, pp. 3-4).

En particular —como es sabido—, actualmente, como limitación específica, está prohibido legalmente (y la prohibición legal está constitucionalizada por el TC) mitigar la efectividad de la huelga mediante el ejercicio de la libertad de contratación laboral por la empresa para sustituir a los huelguistas con nuevos trabajadores (art. 6.5 RDLRT) y, asimismo, la de contratación mercantil cuando, por medio de ETTs (art. 8d, Ley 14/1994, de 1 junio), tenga por objeto la contratación indirecta de trabajadores sustitutos. Asimismo, determinadas facultades relativas al poder de organización y dirección y al *ius variandi* empresarial (arts. 20, 39, 40, 41 ET) podrían quedar limitadas, durante la huelga, si comparten las finalidades espurias antes enunciadas. Pero la concreta definición de qué facultades y supuestos pueden considerarse asimilables (o constitutivas del denominado esquirolaje interno) y la reflexión sobre la oportunidad de la ampliación de las limitaciones a las facultades de contratación de la empresa con terceros (por medio de contratas) o al desarrollo mismo de la actividad empresarial bajo otros medios no laborales (tecnológicos) serán objeto de un capítulo específico destinado a formular mi propuesta de regulación jurídica de esta materia.

c. Derechos de los consumidores y usuarios

Con relación a los derechos de los consumidores y usuarios reconocidos en el art. 51 CE, dentro del capítulo III del título primero, de los principios rectores de la política social y económica ("Los poderes públicos garantizarán la defensa de los consumidores y usuarios, protegiendo, mediante procedimientos eficaces, la seguridad, la salud y los legítimos intereses económicos de los mismos"), éstos se suelen conectar por la doctrina y jurisprudencia con el objeto de la protección frente a la huelga del último inciso del art. 28.2 CE ("La ley que regule el ejercicio de este derecho establecerá las garantías precisas para asegurar el mantenimiento de los servicios esenciales de la comunidad"). Sin embargo, sin perjuicio de que tales derechos como los demás constitucionales afectados deban ser protegidos para evitar el ejercicio abusivo de las huelgas, lo cierto es que, en mi opinión, no es éste el bien jurídico protegido por dicho mandato del art. 28.2 referido a los servicios esenciales para comunidad.

En este sentido, cabe aducir dos razones principalmente: a) A priori, resulta ilógico que la única excepción o limitación que el constituyente contempla expresamente para el ejercicio de un derecho fundamental sea la relativa a la protección de los consumidores y usuarios de los servicios que ni siquiera se recogen en la sección 2ª del capítulo II del título I como derecho cívico constitucional, sino meramente dentro de los principios rectores del capítulo III del mismo título, con escasa potencialidad, por tanto, para limitar derechos fundamentales como el de huelga[29]. De aceptarse la versión tradicional, curiosamente, por esta vía, el constituyente se estaría preocupando específicamente de la limitación del derecho fundamental de huelga para la protección de los intereses de los concretos usuarios y consumidores de los servicios y, sin embargo, obviaría referirse al derecho de libertad de empresa o a la libertad de trabajo de los no huelguistas pese a tratarse de derechos de los ciudadanos y no de meros principios rectores de la política social y económica; b) Pero, sobre todo, la segunda razón estriba en la literalidad del art. 28.2 CE que se refiere a los servicios esenciales para la comunidad en general y, no en particular, a las molestias o perjuicios para los usuarios concretos de los servicios. Así —ejemplificando— los servicios de transporte son esenciales para la comunidad y, evidentemente, un ejercicio ponderado del derecho de huelga exige que los intereses de sus usuarios directos no resulten perjudicados innecesariamente, pero a lo que el art. 28.2 CE se refiere es a los servicios que son esenciales para la comunidad en su conjunto y, en el caso del transporte, por virtud de dicho precepto, incluso en el supuesto de que no existieran usuarios directos (por ejemplo, si se trata de mercancías y no de viajeros), se deberían poder introducir limitaciones para la protección del suministro de mercancías y bienes de primera necesidad o para facilitar que los trabajadores de las empresas en huelga u otras pue-

---

29 En efecto, parece claro que las limitaciones al derecho fundamental de huelga deberían ser muy limitadas y sustentarse en fundamentos sólidos y especialmente cualificados. Así, lo confirma —como veremos un poco más adelante— la concepción de la STC 11/1981, de 8 de abril, que subrayó expresamente que el art. 28.2 CE únicamente admite específicamente esta limitación con relación a los servicios esenciales para la comunidad, a diferencia del art. 37.2 CE que permite mayores excepciones al literalmente mencionar "sin perjuicio de las limitaciones que la Ley puede establecer".

dan ejercer su libertad de trabajo e incluso para que se mantenga, si quiera mínimamente, la actividad-libertad empresarial relacionada con aspectos clave para el funcionamiento de la sociedad. Se trataría, más bien, de evitar que, en determinados sectores estratégicos, las huelgas puedan originar situaciones de bloqueo en la organización social y/o económica, con independencia de su afectación concreta sobre los intereses de determinados usuarios o consumidores en particular. De este modo, la referencia del art. 28.2 *in fine* CE a los servicios esenciales de la comunidad enlazaría, más bien, con el principio de proporcionalidad y con la conciliación de todos los derechos de los ciudadanos de la comunidad, en general (la cual debe seguir funcionando en sus aspectos esenciales aunque medien huelgas) y, por tanto, con la proscripción de la abusividad de las mismas, más que con la protección de los intereses de los concretos consumidores o usuarios de las empresas afectadas por la huelga.

De cualquier modo, lo cierto es que un importante debate se ha residenciado en lo relativo a los perjuicios de los derechos de los consumidores y usuarios. En este sentido, se ha subrayado (García Murcia, 2014, p. 90) que el empleador ha dejado de ser en muchos casos el verdadero punto de referencia en las acciones de presión, que suelen encontrar una afectación más inmediata y contundente en el círculo de los clientes, consumidores o usuarios del correspondiente bien o servicio. En efecto, esta parece ser la tendencia de las acciones de presión, bajo la pretensión de que un supuesto legítimo ejercicio del derecho fundamental de huelga debe abarcar todas estas otras manifestaciones, pese a que suelen maximizar la crispación social y degenerar en el descrédito de la iniciativa defendida[30].

---

30 Vivero Serrano (2002, pp. 271-275) desarrolla de forma ejemplar las razones del descrédito actual de derecho fundamental de huelga, identificándolas, en el terreno axiológico, con los problemas que derivan la contradicción de los valores que sustentan su reconocimiento por el Derecho positivo. Así, el autor subraya que, en la huelga, como ocurre en general en todos los fenómenos sociales, existe cierta tensión latente y continua de valores contrapuestos: libertad-coacción, igualdad-desigualdad, solidaridad-insolidaridad, etc. Los *desvalores* vinculados a la huelga no llegarán a impedir la percepción de la legitimidad de su reconocimiento como derecho fundamental, siempre que sean tenidos en cuenta en la regulación legal de su tratamiento jurídico mediante el establecimiento de sus límites. Así, por lo que a los servicios esenciales se refiere, son

A mi modo de ver, —como será analizado en el subapartado siguiente— estas otras actuaciones no se corresponden con la esencia del mecanismo de la huelga (ideado como mecanismo de presión sobre el empleador basado en la paralización de la fuerza de trabajo para procurar una mejora de las condiciones salariales y de trabajo), sino con otro tipo de expresiones de descontento y repercusión social que podrían encontrar amparo en otros preceptos constitucionales, siempre que no resulten abusivas ni sobrepasen los límites del contenido esencial de otros derechos.

Baste recordar que huelga, en sentido estricto, según la propia STC 11/1981, de 8 de abril (F.J. 12), es el derecho constitucionalmente protegido que se atribuye a las personas que prestan un trabajo retribuido en favor de otros, *cuando tal derecho se ejercita frente a los patronos o empresarios*, para renegociar con ellos los contratos de trabajo introduciendo en ellos determinadas novaciones modificativas.

---

fundamentalmente estos desvalores de coacción e insolidaridad sobre los usuarios los que justifican la restricción del derecho de huelga. Así, el autor ofrece un ejemplo claro en las huelgas de pilotos o de controladores aéreos en las que la falta de una regulación adecuada de los límites de la huelga está degenerando en una percepción social negativa del ejercicio de este derecho fundamental. En este contexto, el autor denuncia que, en estos casos, los trabajadores y sus representantes vienen efectuando un uso de la huelga que no siempre se sitúa en el terreno de la lucha por la igualdad material, con especial atención a los trabajadores más necesitados, sino que, al contrario, se pretende la conservación o el incremento de unas excelentes condiciones de trabajo, cuando genuinamente el derecho de huelga legitima una desigualdad jurídica basada en una previa desigualdad material con la que se quiere acabar, de modo que cuando ésta no existe aquélla carece de justificación. Como subraya el autor, se percibe socialmente, asimismo, en estos casos, una fuerte dosis de insolidaridad de unos trabajadores bien situados frente al resto de trabajadores, frente a los desempleados y frente a los usuarios de los servicios afectados. Finalmente, se aduce a la actitud beligerante de los poderes públicos (gobiernos, indiferenciadamente) y de los medios de comunicación, en su mayor parte dudosamente imparciales (*mass media* vinculados a los grandes grupos económicos), como coadyuvante en esta percepción social hostil frente a la huelga.

2.1.4. Otros derechos conectados con el fenómeno huelguístico que no forman parte del derecho de huelga en sentido estricto

Como ha subrayado la doctrina (Vivero Serrano, 2002, p. 266), la referencia constitucional al derecho de huelga en un precepto distinto (art. 28.2), con una ubicación estratégica preferente respecto del resto de medidas de conflicto colectivo (art. 37.2), llevó inicialmente a una agria disputa en el ámbito de la ciencia jurídica en torno a si el derecho de huelga se debía entender exclusivamente reconocido en el primero de los preceptos o bien dicho reconocimiento se duplicaba y, por tanto, se comprendía en ambos, simultáneamente. Sin embargo, la cuestión quedó zanjada por la STC 11/1981, de 8 de abril (F.J. 22) que optó por la primera de las opciones, rechazando que la Constitución española y, por consiguiente, el ordenamiento jurídico de nuestro país se fundase en el principio que, con expresión alemana se conoce como de la *Waffengleichheit,* también llamado de la *Kampfparitat* (igualdad de armas o paridad en la lucha), esto es, de la igualdad de trato entre las medidas de conflicto nacidas en campo obrero y las que tienen su origen en el sector empresarial.

Así, el TC entendió que la distinta colocación sistemática tiene evidentes repercusiones en cuanto al diferente régimen jurídico aplicable al derecho de huelga del artículo 28.2 CE (sección 1ª del capítulo II del título I) y el de adopción de medidas de conflicto colectivo del artículo 37 CE (sección 2ª del capítulo II del título I). Además de las consecuencias que ello supone a nivel de las garantías de estos derechos previstas en el art. 53 CE, implica que el constituyente quiso configurar la huelga, en cuanto mecanismo específico, como uno de los derechos fundamentales, mientras que el genérico de derecho a la adopción de medidas de conflicto no goza de tal categoría. De ello se desprende, como subraya el TC, "(...) que debe rechazarse la tesis de la reiteración parcial y que hay que propugnar la separación entre ambos preceptos, que se produce, con claridad, desde el punto de vista de los trabajadores y consiste básicamente en que: a) el artículo 37 les faculta para otras medidas de conflictos distintas de la huelga, de manera que la huelga no es la única medida de conflicto, y b) el artículo 28 no liga necesariamente la huelga con el conflicto colectivo. Es verdad que toda huelga se encuentra muy estrechamente unida a un conflicto colectivo, pero en la configuración del artículo 28 la huelga no es un derecho derivado del conflicto colectivo, sino que es un derecho de carácter autónomo. Además, las limitaciones que el artículo 37 permite son mayores que las que permite el artículo 28, ya que literalmente menciona las limitaciones que la Ley puede establecer”[31].

En efecto, las argumentaciones anteriores del TC, a las que cabría añadir el hecho de que el constituyente refiera el derecho de huelga únicamente a los trabajadores en el art. 28. 2 CE, mientras que en el art. 37. 2 CE atribuye también a los empresarios la capacidad de adopción de medidas de conflicto colectivo, viene a corroborar una noción estricta de huelga. Dicha noción es cualitativamente distinta de otras manifestaciones más generales que pueden asociarse y derivarse también del conflicto colectivo y del ejercicio aplicado de otros derechos constitucionales (como el de libertad de expresión o el de reunión y manifestación) que, asimismo, deben ser protegidas y respetadas, más aun si cabe, a la vista del papel que en la participación

---

[31] Para García Murcia (2014, pp. 84-89) la relación entre huelga y medidas de conflicto colectivo es la típica entre la especie (la huelga) y el género (las medidas de conflicto colectivo), pues la huelga es, en definitiva, una de las posibles medidas de conflicto colectivo, aunque sea la de mayor potencia y fuerza atractiva. Ambos derechos se orientan en buena parte hacia la actividad sindical y la negociación colectiva (incluso el derecho a la adopción de medidas de conflicto colectivo convive con esta última dentro del mismo artículo 37 CE). El derecho de huelga remite a una actividad muy definida que reduce la capacidad reguladora del legislador, mientras que el derecho a adoptar medidas de conflicto colectivo amplia las posibilidades de una tarea posterior de especificación de las medidas admisibles (“cláusula marco”). En realidad, la principal función del art. 37.2 CE es la “constitucionalización” del conflicto, y con base en el mismo pueden utilizarse también medidas contempladas por el sistema constitucional o legal a otros efectos (como la libertad de expresión y de crítica, o los derechos de manifestación y reunión). La titularidad del derecho de conflicto colectivo se atribuye tanto a trabajadores como a empresarios y si bien, en general, los intereses de los primeros están ligados a sus condiciones de empleo y de trabajo, por lo que cabría entender amparada por el artículo 37.2 CE cualquier acción lícita encaminada a la tutela y promoción de dichos intereses, los de los empresarios no siempre están ligados a las relaciones de trabajo, sino que suelen estar asociados también a sus relaciones con proveedores, con entidades financieras o con clientes. Para actuar a favor de esos otros intereses habrán de servirse de mecanismos distintos de los que se protegen o promueven a través del artículo 37.2 CE.

en el Estado social y democrático de Derecho debe reconocerse a los agentes sociales (art. 7 CE), pero que no son exclusivas de la huelga ni de los trabajadores.

Bajo mi punto de vista, adicionalmente, es preciso distinguir dos conceptos distintos, pero que se suelen confundir: la efectividad de la huelga en sentido estricto (ejercicio de presión sobre la empresa: falta de producción y/o prestación de servicios con la consiguiente pérdidas ingresos y rentabilidad, costes adicionales, incumplimiento de contratos con los clientes e indemnizaciones a satisfacer) con la apariencia externa o de normalidad (daños en la imagen de la empresa por la percepción negativa de los clientes, presión social a través de información y publicidad de la huelga a través de los medios de comunicación y redes sociales, etc.).

Este otro aspecto, aunque, evidentemente, puede acompañar a la huelga *stricto sensu* (entendida como presión ejercida sobre la empresa mediante la cesación colectivamente acordada en la prestación laboral) deriva del ejercicio de otros derechos fundamentales, como el de libertad de expresión y, en su caso, reunión o manifestación.

Obviamente, no por ello puede ser impedido por el empresario el ejercicio de tales derechos fundamentales, sino que, al contrario, deben respetarse por éste las manifestaciones que de tales derechos puedan ejercitarse por los trabajadores huelguistas, tales como: actividades de los piquetes informativos y no violentos o coactivos, reuniones, manifestaciones o publicidad en los medios de comunicación o redes sociales, con sujeción a las normas que regulan los requisitos y límites para el ejercicio de tales derechos.

Como es bien sabido, la diferencia fundamental entre cualesquiera asociaciones lícitas (art. 22 CE) y las organizaciones sindicales en sentido estricto (arts. 7 y 28.1 CE) radica en que sólo estas últimas (art. 2.2.d LOLS) son titulares del derecho de huelga (art. 28.2 CE) y de negociación colectiva (art. 37.1 CE), en cuanto tales. Pues, en efecto, aun tratándose de colectivos no titulares del derecho de huelga (trabajadores autónomos, estudiantes, desempleados, etc.), por todos son conocidos múltiples ejemplos que la realidad social nacional y europea ha deparado en forma de paros, reuniones, manifestaciones y comunicaciones e informaciones de sus reivindicaciones político-sociales o profesionales a través de los medios de comunicación y de las redes sociales, si bien estas otras manifestaciones no tienen las características ni pueden dar lugar a las garantías propias del derecho de huelga, ni originar negociación colectiva en sentido propio.

En este sentido, la STC 11/1981, de 8 de abril (F.J. 12), especificó que "(...) el art. 28.2 CE, al reconocer el derecho de huelga como derecho fundamental, lo hace en favor de los trabajadores y para la defensa de sus intereses. Hay que entender, por ello, que el derecho constitucionalmente protegido es el que se atribuye a las personas que prestan en favor de otros un trabajo retribuido, cuando tal derecho se ejercita frente a los patronos o empresarios (...)". "(...) La conclusión que de ello se extrae es que no nos encontramos ante el fenómeno de huelga protegido por el artículo 28 de la Constitución cuando se producen perturbaciones en la producción de bienes y de servicios o en el normal funcionamiento de estos últimos que se introducen con el fin de presionar sobre la Administración Pública o sobre los órganos del Estado para conseguir que se adopten medidas gubernativas o que se introduzca una nueva normativa más favorable para los intereses de una categoría (por ejemplo, de empresarios, de concesionarios de servicios, etc.)", ni "(...) lo que en algún momento se ha podido llamar huelga de trabajadores independientes, de auto patronos o de profesionales, que, aunque en un sentido amplio sean trabajadores, no son trabajadores por cuenta ajena ligados por un contrato de trabajo retribuido. La cesación en la actividad de este tipo de personas, si la actividad empresarial o profesional es libre, se podrá realizar sin necesidad de que ninguna norma les conceda ningún derecho, aunque sin perjuicio de las consecuencias que haya que arrostrar por las perturbaciones que se introduzcan".

De ello se deriva —una vez más— una conclusión adicional: el derecho de huelga en sentido estricto se reduce al efecto de paralización concertada de la fuerza de trabajo de la que son titulares los trabajadores, que no pueden ser penalizados ni sancionados por el ejercicio lícito de este derecho fundamental, y que resulta respaldado por las garantías constitucionales previstas en los arts. 53.1 y 2 CE. Sin embargo, aunque dicha paralización puede y suele complementarse con otros elementos (manifestaciones, informaciones y comunicaciones sobre el conflicto laboral), estos aspectos no son exclusivos y excluyentes del derecho de huelga, pues son concreción de otros derechos fundamentales (a comunicar y recibir libremente información veraz, art. 20.1 d) CE; de reunión y manifestación, art. 21 CE) de los que son titulares todos los ciudadanos y, en su caso, las organizaciones o asociaciones en las que colectivicen sus intereses.

Evidentemente, que tales derechos no sean exclusivos del derecho fundamental de huelga, no implica que no deban quedar garantizados y respetados en su condición de derechos fundamentales que también comparten y que, incluso, como ha señalado el TC (STC 11/1981, de 8 de abril), determinadas manifestaciones concretas de tales derechos (derecho a informar pacíficamente sobre las reivindicaciones y objetivos de la huelga e incluso a recaudar fondos sin coacción), pueda entenderse que forman parte del contenido esencial del derecho de huelga.

Pero, aunque las garantías sean las mismas, a mi juicio, la diferencia radica en que por los efectos que sobre la exteriorización del conflicto pueda tener el desarrollo de la actividad empresarial misma (salvo, claro está, que se trate de atentados directos que impidan o traten de impedir expresar o difundir información a los huelguistas) no puede entenderse producido un efecto lesivo del derecho de huelga en sí mismo. Así, v. gr., en supuestos —como los que son objeto de las sentencias sobre el denominado esquirolaje tecnológico en el sector audiovisual— en los que la empresa, mediante el uso de los medios técnicos de los que es titular, prosigue su actividad consiguiendo, en cierta medida, la continuidad de la programación, no hay sino ejercicio lícito del derecho a la libertad de empresa que no impide que los trabajadores huelguistas puedan difundir la existencia del conflicto y comunicar e informar sobre sus reivindicaciones libremente a través de cualesquiera medios.

En definitiva, una cuestión es que la efectividad de la huelga no sea la deseada por sus convocantes como consecuencia de la continuidad de la actividad empresarial y otra, muy distinta —que tiene que ver con otro tipo de actuaciones que pueden o no concurrir simultáneamente con dicho mantenimiento de la actividad, pero que son totalmente independientes—, es que la eficacia del derecho de huelga y/o el respeto de los demás derechos fundamentales vinculados se hayan impedido.

2.2. DELIMITACIÓN DE UN CONCEPTO ESPECÍFICO DE HUELGA PARA UNA LEY ORGÁNICA DE HUELGA

Tradicionalmente, la ordenación jurídica de nuestro país —e incluso la jurisprudencia, incluida la constitucional— ha rehusado proporcionar una definición jurídica, concreta y completa de lo que debe entenderse por huelga. Sin embargo, es posible proporcionar un concepto amplio, ofrecido por la STC 11/1981, de 8 de abril: "(...) huelga es una perturbación que se produce en el normal desenvolvimiento de la vida social y en particular en el proceso de producción de bienes y de servicios que se lleva a cabo en forma pacífica y no violenta, mediante un concierto de los trabajadores y de los demás intervinientes en dicho proceso. En este sentido amplio, la huelga puede tener por objeto reivindicar mejoras en las condiciones económicas o en general en las condiciones de trabajo, y puede suponer también una protesta con repercusión en otras esferas o ámbitos".

En el plano del Derecho positivo, el art. 28.2 CE se limita a circunscribir la huelga al ámbito propio de los trabajadores para la defensa de sus intereses. A nivel legal, tampoco en el ET —en cuyo art. 4.1.e) se cataloga como un derecho básico de los trabajadores— se contiene ninguna conceptuación de lo que por huelga deba entenderse. Y lo mismo ocurre con el RDLRT 17/1977, de 4 de marzo, de relaciones de trabajo, que actualmente regula este derecho, pero no lo define.

Por su parte, el proyecto de Ley Orgánica de 1993 definía la huelga como "(...) la cesación total o parcial del trabajo, así como la alteración del normal desarrollo del mismo[32], llevadas a cabo por los trabajadores de forma colectiva y concertada, para la defensa de sus intereses".

Se trataba de una definición amplia que, de entrada, admitía no sólo la cesación en el trabajo, en el sentido tradicional más estricto

---

32 Esta definición no restrictiva parecía tener presente el tenor de la STC 11/1981, de 8 de abril, que —además de la noción contenida en el parágrafo arriba transcrito— definió —como ya se indicó al inicio de este capítulo— el contenido esencial del derecho de huelga como "(...) una cesación del trabajo en cualquiera de las manifestaciones o modalidades que pueda revestir".

configurado por la doctrina y la jurisprudencia desde antaño, sino también otras modalidades que resultaran subsumibles dentro de las alteraciones del normal desarrollo del trabajo a que se refería el Proyecto de Ley Orgánica, siempre que no "(...) supongan una grave desorganización de la actividad productiva y un daño desproporcionado", puesto que en este caso se trataría de modalidades abusivas y, por tanto, ilícitas, según este mismo Proyecto de Ley.

En mi opinión, esta definición —así como la mayor parte de las que se han propuesto por la doctrina científica— adolecen de cierta focalización en aspectos relativos a las modalidades y procedimientos de la huelga y —tal vez— podrían ser completadas con una referencia a los efectos jurídicos que la misma origina. Particularmente, en lo laboral, la suspensión del contrato de trabajo y, en cuanto a la seguridad social, si la huelga es total, la situación de alta especial.

Así, concretando todo lo antedicho hasta el momento, podría ensayarse el siguiente texto para dar inicio al texto del Proyecto de Ley Orgánica de Huelga:

> ***Artículo 1***
> *1. Por medio de la presente Ley Orgánica, en cumplimiento y desarrollo del mandato contenido en el artículo 28.2 de la Constitución española, se regula el derecho a la huelga de los trabajadores para la defensa de sus intereses.*
> *2. El derecho de huelga comprende la cesación temporal total, parcial, u otras perturbaciones no abusivas en el régimen de trabajo, acordadas colectivamente por los trabajadores para la defensa de sus intereses, que produce la suspensión del contrato de trabajo y, en caso de ser total, una situación de alta especial en la seguridad social.*
> *3. El derecho fundamental a la huelga es irrenunciable. Serán nulas las cláusulas de los contratos de trabajo, pactos o declaraciones unilaterales del trabajador que supongan renuncia o restricción de su derecho a la huelga. No obstante, serán válidas las cláusulas obligacionales pactadas en los convenios colectivos por las que se establezca un deber de paz.*

2.3. MODALIDADES DE HUELGA

Sobre la base de la noción de huelga definida en el art. 1.2 del texto legal propuesto, entendida como *cesación temporal total, parcial, u otras perturbaciones no abusivas en el régimen de trabajo, acordadas colectivamente por los trabajadores para la defensa de sus intereses*, y como lógica consecuencia de la misma, queda delimitado un ámbito en el que serán incluibles distintas manifestaciones del fenómeno huelguístico en cuanto expresión o representación real del meritado derecho fundamental de huelga, pero —a su vez— quedarán simultáneamente excluidas necesariamente aquellas otras cuyos perfiles no se correspondan con los presupuestos legales delimitados en la noción propuesta.

El presente apartado se dedica, pues, en coherencia con la definición propuesta, a esta cuestión, esto es, a la concreta determinación de qué modalidades de huelga son legalmente admisibles y cuáles deben ser repudiadas, en su caso, por ilícitas o abusivas. En primera instancia, se analizará el tratamiento jurídico doctrinal y jurisprudencial actual, para —a continuación— concretar, también en esta materia, una propuesta *lege ferenda* a incorporar al texto legal que se propone en esta obra.

2.3.1. Modalidades de huelga en el RDLRT, según la STC 11/1981, de 8 abril y la jurisprudencia constitucional posterior

a. Clasificación de las huelgas según su modalidad

Es tradicional la clasificación de las distintas modalidades o posibles manifestaciones —no todas ellas lícitas— por medio de las cuales puede patentizarse el ejercicio de las huelgas (Sala Franco, 1994, p. 453; Ojeda Avilés, 2003, p. 482):

1.- Según sus motivaciones: **huelgas políticas y huelgas laborales.** Las huelgas políticas pueden ser revolucionarias o insurreccionales (siempre generales); políticas puras no insurreccionales (ya sean huelgas protesta, de corta duración, o huelgas lucha, más largas), dirigidas contra uno o varios concretos poderes del Estado; o, también, huelgas de imposición económico-política o mixtas, en que están presentes motivos políticos y también laborales simultáneamente.

Por su parte, las huelgas laborales pueden ser, a su vez, primarias o bien secundarias, de simpatía, apoyo o solidaridad, según defiendan intereses directos o indirectos de los huelguistas, motivadas por un conflicto colectivo jurídico, con (si pretenden modificar un convenio colectivo durante su vigencia se llaman huelgas novatorias) o sin convenio, o por un conflicto colectivo económico o de intereses.

2.- Según los sujetos: **huelgas de trabajadores y huelgas de funcionarios.**

3.- Según los convocantes: **huelgas sindicales y huelgas salvajes o espontáneas.**

4.- Según su procedimiento: **huelgas sorpresa** (sin preaviso mínimo); **huelgas relámpago, huelgas de advertencia, o huelgas simbólicas o demostración** (de cortísima duración); **huelgas con** (de brazos caídos o huelga blanca; de trabajo lento, huelgas a la japonesa o de celo y reglamento, sin cesación en el trabajo) **o sin ocupación de locales; huelgas articuladas** (pensadas para hacer el máximo daño al empresario con el mínimo sacrificio para los trabajadores) como, por ejemplo, **rotatorias o turnantes** (en que la huelga se realiza sucesivamente en el tiempo por distintos grupos de trabajadores) **y estratégicas, neurálgicas, tapón o trombosis** (realizadas sólo por los trabajadores encargados de servicios estratégicos para impedir o dificultar el proceso productivo).

5.- Según su duración e incidencia en el tiempo: **huelga indefinida, por un tiempo limitado y huelga intermitente.** A su vez, la huelga puede ser por horas (o también llamada, impropiamente, parcial) si no alcanza la jornada diaria completa o, en caso contrario, por días o total.

b. Tratamiento jurídico de las distintas modalidades

Si atendemos al tratamiento normativo de las distintas modalidades descritas, el art. 11 RDLRT estableció la ilegalidad de: a) las huelgas políticas, b) de las huelgas de solidaridad c) y de las huelgas novatorias. Así pues, para el RDLRT las únicas huelgas lícitas eran las huelgas laborales, directas, no novatorias (Alfonso Mellado, 2019, p. 650), pero la STC 11/1981 efectuó algunas precisiones al respecto:

a) Respecto a la prohibición de las huelgas políticas, la jurisprudencia viene admitiendo tradicionalmente las huelgas de imposición económico-política o mixtas, en que están presentes motivos políticos y reivindicaciones laborales simultáneamente, tales como empleo, protección social, situación económica, etc., como en buena lógica parece que debe desprenderse del papel o vis política que —como veremos— el art. 7 CE atribuye al sindicato (STC 36/1993, 8 febrero).

Para Sala Franco (1994, p. 453-461) son varios los argumentos en favor de la admisibilidad de la huelga política: a) la referencia amplia del art. 28.2 CE a unos intereses de los trabajadores, no limitada a sus intereses económicos y sociales como en el art. 7 CE y el final rechazo en el proceso constituyente de la pretendida inclusión del adjetivo profesionales para tales intereses (Véase en el Anexo II de esta obra); b) la ubicación sistemática del derecho de huelga en la Sección 1ª del Capítulo II del Título I CE, alejada del art. 37.1 CE, y la regulación junto a éste en el art. 37.2 CE de medidas de conflicto colectivo independientemente, aboca una noción constitucional de huelga que iría más allá del mero derecho económico de los ciudadanos con finalidad restringida a la negociación colectiva de condiciones de trabajo (en un sentido parecido: Ojeda Avilés, 2003, p. 510); c) una interpretación teleológica de la CE, según el sentido y finalidad del Estado Social y Democrático de Derecho del art. 1.1 CE y de la prosecución de la igualdad real y efectiva del art. 9.2 CE; la interpretación, ex art. 10.2 CE, de los derechos fundamentales conforme a la Declaración Universal de Derechos Humanos y los tratados y acuerdos internacionales sobre las mismas materias ratificados por España, lleva a tener en cuenta la doctrina del Comité de Libertad Sindical de la OIT en favor del reconocimiento de la licitud de las huelgas políticas con trascendencia laboral o de imposición económico-política.

Se concluye, así, que la doctrina ha tendido a reconocer, por lo general, la ausencia de límites internos al derecho de huelga, postulando sólo la existencia de los límites externos determinados por sus eventuales fricciones con otros derechos y libertades constitucionales. Por ello, no deberían poderse penalizar, específicamente, en sí mismas las huelgas, sino los atentados a determinados bienes jurídicos protegidos en cuanto tales, los cuales pueden consumarse a través de las huelgas u de cualquier otro medio. En este sentido, la STC 11/1981, de 8 de abril (F.J. 26), con relación a la modificación por la D.A.4ª del RDLRT del precepto entonces vigente del tipo penal del delito de sedición, concretó que "(...) Los delitos contra el Estado, al que atacan en cuanto, entidad soberana y como estructura de la vida jurídico-política de la sociedad, son, incuestionablemente, delitos cuya producción requiere un dolo específico, que es la voluntad de subvertir la seguridad del Estado".

b) Con relación a las huelgas de solidaridad, la STC 11/1981 confirmó su prohibición pero declaró la inconstitucionalidad de la exigencia del carácter directo que, según el RDLRT 17/1977, debe revestir el interés profesional que sea objeto de la huelga, estableciendo, asimismo, una interpretación amplia de este interés profesional, que comprendería no restrictivamente el de una categoría laboral específica sino los intereses de los trabajadores como tales, con lo que en realidad quedaba, prácticamente, vacía de contenido la prohibición misma de las huelgas de solidaridad (Sala Franco, 1994, p. 465). Esta concepción (junto con la relativa a la admisibilidad de las huelgas políticas antes comentada) tiene gran relevancia práctica, especialmente, con relación a la cuestión de la valoración jurídica de las huelgas generales —que será analizada después—, en la medida en que permitiría el ejercicio de este derecho aunque no se trate de reivindicar condiciones concretas que afecten específicamente al interés directo de los convocantes o participantes en estas huelgas, sino también para reclamar o protestar frente a políticas que incidan *en abstracto* sobre los intereses de los trabajadores en general.

c) En cuanto al art. 11.c) RDLRT que establecía un deber legal de paz relativo consistente en la prohibición de realizar huelgas novatorias, sin necesidad de pacto expreso en el convenio colectivo de que se trate, la STC 11/1981 mantuvo su constitucionalidad si bien con una interpretación muy restrictiva que lo circunscribe a los convenios estatutarios y permite las huelgas cuyo objeto sean conflictos jurídicos interpretativos (no novatorias, por tanto) y las que vengan motivadas por conflictos de intereses para reivindicar aspectos no regulados en los convenios colectivos vigentes (STC 38/1990), así como las basadas en el incumplimiento del empresario y las fundamentadas en la aplicación de la cláusula «rebus sic stantibus». Se admiten también las huelgas producidas una vez denunciado el convenio, pues a partir de ese momento decaen las cláusulas obligacionales, de acuerdo con el art. 86. 3. 2º ET. Por otra parte, debe señalarse que los arts. 82.2

ET y 8.1 del RDLRT posibilitan la renuncia al ejercicio del derecho de huelga en términos absolutos durante la vigencia del convenio si así se pacta expresamente en él (deber de paz absoluto) —lo que desde luego es una cláusula absolutamente inusual en la realidad de nuestros convenios—. La STC 11/1981 afirmó la plena constitucionalidad de esta posibilidad (Alfonso Mellado, 2019, p. 653).

d) Por lo demás, el TC con relación a las huelgas rotatorias, turnantes; neurálgicas o huelgas en servicios estratégicos, tapón o trombosis y a huelgas de celo o reglamento reconoce que no son huelgas ilegales, y que el art. 7.2 RDLRT que las considera actos ilícitos o abusivos, debe ser entendido como una presunción *iuris tantum* de abuso del derecho de huelga, que admite prueba en contrario. Por otro lado, como el art. 7.2 RDLRT no se refiere a la huelga intermitente, en principio, no se ha considerado abusiva y se presume su licitud, invirtiéndose en este caso el sentido de la presunción que puede admitir la prueba en contrario de abusividad por parte del empresario (STC 41/1984, de 21 de marzo). A juicio de la STC 11/1981, de 8 de abril, el criterio clave al respecto es que, si el ejercicio del derecho de huelga no respeta la proporcionalidad entre los medios utilizados y los fines a conseguir, la huelga podrá ser considerada abusiva: «Es exigible una proporcionalidad y unos sacrificios mutuos, que hacen que cuando tales exigencias no se observen, las huelgas puedan considerarse abusivas».

e) Desde la perspectiva de su especial incidencia sobre el tiempo de trabajo y su distribución, sin duda la distinción más operativa e interesante es la que diferencia entre huelga parcial o por horas (que no alcanza una jornada diaria de trabajo completa) y huelga total que se extiende a una o varias jornadas de trabajo íntegras. Sin embargo, me parece más adecuado el uso del término huelga a tiempo parcial (desde el punto de vista del tiempo de trabajo se puede plantear cierto paralelismo con la noción del trabajador a tiempo parcial horizontal como tradicionalmente se denomina en el ámbito del Derecho de la seguridad social, a efectos de la protección por desempleo, a los trabajadores que reducen horizontalmente la duración de la jornada diaria de trabajo, frente a los trabajadores a tiempo parcial vertical que reducen su tiempo de trabajo por uno o varios segmentos diarios completos o períodos superiores). Pues, en efecto, la denominación huelga parcial se empleó tradicionalmente por la doctrina clásica (Ojeda Avilés, 2003, p. 485) para referirse no tanto a las huelgas en función de su afectación sobre el tiempo de trabajo, sino más bien sobre el espacio, específicamente respecto de aquellas huelgas que no se extendían a todos los ámbitos de la empresa (aunque también parciales, constituirían un género distinto las estratégicas, tapón, neurálgicas o trombosis con requisitos diferenciales objetivos: servicios clave en la empresa, y subjetivos: ánimo de paralizar la producción), si bien a partir de las primigenias sentencias de los años 80 (v. gr. STCT de 24 de mayo de 1984) sobre estas materias, comenzó a utilizarse el término huelga parcial para referirse a la huelga por horas que no alcanza una jornada diaria de trabajo completa.

Estas modalidades se pueden compatibilizar o articular a su vez con huelgas intermitentes, las cuales son muy habituales en sectores como el de transporte de viajeros (ferroviario, aéreo y por carretera). Así, en el caso de la huelga intermitente parcial, la intermitencia se puede producir dentro de una misma jornada de trabajo (si se para una o varias horas y se reanuda el trabajo tras los paros sucesivamente) o bien afectando la huelga a periodos más amplios que una jornada de trabajo que se suceden intermitentemente, pero sin alcanzar en las jornadas de trabajo afectadas por la huelga la totalidad de las horas, pues si ésta intermitencia afecta a jornadas completas de trabajo se trataría de huelga intermitente total.

Evidentemente, la conjunción simultánea de estas modalidades beneficiará a los trabajadores huelguistas, pues la huelga parcial intermitente tendrá una menor afectación sobre sus retribuciones, con el consiguiente incremento su capacidad de resistencia, pero manteniendo la potencialidad para la generación de problemas organizativos serios a la empresa durante periodos más largos de tiempo. Incluso, en materia de seguridad social, en caso de huelgas por horas ni siquiera rige el alta especial, sino que el trabajador permanece en alta a todos los efectos, sin perjuicio de que, lógicamente, las bases de cotización puedan ser inferiores en los periodos afectados por percibirse menores retribuciones.

De otro lado, incluso se podría complicar más la situación para la empresa, favoreciendo —todavía más— la posición de los trabajadores, añadiendo una tercera modalidad simultánea: la huelga rotatoria. Así, al extremo, se podrían articular **huelgas parciales, intermitentes y rotatorias**, cuando la huelga no afecte a jornadas diarias completas, se reitere en intervalos sucesivos y, en cada uno de estos periodos, la huelga sea ejercida por unos trabajadores distintos de la empresa: de un grupo o categoría profesional distinto (rotación vertical) o de diferente centro de trabajo o sección (rotación horizontal). Sin embargo, esta última posibilidad no es tan aconsejable por los riesgos que implica sobre su admisibilidad jurídica, dado que —como ha sido avanzado— de acuerdo con la STC 11/1981, de 8 abril, se impone una interpretación del art. 7.2 RDLRT, que implica las huelgas rotatorias o turnantes (como las huelgas en servicios estratégicos, tapón o trombosis y huelgas de celo o reglamento) se presumen *iuris tantum* ilícitas o abusivas, salvo prueba en contrario.

f) Por otro lado, de acuerdo con el art. 7.1 RDLRT, el ejercicio del derecho de huelga habrá de realizarse, precisamente, mediante la cesación de la prestación de servicios por los trabajadores afectados y sin ocupación por los mismos del centro de trabajo o de cualquiera de sus dependencias. No obstante, la STC 11/1981, de 8 de abril, interpretó restrictivamente la existencia de «ocupación» y consideró que la ilicitud concurre sólo ante un ilegal ingreso en los locales o una ilegal negativa de desalojo frente a una legítima orden de abandono, pero no en cambio, la simple permanencia en los puestos de trabajo, admitiéndose, pues, las llamadas huelgas de brazos caídos.

g) Finalmente, el art. 3.2 RDLRT (y también la STC 11/1981, en el F.J. 11) admite tanto las huelgas sindicales como las espontáneas o salvajes, al establecer que los sujetos facultados para acordar la declaración de huelga son: de un lado, los «representantes» de los trabajadores (tanto sindicales como unitarios) y, de otro lado, los propios trabajadores del centro de trabajo afectados por el conflicto. Por su parte, el art. 3.3 RDLRT, excluye las huelgas sorpresa, pues exige la necesaria comunicación por escrito del acuerdo de declaración de huelga al/los empresarios/as afectado/as por el conflicto y a la autoridad laboral, con un preaviso mínimo de 5 días naturales a la fecha de iniciación de la huelga, o 10 días naturales en empresas encargadas de cualquier clase de servicios públicos (art. 4 RDLRT). Ello no obstante, no se consideran abusivas las huelgas sorpresa cuando no se ha podido preavisar por razones justificadas: estado de necesidad o fuerza mayor.

2.3.2. Concreción de una propuesta legal sobre el alcance del derecho de huelga y sus modalidades

El Proyecto de Ley Orgánica de Huelga de 1993 consideraba ilegales las huelgas que tuvieran por objeto subvertir el orden constitucional, así como las novatorias (excluyendo los conflictos jurídicos interpretativos, los que trataran de forzar la aplicación del convenio y los conflictos de intereses que tuvieran por fin reivindicar aspectos no regulados por el convenio vigente). En cambio, no se refería a las huelgas secundarias o de solidaridad. Asimismo, introdujo el tratamiento de abusivas para las huelgas rotatorias, para las estratégicas, tapón o trombosis y para las de celo o reglamento siempre que supusieran una grave desorganización de la actividad productiva y un daño desproporcionado, lo cual parece que habría que entender que debería probarse por el empresario. Por tanto, aquel Proyecto de Ley de 1993 —a diferencia de la interpretación que realiza la STC 11/1981, de 8 de abril del art. 7.2 RDLRT 17/1977, de 4 de marzo—, parecía otorgar a estas modalidades el mismo tratamiento que actualmente rige para las huelgas intermitentes: presunción *iuris tantum* en favor de su licitud, con eventual prueba en contrario sobre su carácter ilícito o abusivo por suponer una grave desorganización o daño desproporcionado (STS 23 de diciembre de 2003, rec. 46/2003)[33].

---

[33] En Inglaterra se prohíben las huelgas políticas, secundarias o de solidaridad y con ocupación de locales. En EE. UU., el Tribunal Supremo ha ido delimitando el contenido del derecho de huelga, reconociendo el derecho de los trabajadores a participar en huelgas legales (*right to strike*) con prohibición por ilegales (*unlawful strikes*) de huelgas con ocupación de locales o de brazos caídos (*sit down strikes*), novatorias, de solidaridad y de las estratégicas, trombosis o tapón. En Francia, las huelgas políticas quedan rotundamente prohibidas por la jurisprudencia francesa, si bien al estilo de lo admitido por nuestro TC, la Corte de Casación francesa admite matizaciones en relación con las huelgas mixtas, siempre que pueda detectarse una mayor prevalencia de los intereses profesionales sobre los políticos. En relación a las huelgas de solidaridad o secundarias, en una interpretación amplia parecida a la de nuestro TC en la sentencia 11/1981, de 8 de abril, se admiten siempre que estén implicados, de manera directa o indirecta, los intereses de los trabajadores huelguistas. En general cualquier modalidad distinta de la simple cesación de la prestación de servicios (celo, trabajo lento, etc.) es considerada abusiva, si bien las huelgas turnantes y las huelgas estratégicas o tapón se admiten de entrada, salvo que supongan una grave desorganización del proceso productivo de la empresa. En Italia, las huelgas salteadas

Por otro lado, abordando ya la propuesta para un nuevo texto legal, con independencia de que este trate de incorporar, en la medida de lo posible, los criterios de la STC 11/1981, de 8 de abril[34], parece que también habría de tener en cuenta la actualización de la regulación de las modalidades de huelga a las exigencias de la sociedad y de la realidad empresarial/laboral de nuestro tiempo. Así, por ejemplo, en el moderno ámbito de las empresas en que predominan las prestaciones de trabajo adaptadas al modelo de las nuevas tecnologías y/o el teletrabajo, ha surgido la posibilidad de nuevas modalidades de huelga como la llamada "*telehuelga*", consistente en una desconexión general concertada por los trabajadores huelguistas y respecto de la cual la doctrina científica (Göerlich Peset, 2020, p. 102) no ha encontrado especiales dificultades para su encaje, como versión digital, de la "cesación de la prestación de servicios por los trabajadores afectados y sin ocupación por los mismos del centro de trabajo o de cualquiera de sus dependencias" con que define la huelga, en su sentido clásico, el art. 7.1 del vigente RDLRT 17/1977, de 4 de marzo.

Sin embargo, también en este sentido entiendo que, pese a que favorecería una imagen más actual y moderna del texto, no es necesaria una referencia expresa, puesto que estas nuevas versiones digitales —y otras que puedan surgir— no difieren, en su esencia, de la naturaleza de la huelga en su sentido clásico y, además, todas ellas tienen cabida en el texto propuesto para el art. 1.2 del Proyecto de Ley

---

y tapón, si bien inicialmente se consideraban ilegales, desde la promulgación del Estatuto de los Trabajadores italiano de 1970, gran parte de la jurisprudencia las ha admitido por no estar prohibidas expresamente (Domínguez Bautista, 1993, p. 16).

34 1. Prohibición de las huelgas políticas insurreccionales; 2. Prohibición de las huelgas sorpresa abusivas y muy limitadamente de las de solidaridad, así como interdicción de las novatorias si bien con una noción muy restrictiva; 3. Presunción *iuris tantum* de abuso de derecho de huelgas rotatorias o turnantes, en servicios estratégicos, tapón o trombosis y de celo o reglamento; 4. Admisión de la huelga intermitente con presunción *iuris tantum* de licitud, así como de la huelga con ocupación de locales siempre que no concurra un ilegal ingreso en los locales o negativa al desalojo frente a una legítima orden de abandono —con aceptación de las huelgas de *brazos caídos*— y no se perturbe la libertad de trabajo o el derecho de reunión de otros trabajadores; y 5. Licitud tanto de las huelgas sindicales como las espontáneas.

que se elabora en este estudio. En efecto, en dicho precepto sugerido se partía ya de una noción de huelga amplia que, de entrada, admite diversas modalidades o manifestaciones (*cesación temporal total, parcial, u otras perturbaciones no abusivas en el régimen de trabajo*), sin perjuicio de que, a continuación, en el art. 2, se concreten y consideren ilegales o ilícitas por abusivas determinadas modalidades concretas.

La propuesta de texto legal que se sugiere en este ámbito se reproduce a continuación como contenido de un hipotético art. 2 del Proyecto de Ley:

> ***Artículo 2***
>
> *1. Se considerarán ilegales las siguientes huelgas:*
>
> *a) Las que tengan por objeto subvertir el orden constitucional.*
>
> *b) Las huelgas novatorias que tengan por objeto alterar lo pactado en un convenio colectivo, acuerdo o pacto de empresa durante su vigencia, así como, en su caso, lo establecido en laudo arbitral. No se consideran novatorias las huelgas si tienen por objeto reclamar una interpretación del convenio, el cumplimiento de lo estipulado o cuando lo que se reivindique forme parte de materias no reguladas en aquél.*
>
> *c) Las huelgas que incumplan lo establecido en materia de mantenimiento de los servicios esenciales para la comunidad.*
>
> *d) En general, las demás huelgas en cuya convocatoria y/o desarrollo se omita o infrinja manifiestamente el procedimiento y el régimen previsto en esta Ley o el que se hubiera pactado específicamente para tal fin.*
>
> *2. Se podrán considerar abusivas y, en su caso, ilícitas, las huelgas que, aunque no figuren entre las modalidades ilegales previstas en el apartado anterior, supongan un daño desproporcionado para el empresario, los trabajadores no huelguistas, los usuarios y consumidores o, en su caso, para los intereses de la comunidad. En especial, tendrán esta consideración las huelgas rotatorias, las de celo o reglamento y las denominadas estratégicas, tapón o trombosis, salvo prueba en contrario.*

En primer lugar, en el precepto propuesto —por las razones apuntadas y que, después, se desarrollarán— se ha reducido la ilegalidad de las huelgas políticas a las que sean revolucionarias o insurreccionales (las que pretendan atacar el orden constitucional mismo), permitiendo, así, cierto espacio legal para la admisibilidad de otro tipo de motivaciones de las huelgas adicionales a los intereses estrictamente laborales.

En cuanto a la prohibición de las huelgas novatorias, se ha mantenido una interpretación estricta en línea con la doctrina comentada de la STC 11/1981, de 8 de abril, que permite un amplio abanico de posibilidades de huelga durante la vigencia de un convenio siempre que no se trate estrictamente de modificar lo ya acordado en el mismo.

Por lo demás, se ha establecido la ilegalidad, con carácter general, de todas aquellas actuaciones pretendidamente huelguísticas que sean contrarias a los presupuestos y requisitos básicos de la Ley, con mención especial, a las que no respeten lo establecido en materia de mantenimiento de servicios esenciales para la comunidad.

Por último, se mantiene la categoría de huelgas ilícitas o abusivas (por desproporcionadas) que habrán de ser probadas, pero manteniendo la presunción *iuris tantum* de abusividad de la STC 11/1981, de 8 de abril, sobre las huelgas rotatorias, las de celo o reglamento y las estratégicas, tapón o trombosis.

a. Las huelgas políticas, mixtas y laborales

Como se desprende de los debates parlamentarios constitucionales (véase el apartado B del Anexo II de esta obra), la cuestión de la admisibilidad de las huelgas políticas fue una de las más controvertidas con relación a los temas que son objeto de este estudio. En este sentido, la postura favorable a la exclusión a nivel constitucional de las huelgas políticas y de solidaridad, postulando la concepción de la huelga como última *ratio* o último recurso, fue defendida aisladamente y de manera casi exclusiva por el grupo popular. Frente a esta posición, la mayoría de las restantes fuerzas políticas esbozaron posturas favorables o contrarias a las huelgas políticas en mayor o menor grado, pero que, de cualquier modo, incluso en caso de prohibición, partían de la consideración de que el texto constitucional no era el lugar adecuado para esta regulación, dejando en manos del legislador la concreta definición de las modalidades admisibles de huelga.

Sin embargo, sí que existió una coincidencia absoluta en cuanto a que la constitucionalización misma del derecho de huelga implicaba necesariamente la exclusión de las huelgas políticas revolucionarias o insurreccionales que pretendieran revertir el orden constitucional, pues evidentemente la Constitución no podría estar reconociendo un derecho que actuase contra sí misma. Pero dejando aparte esta clara excepción, para el resto de las posibilidades de huelga, el debate se concentró en determinar si los intereses de los trabajadores que, según el art. 28.2 CE, pueden defenderse mediante la huelga, habrían de ser los intereses puramente contractuales, los laborales o profesionales o, incluso, integrarían reivindicaciones de política general.

En este sentido, en el Congreso destacaron las intervenciones de HERRERO Y RODRÍGUEZ DE MIÑÓN que, en nombre de UCD (facción política de gran trascendencia y representatividad en aquellos años), acudiendo a las declaraciones del Comité de libertad sindical de la OIT, a la Carta Social Europea (que, si bien, no fue ratificada en su versión original por España hasta 1980, ya inspiraba las deliberaciones) y a la función constitucional de los sindicatos de trabajadores (art. 28.1 CE) a los que el propio art. 7 CE les reconoce un papel de promoción y defensa de sus intereses económicos y sociales, rehusó que el posesivo *sus* con que el art. 28.2 se refiere a tales intereses de los trabajadores hubiera de quedar limitado a un interés puramente laboral-contractual conectado únicamente con lo relativo a la relación laboral, sino que admitiría reivindicaciones de más amplio espectro, que no habrían de alcanzar, sin embargo, más que reivindicaciones económicas y profesionales, pero no las políticas en cuanto tales.

Dando un paso más allá, los grupos socialista y comunista defendieron una noción más amplia que incluyera también cualesquiera reivindicaciones (no sólo corporativas) que los trabajadores, como clase social, tuvieran a bien defender.

Pese a la discrepancia en cuanto a esto último, lo cierto es que en el texto constitucional finalmente aprobado se rehusó la inclusión del adjetivo profesional para la calificación adicional de los intereses de los trabajadores a defender mediante las huelgas según el art. 28.2 CE, pese a que —como se puede comprobar en el apartado B del Anexo II— la insistencia en favor de la inclusión de este calificativo fue muy grande, especialmente en las deliberaciones del Senado. A mi modo de ver, ello constituye una muestra clara de que, a nivel constitucional, con la excepción de las huelgas políticas puras revolucionarias o insurreccionales, no fue deseo de los constituyentes limitar *ex ante* el contenido de las motivaciones del derecho de huelga con carácter general, sin perjuicio de que por el legislador pudieran establecerse limitaciones concretas en sus modalidades o manifestaciones que no anulasen el contenido esencial del derecho.

En cualquier caso, en mi opinión, una segmentación del contenido material de este derecho que dé base a una diferenciación —como la comentada— entre huelgas laborales-contractuales, profesionales, políticas, etc., sin perjuicio de su indudable valor teórico-académico o conceptual, no tiene una aplicabilidad real factible. Pues, será muy difícil encontrar decisiones de política social, de igualdad, fiscal, económica o industrial, etc. que no tengan repercusión, más o menos directa, sobre los intereses de los trabajadores, incluso concretamente sobre las condiciones de trabajo de su relación laboral (salario neto resultante de las deducciones fiscales y de seguridad social, jornadas y horarios, posibilidades de promoción, condiciones de las suspensiones y extinciones de contratos, estabilidad en el empleo, etc.).

Cuestión distinta, respecto de la que la diferenciación entre huelga laboral y política sería más nítida, es la relativa a si el destinatario de la misma son los empresarios o el Gobierno-poderes públicos. Sin embargo, lo cierto es que, en el marco de nuestro ordenamiento constitucional y en la realidad de nuestra sociedad democrática, no parece nada plausible prohibir las huelgas y manifestaciones de protesta frente a los poderes públicos, salvo —claro está— las que tuvieran finalidad revolucionaria/insurreccional.

Así pues, parece que en un modelo de Estado Social y democrático de Derecho como el que el art. 1.1 CE propugna, en el que el instrumento de la huelga es uno de los principales medios de acción sindical de las organizaciones sindicales a las que el art. 7 CE (en el Título preliminar) llama a desempeñar un papel en favor de sus intereses económicos y sociales, no sólo laborales o contractuales, así como la regulación en el art. 28 de la huelga (Sección 1ª, Capítulo 2º del Título I), entre las libertades públicas, en una ubicación distinta de otros derechos (de la Sección 2ª) de significación más estrictamente laboral (art. 37 CE), apoya una regulación legal abierta como la que se propone en la propuesta de *lege ferenda* formulada en este estudio en que únicamente se prohíben y consideran ilegales las huelgas que pretendan subvertir el orden constitucional.

Esta visión ampliada del contenido esencial derecho de huelga en cuanto a sus motivaciones y finalidades reivindicativas que, junto a las huelgas en sentido propio puramente laborales como medio de presión frente al empresario, permite también la acción concertada frente a los poderes públicos en defensa de intereses más amplios en que, además de los intereses puramente contractuales, también están presentes motivaciones sociales y económicas de la clase trabajadora (huelgas mixtas o de imposición económico-política) es, además, la más adecuada y coherente con la evolución de la jurisprudencia (constitucional y ordinaria) estudiada[35] y con el devenir de nuestra sociedad democrática, en la medida en que se ha podido comprobar —frente a los temores y prevenciones presentes en algunas de la intervenciones parlamentarias en el proceso constituyente (Anexo II, B.)—, especialmente, con ocasión de las denominadas *huelgas generales*, que, por lo general, se han desarrollado con gran normalidad democrática, aglutinando, junto a las convocatorias sindicales, a amplios sectores de la ciudadanía que, por solidaridad o con intereses coadyuvantes, han participado también en ellas.

Esta heterogeneidad de sujetos participantes, así como otras características peculiares (sujetos frente a los que se dirigen, motivaciones, etc.) de las huelgas generales descritas, me lleva a una última reflexión sobre la naturaleza jurídica de éstas que será analizada a continuación.

b. ¿Cómo conceptuar las denominadas huelgas generales?

Ya hemos visto que parece claramente admisible que las huelgas, salvo si son insurreccionales, pueden tener motivos políticos —o, más bien, en mi opinión, casi siempre serán mixtos—, como ocurrió en el caso de las huelgas generales desarrolladas en la reciente histo-

---

35 Cabe recordar, por ejemplo, la STC 259/2007, de 19 de diciembre, que expresó claramente: "La huelga puede tener por objeto reivindicar mejoras en las condiciones económicas, o, en general, en las condiciones de trabajo, y puede suponer también una protesta con repercusión en otras esferas o ámbitos".

ria democrática de nuestro país (en los años 1985, 1988, 1992, 1994, 2002, 2010, 2011, 2012, 2018)[36].

En efecto, en este sentido, Ojeda Avilés (2003, p. 484) recuerda que nuestra jurisprudencia, tras algunas vacilaciones iniciales, siguiendo el criterio de la OIT, a partir de la STC 11/1981, de 8 de abril, entiende que cabe penalizar sólo aquellas huelgas que tengan por objeto subvertir la seguridad del Estado[37], habiéndose reconocido expresamente la licitud de las huelgas generales de 1985 y 1988[38].

---

36 Ojeda Avilés (2003, p. 483), subraya que —dejando aparte las primigenias huelgas generales revolucionarias a que se refirió Sorel como políticas (como las de los trabajadores belgas de 1893 y rusos de 1905) o sindicalistas que pretenden la emancipación de la clase obrera sin contar con el Estado— en la actualidad en Europa las huelgas generales tienen por fin protestar contra las políticas conservadoras de los Gobiernos.

37 STC 11/1981, de 8 de abril (F.J. 26): "(...) los patronos y obreros que con el fin de atentar contra la seguridad del Estado suspendan o alteren la regularidad en el trabajo. El tipo delictivo dibujado no puede considerarse como inconstitucional si se tiene en cuenta que lo que se penaliza es un ataque contra la seguridad del Estado, esto es, tiene por finalidad la preservación del funcionamiento del orden constitucional, el libre desarrollo de los órganos del Estado y el ejercicio pacífico de los derechos y de las libertades ciudadanas. Los delitos contra el Estado, al que atacan en cuanto, entidad soberana y como estructura de la vida jurídico-política de la sociedad, son, incuestionablemente, delitos cuya producción requiere un dolo específico, que es la voluntad de subvertir la seguridad del Estado, o, como también se ha dicho, delitos de tendencia, según ha puesto de manifiesto una constante y reiterada doctrina de los tribunales. En estos términos, la constitucionalidad del tipo delictivo no puede ser cuestionada".

38 El autor cita, respecto de la primera, las SSTCT de 3, 21 de abril y 2 de noviembre de 1987, así como, con relación a la segunda, las SSTS de 19 de diciembre de 1989 y 1 de febrero de 1991 (Véase también Sala Franco, 1994, p. 463). En el ámbito de la doctrina del TC, destaca la STC 13/1986, de 30 de enero, referida a una huelga general convocada en Galicia el 12 de julio de 1984 y la STC 36/1993, de 8 de febrero, que especificó con relación a la segunda respecto de la necesidad de preaviso y notificación escrita del art. 3.3 RDLRT, aplicando la doctrina de la precedente STC 13/1986, que "en modo alguno puede decirse que la huelga general del 14 de diciembre de 1988 fuera ilegal por no haberse comunicado a todas y cada una de las empresas del país, o al menos, en todas aquellas en las que los trabajadores ejercitaron finalmente el derecho. Ello sería absurdo e impracticable, amén de que la huelga sería al tiempo legal o ilegal, como antes se ha dicho, según se hubiera o no notificado a la empresa correspondiente. En una huelga de las características de la del caso, el art. 3.3 RDLRT se cumple preavisando la huelga a los órganos centrales del Ministerio de Trabajo y Seguridad Social y a los de las Comunidades Autónomas que tengan

Sin embargo, en este tipo de huelgas (generales, políticas-mixtas y no insurreccionales) confluyen una serie de elementos que no encajan exactamente con la noción del derecho de huelga que se desprende del art. 28.2 CE. Así, en primer lugar, estas huelgas no se dirigen frente a los empresarios —o, al menos, no exclusivamente—, sino frente al Gobierno o a los poderes públicos (si bien ya se ha justificado que este dato por sí mismo no debería ser un obstáculo

---

la competencia correspondiente transferida, así como a las asociaciones más representativas de empresarios (de ámbito estatal y, en su caso, de Comunidad Autónoma (...) la finalidad del preaviso al empresario (art. 3.3 RDLRT) es la de que éste conozca que se va a realizar una huelga previamente a su realización, a fin de que esté advertido y, en los supuestos en los que la satisfacción de las reivindicaciones de los huelguistas dependan de él, que negocie desde el momento de la notificación con el comité de huelga a fin de «llegar a un acuerdo» (art. 8.2 RDLRT), dando la oportunidad de llegar a un pacto incluso evitando la huelga convocada". En el caso de la huelga del 14 de diciembre, no puede seriamente decirse que no conocía que la huelga general estaba convocada en toda la nación, en tanto que era un hecho notorio, y que por lo tanto era previsible y muy probable que trabajadores de la misma decidieran seguir la convocatoria. Asimismo, rechazó el argumento de que la huelga general era ajena al interés de los trabajadores de la empresa en cuestión puesto que la huelga procede para la defensa de «sus intereses» (art. 28.2 CE), como tampoco consideró correcto decir que la expresión interés profesional contenida en el art. 11a) RDLRT pueda o permita expulsar del campo de la huelga lícita una huelga como la del 14 de diciembre de 1988, atendidas las reivindicaciones por las que la huelga se convocó (una protesta por la política social llevada a cabo por el Gobierno; por la petición de retirada de un proyecto de contrato llamado de «inserción» de jóvenes; por la reivindicación de un Plan General de Empleo; por la recuperación de dos puntos de poder adquisitivo como consecuencia de los errores en la previsión de inflación; por el incremento de la cobertura de los desempleados hasta un determinado porcentaje; por la equiparación de las pensiones hasta el salario mínimo interprofesional) que muy difícilmente pueden considerarse ajenas a los intereses, si se quiere profesionales, de los trabajadores. Al efecto la sentencia recordó que "ya la STC 11/1981, si bien con referencia a la huelga de solidaridad [art. 11b) RDLRT], tuvo oportunidad de decir que «los intereses defendidos durante la huelga no tienen por qué ser necesariamente los intereses de los huelguistas, sino los intereses de la categoría de los trabajadores» y que el calificativo profesional empleado por el art. 11b) RDLRT «ha de entenderse referido a los intereses de los trabajadores en cuanto tales». Premisas las anteriores desde las que resulta en verdad difícil que las reivindicaciones de la huelga del 14 de diciembre fueran por completo ajenas al interés profesional de los trabajadores [art. 11a) RDLRT] o a los intereses de los trabajadores (art. 28.2 CE)".

para excluirlas del derecho de huelga regulado en tal precepto). En segundo lugar, lo que se reclamó en estos casos estaba claro que no eran reivindicaciones concretas sobre condiciones de trabajo frente al empleador contraparte en el contrato de trabajo, sino que se trataba de protestar frente a políticas gubernamentales o medidas legislativas de más amplio alcance. Por último, no se trató de huelgas únicamente de asalariados —aunque sí principalmente—, pues, muchas veces, se sumó a ellas el conjunto de la ciudadanía, incluyendo manifestaciones y protestas de colectivos tales como estudiantes, parados, pensionistas, o, incluso, autónomos y empresarios, los cuales en ciertos casos —tal vez— tuvieron que paralizar sus actividades por indisponibilidad de suficientes trabajadores a su servicio por motivo de la huelga, pero, en otros casos, los cierres de establecimientos también vinieron acompañados de sus propias expresiones y manifestaciones de protesta[39].

Si estos fenómenos sociales, en su globalidad, son denominados huelgas generales, ¿cómo se puede entender que los distintos colectivos que se suman a una huelga general ejercen el derecho de huelga si este corresponde sólo, según el art. 28.2 CE, a los trabajadores? ¿O es que hay que considerar que, simultáneamente, unos ejercen sólo su libertad de expresión (art. 20 CE) y su derecho de reunión y manifestación (art. 21 CE), o incluso, en su caso, el derecho de petición[40] (si bien el art. 29 CE sujeta su ejercicio a su sustanciación por escrito) y los otros (los trabajadores por cuenta ajena), además, su derecho fundamental de huelga? ¿O más bien, en este caso, todos ejercen estos otros

39 Concretamente, en este sentido, destacó especialmente la conocida como huelga del 14-D (1988) en la que se estima que participaron ocho millones de trabajadores, tres millones de estudiantes y cientos de miles de agricultores, autónomos y pequeños comerciantes.

40 El derecho de petición es un derecho fundamental cuya titularidad corresponde a toda persona física o jurídica que está recogido en el art. 29 CE y desarrollado por la Ley Orgánica 4/2001. Se puede ejercer de forma individual o colectiva y consiste en la facultad de dirigirse a los poderes públicos para, o bien poner en conocimiento de estos ciertos hechos, o reclamarles una intervención, o ambas cosas a la vez. No obstante, no serán objeto de este derecho aquellas peticiones para cuya satisfacción el ordenamiento jurídico establezca un procedimiento específico, ni las que ya sean objeto de un procedimiento parlamentario, administrativo o un proceso judicial.

derechos democráticos constitucionales que no tienen que ver con el de huelga en sentido estricto y, por tanto, en estos casos —como diría la STC 11/1981, de 8 de abril, no sólo en el caso de los autónomos, sino también de los demás colectivos que concurran, incluidos asalariados— se ejercerían sin perjuicio de las consecuencias que puedan arrostrarse? O lo que es lo mismo, para esta última opción en el concreto caso de los trabajadores por cuenta ajena sería aplicable el tratamiento propio de la libertad de huelga (susceptible de ser considerado incumplimiento contractual) y no derecho de huelga (suspensión del contrato de trabajo) en sentido estricto.

Si bien, conceptualmente, resulta tentadora esta última postura (propuesta, desde antaño, por la jurisprudencia italiana), esto es, la consideración de mera libertad de huelga para estos casos, con eventuales consecuencias jurídicas contractuales (nunca penales) en el caso de los trabajadores asalariados que se sumen a estas huelgas generales, por contraposición a las huelgas frente al empresario/empleador que se reconducirían al derecho de huelga en sentido estricto con garantía de suspensión del contrato de trabajo e inmunidad frente a sanciones disciplinarias, lo cierto es que, en mi opinión, la opción en favor de la heterogeneidad de derechos confluyentes es la más ajustada a la configuración del modelo de Estado que se desprende de nuestro ordenamiento constitucional de conformidad con las conclusiones alcanzadas en el subapartado anterior.

Pues, en efecto, en un Estado democrático y pluralista, ha de ser posible que cada ciudadano pueda paralizar sus distintos tipos de actividades como muestra de su disconformidad o descontento con las políticas legislativas o gubernamentales, haciendo uso pacíficamente, cada tipo de colectivo, de los distintos derechos y libertades que el ordenamiento jurídico les confiere legítimamente. Así, los trabajadores podrán hacer uso de los derechos fundamentales de huelga, además de los de expresión, reunión-manifestación, etc.; los demás colectivos, sólo de estos últimos[41]; y, en el caso de los autónomos y

---

[41] Ojeda Avilés (2003, p. 561) advierte de cierto rechazo doctrinal a estas tesis (Sagardoy Bengoechea, 1979, p. 57) por la consiguiente posición de privilegio que resultaría para los trabajadores en el ámbito político respecto de los demás ciudadanos, puesto que contarían no sólo con el derecho de voto sino también con la huelga.

de los empresarios, también de su libertad de empresa para paralizar sus actividades, si bien en este caso —en terminología de la STC 11/1981— sin perjuicio de las consecuencias jurídicas que puedan arrostrarse por las perturbaciones que se produzcan[42].

---

[42] STC 11/1981, de 8 de abril (F.J. 12): "(...) no nos encontramos ante el fenómeno de huelga protegido por el artículo 28 de la Constitución cuando se producen perturbaciones en la producción de bienes y de servicios o en el normal funcionamiento de estos últimos que se introducen con el fin de presionar sobre la Administración Pública o sobre los órganos del Estado para conseguir que se adopten medidas gubernativas o que se introduzca una nueva normativa más favorable para los intereses de una categoría (por ejemplo, de empresarios, de concesionarios de servicios, etc.). (...) Aquí radica una muy importante diferencia que separa la huelga constitucionalmente protegida por el artículo 28 y lo que en algún momento se ha podido llamar huelga de trabajadores independientes, de auto-patronos o de profesionales, que, aunque en un sentido amplio sean trabajadores, no son trabajadores por cuenta ajena ligados por un contrato de trabajo retribuido. La cesación en la actividad de este tipo de personas, si la actividad empresarial o profesional es libre, se podrá realizar sin necesidad de que ninguna norma les conceda ningún derecho, aunque sin perjuicio de las consecuencias que haya que arrostrar por las perturbaciones que se introduzcan. Es claro que si se hubiera obtenido de manera expresa una concesión para el desarrollo de un servicio público, o, si se tratara de actividades de interés público sometidas a un régimen jurídico-administrativo especial, la actividad de cesación puede determinar que se estén violando las exigencias de la concesión o del régimen jurídico-administrativo de que se trate".

3. TITULARIDAD DEL DERECHO DE HUELGA

Como es bien sabido, las bases jurídicas fundamentales en que se basa el actual sistema de relaciones laborales en España vienen contenidas en el artículo 28 CE, el cual reconoce, en su apdo. 1, el derecho a la libertad sindical como un derecho fundamental de «*todos* a sindicarse libremente», añadiendo que "La ley podrá limitar o exceptuar el ejercicio de este derecho a las Fuerzas o Institutos armados o a los demás Cuerpos sometidos a disciplina militar y regulará las peculiaridades de su ejercicio para los funcionarios públicos". Asimismo, a continuación, —como ha sido analizado ya en profundidad— el art. 28.2 CE reconoce "el derecho a la huelga *de los trabajadores* para la defensa de sus intereses".

De este modo, en nuestro ordenamiento constitucional, la facultad de actuar en tutela y en defensa de los intereses colectivos de los trabajadores se atribuye a los propios sujetos protagonistas del conflicto, como expresión de su posición de libertad, los cuales, en ejercicio de su propia autonomía, pueden elegir para ello los medios que estimen más oportunos: huelga (art. 28.2 CE), reunión y manifestación (arts. 21.1 y 2 CE), libertad de expresión y difusión de información (art. 20 CE), negociación colectiva y conflicto colectivo (arts. 37.1 y 2 CE), etc. El art. 28 CE se encuentra estratégicamente situado junto a otros directamente relacionados, como el genérico derecho de asociación (art. 22 CE) y el de reunión y manifestación (art. 21 CE), en la Sección Primera del Capítulo II del Título I de la CE.

A la vista de la ubicación de los preceptos laborales dentro de la estructura sistemática de la CE, llama poderosamente la atención el hecho de que la libertad sindical (art. 28.1) y el derecho de huelga (art. 28.2), que están directamente relacionados con el derecho al trabajo, reciban un tratamiento privilegiado respecto del reconocimiento mismo de éste (en el art. 35 CE) y de algunas de las manifestaciones estrictamente laborales de la libertad sindical (37.1 y 2 CE). Como se desprende del proceso constituyente y de los debates parlamentarios analizados en el Anexo II, inicialmente, se pretendían regular la mayor parte de estos derechos en un único precepto, pero el proceso de negociación entre las distintas fuerzas políticas derivó, en un momento posterior, hacia la estructura separada actual. Pero, además, cabe apuntar algunas razones de fondo adicionales que justificarían esta diferenciación, pues la explicación posiblemente esté muy relacionada con el art. 7 de la CE (situado en el Título Preliminar, es decir, en el momento embrionario en que el constituyente procede a establecer los fundamentos de la organización básica del Estado), en el cual se procede —a renglón seguido de referirse a los partidos políticos en el art. 6— a reconocer que: "Los sindicatos de trabajadores y las asociaciones empresariales contribuyen a la defensa y promoción de los intereses económicos y sociales que les son propios. Su creación y el ejercicio de su actividad son libres dentro del respeto a la Constitución y a la ley. Su estructura interna y funcionamiento deberán ser democráticos". Con lo cual, pese a la referencia a la expresión *los intereses que les son propios* —que como puede comprobarse en el Anexo II ocupó gran parte de las discusiones parlamentarias—, a los sindicatos se les reconoce como un elemento fundamental en la organización política y de participación del Estado (un Estado Social según el art. 1.1 CE), que no parece circunscribirse al ámbito estrictamente laboral (como ocurre con las manifestaciones de la libertad sindical que se relegan a la sección 2ª: negociación colectiva *laboral* y conflicto colectivo) sino que tienen un alcance más amplio. De ahí que el instrumento de las huelgas (que, en ocasiones, —como fue analizado— también pueden ser políticas) se reconozca también con el máximo nivel de garantías en el art. 28.2 CE, en su sección 1ª del capítulo II del Título I. Esta misma concepción de los sindicatos como instituciones con cierta *vis* política, no exclusivamente laboral, vendría reforzada por la prohibición del art. 127.1. CE ("Los Jueces y Magistrados, así como los Fiscales, mientras se hallen en activo, no podrán desempeñar otros cargos públicos, ni pertenecer a partidos políticos o sindicatos. La ley establecerá el sistema y modalidades de asociación profesional de los Jueces, Magistrados y Fiscales") al tratar de preservar la independencia política de los Jueces y Magistrados y el equilibrio de poderes del Estado (evitando que el poder judicial ejerza influencia política a través de sindicatos —que según esta concepción serían aptos para tal fin—) y por su participación institucional prevista en el art. 131.2. CE: "El Gobierno elaborará los proyectos de planificación, de acuerdo con las previsiones que le sean suministradas por las Comunidades Autónomas y el asesoramiento y colaboración de los sindicatos y otras organizaciones profesionales, empresariales y económicas. A tal fin se constituirá un Consejo, cuya composición y funciones se desarrollarán por ley" (el Consejo Económico y Social).

El derecho a la libertad sindical, tanto en su aspecto positivo —derecho a la libre sindicación— como negativo —derecho a la no sindicación—, así como el expreso reconocimiento constitucional que de las organizaciones sindicales efectúa el artículo 7, exigía un desarrollo legal que debía efectuarse por Ley Orgánica, siguiendo los propios preceptos constitucionales, a través de la aplicación de los artículos 53 y 81 CE, que establecen que «sólo por Ley, que en todo caso deberá respetar su contenido esencial, podrá regularse el ejercicio de tales derechos y libertades», «reconocidos en el capítulo II del presente título» (art. 53.1 CE) y que «son Leyes orgánicas las relativas al desarrollo de los derechos fundamentales y de las libertades públicas» (art. 81.1 CE). Y, así, vino a cumplir este mandato constitucional la Ley Orgánica de Libertad Sindical (LOLS) 11/1985, de 2 de agosto, cuyo debate parlamentario puede analizarse en el apartado D del Anexo II de esta obra.

Si bien la LOLS pretendió dar un tratamiento jurídico unificado del ejercicio del derecho de sindicación de los funcionarios públicos a que se refiere el artículo 103.3 CE ("La ley regulará el estatuto de los funcionarios públicos, el acceso a la función pública de acuerdo con los principios de mérito y capacidad, las peculiaridades del ejercicio de su derecho a sindicación..."), realmente, —como fue denunciado en el debate parlamentario mencionado— no incluyó la regulación de tales peculiaridades, si bien, posteriormente, fue objeto de una previsión específica en el art. 15a) de la Ley 7/2007, de 12 de abril, sustituida por el actual Real Decreto Legislativo 5/2015, de 30 de octubre, por el que se aprobó el Texto Refundido de la Ley del Estatuto Básico del Empleado Público (EBEP). Como también le fue ampliamente reprochado en el Parlamento, tampoco se ocupó de desarrollar el derecho a la libre sindicación de los empresarios por entender —como defendió el portavoz del partido del Gobierno que presentó el Proyecto de Ley— que bastaba con constitucionalizar y mantener la plena vigencia de lo establecido en materia de asociacionismo empresarial por la preconstitucional Ley 19/1977, de 1 de abril, sobre regulación del derecho de asociación sindical, residenciando su fundamento constitucional en los arts. 7 y 22, y no en el 28.1, de la CE.

Como sabemos, en contraste con dicho desarrollo legislativo de la libertad sindical del apdo. 1 del art. 28 CE, la regulación legal del derecho de huelga, reconocido en el apdo. 2 del mismo precepto constitucional, todavía se hace esperar.

3.1. CONJUNTO REGULADOR VIGENTE SOBRE LA TITULARIDAD DE LOS DERECHOS DEL ART. 28 CE

Como hemos visto, de acuerdo con el art. 28.1 CE, *todos* tienen derecho a sindicarse libremente, si bien la Ley podrá limitar o exceptuar el ejercicio de este derecho a las Fuerzas o Institutos armados o a los demás Cuerpos sometidos a disciplina militar y regulará las peculiaridades de su ejercicio para los funcionarios públicos. Asimismo, conforme al art. 127.1. CE, los Jueces y Magistrados, así como los Fiscales, mientras se hallen en activo, no podrán (...) pertenecer a sindicatos, pero se permite que la Ley establezca el sistema y modalidades de asociación profesional. Así pues, de entrada, el derecho de sindicación corresponde a *todos* y no se atribuye, en exclusiva, a los trabajadores por cuenta ajena en el sentido estricto del art. 1.1 ET, sino que, en un sentido amplio, puede corresponder a un espectro más amplio de colectivos, entre los que se incluirían los funcionarios públicos (con peculiaridades), se podrían exceptuar los militares y se excluyen los Magistrados, Jueces y Fiscales.

A renglón seguido, el art. 28.2 CE reconoce "el derecho a la huelga de los trabajadores para la defensa de sus intereses. La ley que regule el ejercicio de este derecho establecerá las garantías precisas para asegurar el mantenimiento de los servicios esenciales de la comunidad". Como puede apreciarse, este derecho fundamental no se atribuye a *todos,* sino sólo a los *trabajadores,* sin perjuicio de que —como veremos—, siendo el derecho de huelga una de las principales expresiones de la acción sindical que integra el contenido del derecho de libertad sindical, se pueda derivar —por Ley, pero no directamente del art. 28.2 CE— un derecho, no fundamental, a la huelga para otros colectivos titulares del derecho de libertad sindical. Se trataría del caso de los funcionarios públicos que, aunque hay que entenderlos incluidos en el art. 28.1 CE, en mi opinión, dada la redacción del art. 28.2 CE, no tendrían un derecho de huelga derivado de este precepto constitucional, sino, en su caso por Ley, sin que ello implique negación en este aspecto del contenido esencial de su derecho de libertad sindical reconocido en el art. 28.1, puesto que en el mismo se previó y especificó que, en el caso de estos colectivos, se admiten y son constitucionales determinadas peculiaridades (funcionarios públicos, en general) y limitaciones o exclusiones (FF.AA. y Cuerpos sometidos a disciplina militar).

En cualquier caso, de conformidad con todo lo anterior, el art. 1 LOLS desarrolló que todos los trabajadores tienen derecho a sindicarse libremente para la promoción y defensa de sus intereses económicos y sociales, especificando que, a los efectos de esta Ley, se consideran trabajadores tanto aquellos que sean sujetos de una relación laboral como aquellos que lo sean de una relación de carácter administrativo o estatutario al servicio de las Administraciones públicas, sin peculiaridades. Además, haciendo uso de la habilitación constitucional —"podrá"—, quedaron exceptuados del ejercicio de este derecho los miembros de las Fuerzas Armadas y de los Institutos Armados de carácter militar (Ejército y Guardia Civil). Asimismo, de acuerdo con lo dispuesto en el art. 127.1 CE, se estableció que los Jueces, Magistrados y Fiscales no podrán pertenecer a sindicato alguno mientras se hallen en activo y que ejercicio del derecho de sindicación de los miembros de Cuerpos y Fuerzas de Seguridad que no tengan carácter militar se regirá por su normativa específica, dado el carácter armado y la organización jerarquizada de estos Institutos (Policía).

La importancia de estas concreciones de la titularidad del derecho de sindicación, a los efectos de este estudio referido a la huelga, radica en que, conforme al art. 2.2 LOLS, las organizaciones sindicales en el ejercicio de la libertad sindical, tienen derecho, entre otras cosas, al ejercicio de la actividad sindical en la empresa o fuera de ella, la cual comprenderá, en todo caso, el derecho a la negociación colectiva, al ejercicio del derecho de huelga, al planteamiento de conflictos individuales y colectivos, en los términos previstos en las normas correspondientes.

Partiendo de la base del esquema anterior es preciso distinguir, pues, diversos colectivos, a efectos de diferenciar en cada caso las implicaciones jurídicas sobre la titularidad del derecho de huelga y su ejercicio:

a) Trabajadores por cuenta ajena, incluido el personal laboral al servicio de las Administraciones públicas.

Como hemos visto, la LOLS reconoce a los trabajadores por cuenta ajena o asalariados, con carácter general, su libertad de sindicación con plenitud. En cuanto al derecho de huelga, en ausencia de una concreción expresa sobre la titularidad del derecho por parte del RDLRT, en general, ha sido pacífica por parte de la doctrina y de la jurisprudencia la admisión como titulares individuales del derecho de huelga de las personas trabajadoras asalariadas (en el sentido del art. 1.1 ET), ya sean españolas o extranjeras, incluyendo las relaciones laborales especiales, tanto del ámbito privado como del sector público.

Desde la STC 11/1981, de 8 abril, se ha generalizado el reconocimiento de una titularidad individual del derecho de huelga, pero de ejercicio colectivo[43]. Sin embargo, por parte de la doctrina también

---

[43] Como señaló la STC 11/1981, de 8 de abril, estamos ante un derecho de titularidad individual, pero de ejercicio colectivo, puesto que la huelga requiere ser desarrollada (carece de sentido la huelga de un único sujeto) y convocada colectivamente, formando parte esta facultad de convocatoria de huelgas del contenido esencial del derecho de libertad sindical. Así el TC, estableció que la titularidad del derecho, en esta acepción colectiva, corresponde a los trabajadores en su conjunto (que pueden convocarla en asamblea de trabajadores) y a sus representantes (sindicales y también los unitarios). Asimismo, —como ya ha sido comentado más arriba— esta STC declaró la inconstitucionalidad de ciertos requisitos del RDLRT 17/1977, de 4 de marzo (en relación al quórum del 75% de asistencia a la reunión de representantes legales o que la iniciativa de someter la votación de los trabajadores en asamblea fuese respaldada por un 25 por ciento de los trabajadores de la plantilla) por considerar que este tipo de exigencias "(...) es una manera de ahogar el nacimiento de la huelga y constitu-

se ha defendido que la huelga no puede ser considerada exclusivamente un derecho individual de los trabajadores, puesto que no es posible negar dicha titularidad a los sindicatos, en la medida en que la huelga forma parte del contenido esencial del derecho de libertad sindical reconocido en el art. 28.1 CE y a dichas organizaciones sindicales y a los representantes de los trabajadores les deben corresponder necesariamente la titularidad de determinados aspectos de la huelga, como la capacidad de convocatoria y publicidad de la misma o la negociación de soluciones que pongan fin al conflicto (Palomeque López, 1992, p. 357; Sala Franco, 1994, p. 458). Al extremo, desde esta perspectiva, es posible incluso plantearse, inversamente, la existencia de una titularidad colectiva del derecho de huelga, de ejercicio individual, representado en las facultades de cada trabajador individual de sumarse o no a las huelgas —que se convocan colectivamente— o desvincularse de las que estuviera participando.

En cualquier caso, el art. 28.2 CE, según la jurisprudencia constitucional, reconoce un derecho individual de adhesión a la huelga, pero también, en sentido negativo, existe un derecho de titularidad individual a no adherirse a una huelga o a desvincularse de la que se estuviera participando, en virtud de la libertad de trabajo reconocida en el art. 35 CE. Al encontrar su fundamento, en un precepto radica-

---

ye una importante limitación a este derecho. Sólo tendría sentido si la voluntad de la mayoría se impusiera necesariamente a la minoría de los no huelguistas de acuerdo con los principios democráticos. Esta conclusión no es coherente porque si la huelga es, como ya se ha dicho, un derecho de carácter individual (aunque de ejercicio colectivo) es claro que no puede ser al mismo tiempo una obligación". En efecto, la configuración de la titularidad individual del derecho de huelga permite que el ejercicio colectivo del mismo pueda atribuirse ampliamente, incluyendo sujetos colectivos que, a priori, puedan parecer poco significativos o con escasa implantación, pues la convocatoria de huelga y su desarrollo en ningún modo puede obligar ni condicionar a los sujetos individuales que siempre conservan su derecho a adherirse o desvincularse de la huelga. Así las cosas, el éxito (o fracaso) de la huelga y la consiguiente representatividad (o su carencia) de los intereses defendidos por los sujetos convocantes quedará plasmado, en la realidad, por la adhesión efectiva de las personas trabajadoras a la misma o, por el contrario, por el hecho de ser desatendido por estas el llamamiento realizado por unos sujetos que los propios hechos, y no la exigencia limitativa de requisitos previos, demostrarán *de facto* que carecen de legitimidad suficiente.

do en la sección 2ª del Capítulo II del Título I de la CE —a diferencia del derecho de huelga reconocido en el art. 28.2 CE, ubicado en la sección 1ª de dicho Capítulo—, se ha apuntado (Sala Franco, 1994, p. 457) que esta segunda versión (ejercicio individual negativo de la huelga) no gozaría del reconocimiento constitucional privilegiado y de la consiguiente protección especial prevista en el art. 53.2 CE (recurso de amparo ante el TC y procedimiento preferente y sumario ante los Tribunales ordinarios).

b) Funcionarios públicos.

En cuanto a los empleados públicos, la licitud de las huelgas de funcionarios (salvo los colectivos específicos con libertad sindical excluida o limitada, como Magistrados, Jueces y Fiscales o FF. AA., a que más abajo se hará referencia) resulta pacífica tras la LOLS, que los incluye en su ámbito de aplicación sin establecer peculiaridades[44]. Actualmente, este derecho viene confirmado en la legislación ordinaria por el RDleg. 5/2015, de 30 de octubre, por el que se aprueba TRLEBEP, en cuyo art. 15c) se señala que: "los empleados públicos (tanto funcionariales como laborales) tienen los siguientes derechos individuales que se ejercen de forma colectiva: ejercicio de la huelga, con la garantía del mantenimiento de los servicios esenciales de la comunidad" y para el personal estatutario, con una dicción muy similar, por el art. 18c) de la Ley 55/2003, de 16 de diciembre, del Estatuto Marco del personal estatutario de los servicios de salud.

En efecto, que la LOLS incluya en su ámbito de aplicación a los funcionarios públicos y les reconozca el derecho de libertad sindical sin señalar las peculiaridades que le encomendó regular el art. 28.1 CE sustenta la postura en favor del derecho de huelga de este colectivo como elemento integrante de la subespecie de aquél: el derecho a la acción sindical. Sin embargo, en mi opinión, de este modo el derecho de huelga de los funcionarios se fundamentaría, así, exclusivamente en la comentada regulación de la LOLS y en el reconoci-

44 A nivel de Derecho comparado, cabe apuntar que, en Francia, la Ley de conflictos colectivos de 1950 prohibió la huelga para determinados colectivos, como policía, magistrados y jueces, funcionarios de prisiones. En Italia, originariamente, estaba prohibida y tipificada como delito la huelga de funcionarios, si bien actualmente se admite perfectamente la huelga de este colectivo.

miento de su derecho de libertad sindical y a la acción sindical sin peculiaridades, pero no deriva directamente ni del art. 28.2 que lo reconoce únicamente a los *trabajadores*, ni tampoco del art. 28.1 CE que, aunque reconoce a *todos* el derecho de libertad sindical prevé la regulación por Ley de peculiaridades que hubieran podido afectar, en el caso de este colectivo, a determinados aspectos de su contenido, como la huelga o la negociación colectiva[45].

Como fue agudamente señalado (Alonso Olea, 1993), con ocasión de la intención del Proyecto de Ley Orgánica de Huelga de 1993 de incluir en su regulación la huelga de los funcionarios públicos, lo cierto es que ésta no debe ser objeto de este tipo de norma, puesto que el derecho de huelga reconocido como fundamental por el art. 28.2 CE —como he avanzado— queda referido —por contraposición a la libertad sindical reconocida a *todos* en el art. 28.1 CE— a la huelga de los *trabajadores* para la defensa de sus intereses, debiendo entenderse por tales a los trabajadores subordinados por cuenta ajena definidos en el art. 1.1 ET, pero no a los funcionarios públicos que pueden tener y tienen reconocido el derecho a la huelga por Ley (este papel lo desempeña, actualmente[46], el citado art. 15c) del TR-

---

45 Cabe destacar que, en el ámbito parlamentario, se puede comprobar (Anexo II, D) cómo, en el momento de la aprobación de la LOLS, había cierta coincidencia —incluso entre partidos de ideologías opuestas— en cuanto a que el derecho de huelga de los funcionarios públicos no tenía por qué ser del todo equiparable al de los trabajadores. En este sentido, cabe recordar, por un lado, el discurso de Suárez González (Grupo popular) que insistió en la regulación de la libertad sindical de los funcionarios con peculiaridades "con relación al derecho de negociación colectiva y al derecho de huelga". Concretamente, se refirió al derecho de huelga de los funcionarios que, aunque la Constitución no lo reconoce, lo cierto es que tampoco lo prohíbe y, por tanto, el legislador ordinario puede reconocérselo, pero expresó que "no es serio, no es responsable concedérselo por el camino indirecto de considerarlos trabajadores, en lugar de regularlo expresamente con todas las exigencias que el servicio y el bien público aconsejan". Y, por otro lado, Chaves González (Grupo socialista) coincidió en que en el campo de la acción sindical (de la negociación colectiva o del ejercicio del derecho de huelga) sí puede haber peculiaridad, pero no había ninguna razón que avale ninguna discriminación o ninguna diferenciación entre el derecho de sindicación de los funcionarios públicos y el del resto de los trabajadores.

46 Con anterioridad, la regulación correspondiente se contenía en la D. A. 12ª de la derogada Ley 30/1984, de 2 de agosto, de Medidas para la Reforma de la Fun-

LEBEP), pero no puede considerarse como fundamental, ni es procedente, por tanto, su regulación por Ley Orgánica (art. 81.1 CE), por no tener su origen en el precepto constitucional citado.

No obstante, lo cierto es que la postura aquí propuesta del origen no constitucional, sino legal, del derecho de huelga de los funcionarios públicos no es nada pacífica en la doctrina científica. Así, Sala Franco (2023, p. 91) resume los argumentos de la doctrina en favor de una interpretación amplia y sociológica del término trabajadores del art. 28.2 CE: a) En primer lugar, una interpretación sistemática del precepto constitucional, por cuanto en otros pasajes de la CE (art. 7 se refiere a *sindicatos de trabajadores)* también emplean el tér-

---

ción Pública, en la cual se reconocía implícitamente el derecho de huelga de los funcionarios públicos al establecer que *"los funcionarios que ejerciten el derecho de huelga no devengarán ni percibirán las retribuciones correspondientes al tiempo en que hayan permanecido en esa situación, sin que la deducción de haberes que se efectúe tenga, en ningún caso, carácter de sanción disciplinaria ni afecte al régimen respectivo de sus prestaciones sociales"*.

Como ha señalado Sala Franco (2023, p. 93) este precepto posee un doble interés: "De un lado, por ser el primer precepto legal ordinario que reconoció expresa y abiertamente el derecho de huelga de los funcionarios públicos. De otro, por abordar el concreto tema de las retenciones de haberes de los funcionarios en situación de huelga legal, tema enquistado en una interpretación formalista del Tribunal Supremo que defendía la nulidad de las retenciones por entender que se trataba de una sanción administrativa acordada sin las formalidades legales del expediente administrativo. Este precepto legal fue objeto de recurso de inconstitucionalidad, argumentándose que en la medida en que la transcrita Disposición Adicional afectaba a un derecho fundamental —el derecho de huelga— necesitaba una ley orgánica, dado el principio de reserva de ley orgánica del art. 81 CE. La STC de 11 de junio de 1987 declaró sin embargo la plena constitucionalidad del precepto, rechazando que la materia regulada estuviese incluida en la reserva de ley orgánica del art. 81 CE, argumentando que ésta debe ser interpretada en un sentido restrictivo, excluyendo las materias conexas que no afectan frontalmente a los derechos fundamentales y libertades públicas. Así, señalaba que: "*La citada Disposición Adicional Decimosegunda no viene a regular o desarrollar aquel derecho (de huelga), sino a reconocer expresamente la legitimidad del descuento de haberes por la cesación colectiva en el trabajo, deduciendo las consecuencias sobre la retribución que, de acuerdo con los criterios generales deducibles del ordenamiento, se derivan de la situación de suspensión de la relación de empleo en que se sitúa el funcionario en huelga*". Por lo demás, el art. 31 de esta Ley establecía que eran faltas muy graves de los funcionarios públicos "*la participación en huelgas, a los que la tengan expresamente prohibidas por la ley*" (apartado k) y "el *incumplimiento de la obligación de atender los servicios esenciales en caso de huelga*" (aptdo. l)".

mino *"trabajadores"* y se interpreta en sentido amplio, incluyendo a los funcionarios públicos y personal estatutario. Asimismo, se apunta una interpretación —a mi juicio un tanto forzada— del art. 28.2 CE en cuanto al *"mantenimiento de los servicios esenciales de la comunidad"* como único límite al derecho que parece apuntar hacia que la CE no pretendería imponer límites subjetivos sino objetivos al derecho de huelga (Durán López, 1986, p. 20); b) En segundo lugar, una interpretación finalista. Así, se señala que la libertad sindical y el derecho de huelga van unidos suponen un *"reconocimiento implícito"* del derecho de huelga, ya que este último forma parte del contenido esencial del derecho fundamental de libertad sindical, interpretándose sin asomo alguno de duda que la libertad sindical viene reconocida en la CE con carácter general a los funcionarios públicos en los arts. 7 y 28.1 de la Carta Magna; c) Y, en tercer lugar, finalmente, una interpretación conforme al art. 10.2 CE a la luz de las normas internacionales ratificadas por España que reconocen el derecho de huelga a los funcionarios públicos (art. 6.4 de la Carta Social Europea, si bien ratificada bajo *"reserva de interpretación"*, y con el art. 8 del Pacto Internacional de Derechos Económicos, Sociales y Culturales de 1966).

Por el contrario, a mi juicio, el fundamento legal (no constitucional) del derecho de huelga de los funcionarios podría apoyarse en que derivaría tanto del origen subjetivo laboral y la función económico-social latentes en la conformación histórica de este derecho —estudiada en el primer capítulo de esta obra— como, en especial, del término "eventual" contenido en la expresión de la STC 11/1981, de 8 de abril (F.J.13): "(...) el *eventual* derecho de huelga de los funcionarios públicos no está regulado —y, por consiguiente, tampoco prohibido— por el Real Decreto-ley 17/1977 (...)", que no puede interpretarse en modo distinto —pues no parece contemplable la posibilidad de que el TC quisiera decir que "no lo tenía claro"— al de apoyar la posición en favor de un derecho de huelga de los funcionarios *eventual* entendido como potencial (que puede —o no— ser reconocido por Ley). Pues si, a juicio del TC, este derecho tuviese origen constitucional, no se hubiera referido en este párrafo a este derecho como eventual, sino que, más sencillamente, hubiera podido decir que el derecho constitucional y/o fundamental de huelga no es objeto de regulación respecto de los funcionarios públicos en el RDLRT, pero habría de reconocerse igualmente.

Ello no obstante, lo cierto es que da la sensación que el TC ha eludido el abordaje frontal de esta cuestión y, en cualquier caso, desde luego, se echó en falta en la ocasión de la meritada STC un pronunciamiento más claro y rotundo en cuanto a la naturaleza de tal derecho de los funcionarios[47].

c) Jueces, Magistrados y Fiscales.

Como se ha avanzado, en la LOLS queda exceptuada la sindicación de los Jueces, Magistrados y Fiscales, mientras se hallen en activo; excepción que sigue la literalidad del artículo 127.1 de la CE, si bien se les permiten formas de un denominado *asociacionismo profesional* que no debería tener connotaciones políticas (art. 401 de la Ley Orgánica 6/1985, de 1 de julio, del Poder Judicial, en adelante LOPJ). No obstante, lo cierto es que no existe una norma específica

---

47 Borrajo Dacruz (1981) señala al respecto que: "El Tribunal Constitucional en realidad elude el tema, y llega a hablar, pura y simplemente, del "eventual derecho de huelga de los funcionarios públicos" (Fundamento jurídico número 13, in fine). La posición es perfectamente comprensible. En el Derecho comparado son aún muchos los países que prohíben la huelga en la función pública (Alemania Federal, Holanda, Bélgica, Luxemburgo, Dinamarca, Islandia, Austria, etc.). Hay, por el contrario, otros países en que se ha levantado la prohibición (...). Ahora bien, el proceso que puede registrarse en el Derecho comparado conduce, gradualmente, a un cambio de criterio: la huelga no se reconoce, autoriza o prohíbe en atención al estatuto jurídico privado o público del trabajador, sino en atención a la naturaleza de la función afectada. Es decir, se reconoce el derecho de huelga tanto a los trabajadores privados como a los funcionarios públicos, y para unos y para otros las restricciones se imponen en beneficio de la comunidad, de modo que se garanticen los servicios mínimos o vitales. Los servicios atendidos por funcionarios públicos gozan de una fuerte presunción de interés social, pero no son, necesariamente y por sí mismos, servicios esenciales o vitales. En consecuencia, el mantenimiento del servicio público en condiciones aceptables, legitima la huelga. Sin entrar en detalles, ésta es la evolución y resultado obtenidos en Italia, al declararse inconstitucional la prohibición del Código penal de 1930 como contraria a la Constitución de 1947; en Inglaterra, o en Francia, en este caso a resultas de la Ley de 31 de julio de 1963, pues hasta entonces la tesis jurisprudencial predominante declaraba ilegal la huelga de funcionarios públicos. En resumen: para los funcionarios públicos se reconoce el derecho de huelga (y no sólo, la libertad) y se regulariza su ejercicio, imponiendo peculiaridades que lo distinguen del régimen más abierto o liberal de los trabajadores privados. En cualquier caso, se refuerza el deber de atender los servicios esenciales públicos".

que prohíba la huelga de Jueces, Magistrados y Fiscales, y sigue siendo hoy en día un tema muy controvertido en la doctrina, si bien en el ámbito de la Administración de Justicia, sí que está claro que tienen derecho de huelga los letrados de la Administración de justicia y los funcionarios del Cuerpo de gestión y del de tramitación procesal y administrativa, y auxilio judicial (art. 496 LOPJ, en relación con los arts. 536.a.15° y 468 bis 1.1,p LOPJ).

A mi juicio, el análisis jurídico esta materia —frente al criterio doctrinal que se decanta por el tratamiento derivado de su condición de funcionarios públicos de los Jueces, Magistrados y Fiscales— debe ser totalmente independiente del realizado en la letra anterior respecto de los funcionarios públicos en general. Ello por la sencilla razón de que así lo quiso el constituyente, que no los mencionó en el art. 28.1 CE, ni en el art. 103.3 CE, como titulares de un derecho de sindicación con peculiaridades, sino que separadamente (en el Título VI al ocuparse de la regulación de uno de los poderes del Estado: el Poder Judicial), en el art. 127.1 CE, directamente los excluyó de tal derecho.

No se trata aquí pues ya de que, como en el caso de los funcionarios públicos en general, pueda discutirse el origen constitucional o legal de su derecho de huelga, en función de si se interpreta ampliamente el término trabajadores del art. 28.2 CE y se considera que las peculiaridades del art. 28.1 CE no deberían alcanzar tanto como la exclusión de su derecho de huelga o, por el contrario —como se defiendo en este estudio— que tales peculiaridades constitucionalmente previstas podrían haber amparado para los funcionarios un contenido esencial del derecho de sindicación sin un derecho de huelga que sería exclusivo de los asalariados (trabajadores del art. 28.2, frente a *todos* del art. 28.1 CE), salvo que —como ha ocurrido— por Ley, también se le reconozca al colectivo funcionarial. Por el contrario, más allá de ello, en el caso de los Jueces, Magistrados y Fiscales, el hecho de que ni siquiera se les permita su sindicación, sino sólo el asociacionismo profesional, debe tener como implicaciones lógicas que, para preservar su independencia e imparcialidad, constitucionalmente se les excluye necesariamente del derecho de libertad sindical, sin que, por ende, sea posible en este caso, como mejora, la concesión por Ley del instrumento de actividad sindical prototípico de la huelga.

No obstante, esta cuestión será objeto de un desarrollo más profundo en el espacio dedicado a la justificación de la propuesta *lege ferenda* que sobre este aspecto se formula en esta obra.

d) Miembros de las Fuerzas e Institutos Armados de carácter militar.

Con relación a los miembros de las Fuerzas e Institutos Armados de carácter militar, también quedan exceptuados del ejercicio del derecho de libertad sindical, aunque, según el tenor 28.1 CE, no tenía por qué exceptuarse ni limitarse necesariamente (*"la ley podrá"*). Pese a ello, el art. 1.3 de la LOLS, ni siquiera, optó por limitarlos, sino que los excluye plenamente. En el mismo sentido, el art. 7.2 de la Ley Orgánica 9/2011, de 27 de julio, de derechos y deberes de los miembros de las Fuerzas Armadas lo confirma al señalar que el militar no podrá ejercer el derecho de sindicación y, en consecuencia, no podrá fundar ni afiliarse a sindicatos ni realizar actividades sindicales[48]. Sin embargo, también en el caso de los militares, la STC 219/2001, de 31 de octubre, admitió su asociación, incluso para la defensa de intereses profesionales (así lo confirman los arts. 9, 11 y 12 de la Ley Orgánica 11/2007, de 22 de octubre, reguladora de los derechos y deberes de los miembros de la Guardia Civil y el art. 42 de la mencionada Ley Orgánica 9/2011, permitiendo sus asociaciones profesionales no sindicales, pero no el ejercicio de medios de acción sindical como la huelga). Por ello, quedan excluidos del derecho de huelga los miembros de las Fuerzas Armadas (Ejército de Tierra, Aire, Armada y personal militar adscrito al Centro Nacional de Inteligencia) e Institutos Armados de carácter militar (art. 7.2 de la Ley

---

48 Art. 7.2 de la Ley Orgánica 9/2011: "El militar no podrá ejercer el derecho de sindicación y, en consecuencia, no podrá fundar ni afiliarse a sindicatos ni realizar actividades sindicales. Tampoco permitirá su ejercicio en el ámbito de las Fuerzas Armadas, salvo las que para el personal civil se contemplan en la Ley Orgánica 11/1985, de 2 de agosto, de Libertad Sindical y demás legislación aplicable. En todo caso mantendrá su neutralidad en relación con la actuación de los sindicatos. Los miembros de las Fuerzas Armadas no podrán recurrir a los medios propios de la acción sindical, entendida como negociación colectiva, adopción de medidas de conflicto colectivo y ejercicio del derecho de huelga. Tampoco podrán realizar acciones sustitutivas o similares a este derecho, ni aquellas otras concertadas con el fin de alterar el normal funcionamiento de las unidades de las Fuerzas Armadas".

Orgánica 9/2011, de 27 de julio, para la Guardia Civil: art. 12 de la Ley Orgánica 11/2007, de 22 de octubre para las FF. AA.).

e) Fuerzas de Seguridad e Institutos Armados de carácter civil.

La LOLS se remite a una norma específica para la regulación del derecho de libertad sindical de las Fuerzas de Seguridad e Institutos Armados de carácter civil. Concretamente, los miembros de la Policía Nacional tienen derecho a constituir organizaciones sindicales de ámbito nacional para la defensa de sus intereses profesionales, así como el de afiliarse a las mismas y a participar activamente en ellas en los términos previstos actualmente en la Ley Orgánica 9/2015, de 28 de julio, de Régimen de la Policía Nacional. Sin embargo, pese a su derecho de sindicación, paradójicamente, los miembros de Cuerpos y Fuerzas de Seguridad quedan excluidos del ejercicio del derecho de huelga (art. 6.8 de la Ley Orgánica 2/1986, de 13 de marzo, de Fuerzas y Cuerpos de Seguridad; y art. 8.3.a) de la Ley Orgánica 9/2015, de 28 de junio, para la Policía Nacional). La explicación jurídica de esta exclusión tal vez pueda fundamentarse en que a la vista de que, conforme al art. 9.2 del TRLEBEP[49], será posible reconducir la cuestión a la de los cuerpos funcionariales antes tratada, podría entenderse que, en este caso, la Ley sí que incluye entre las peculiaridades que para estos permite el art. 28.1 CE, la limitación de determinadas posibilidades de la acción sindical, que para otros colectivos con derecho de sindicación serían parte del contenido esencial inalienable de este derecho constitucional, pero que para el colectivo de funcionarios sí que se podría admitir estas limitaciones, como peculiaridad constitucionalmente prevista. No obstante, hay que reconocer que grandes exponentes de un importante sector de la doctrina (Sala Franco, 2023, p. 94) no comparte esta visión[50].

---

49 Art. 9.2 TRLEBEP: "En todo caso, el ejercicio de las funciones que impliquen la participación directa o indirecta en el ejercicio de las potestades públicas o en la salvaguardia de los intereses generales del Estado y de las Administraciones Públicas corresponden exclusivamente a los funcionarios públicos, en los términos que en la ley de desarrollo de cada Administración Pública se establezca".

50 Al respecto Sala Franco (2023, p. 94) expresa: "Menor fundamentación posee la prohibición de huelga para los funcionarios de policía (Cuerpo Nacional de Policía) hecha por el art. 6.8 de la Ley Orgánica de Cuerpos y Fuerzas de Seguridad del Estado 2/1986, de 13 de marzo. Los funcionarios policiales no tienen

f) Personal civil que presta servicios en establecimientos militares.

De acuerdo con la D. A. 3ª de la LOLS, se limita el ejercicio de la actividad sindical por el personal civil que presta servicios en establecimientos militares dentro de los mismos (deberá tenerse en cuenta y respetarse el principio de neutralidad política y sindical de los miembros de las Fuerzas Armadas y ajustarse a las normas sobre actividad sindical de los empleados públicos) pero no fuera, donde son titulares y además también podrán ejercitar plenamente el derecho de libertad sindical. Asimismo, al respecto de su derecho de huelga la STC 11/1981, de 8 de abril, señaló que el hecho de que el RDLRT (D.A.1ª) excluya a este colectivo de su ámbito de aplicación, no implica su inconstitucionalidad, ni es óbice para que, tras la promulgación del artículo 28 CE, no sea discutible que el personal laboral ligado con una empresa pública o con la Administración ostente el derecho de huelga: "Este derecho debe ponerse en conexión con las diferentes categorías de trabajadores de este ramo que las normas reglamentarias establecen hoy en orden a su sindicación, y debe, además, como es lógico, entenderse sin perjuicio de que en casos concretos pueda entenderse que los servicios que presta ese personal son servicios esenciales, de manera que, en tales casos, el derecho de huelga puede quedar limitado en virtud de las medidas de intervención requeridas para su mantenimiento". En este sentido, la D.A.1ª del RD 2205/1980, de 13 de junio, que regula el trabajo del personal civil no funcionario en los establecimientos militares, se refiere a eventuales limitaciones determinadas por el interés de la Defensa Nacional: "Los trabajadores al servicio de la Administración Militar tendrán los derechos de libre sindicación y huelga, con el alcance y

---

constitucionalmente previstas limitaciones a su derecho de libertad sindical sino simples «peculiaridades», como el resto de los funcionarios públicos (art. 28.1. CE). Teniendo en cuenta que las peculiaridades no pueden afectar al contenido esencial del derecho de libertad sindical y que, dentro de éste se encuentra el derecho de huelga, según doctrina del propio TCO (por todas, SS.TC de 8 de abril de 1981 o de 11 de mayo de 1983), podría dudarse razonablemente de la constitucionalidad de este precepto legal, pese a que la justificación de tal prohibición que aparece en la Exposición de Motivos de la ley sea "discutiblemente razonable" en términos políticos: "en aras de los intereses preeminentes que corresponde proteger a los Cuerpos de Seguridad, al objeto de asegurar la prestación continuada de sus servicios, que no admiten interrupción".

contenido que, en función del superior interés de la Defensa Nacional, señale la normativa de específica aplicación a dicho personal".

g) Por otro lado, de acuerdo con lo dispuesto en el art. 3 LOLS, hay que referirse a los **trabajadores por cuenta propia que no tengan trabajadores a su servicio** (si los tuvieran tendrían el tratamiento de empleadores o empresarios ex art. 1.2 ET)[51], a **los trabajadores en paro y a los que hayan cesado en su actividad laboral, como consecuencia de su incapacidad o jubilación, que podrán afiliarse** a las organizaciones sindicales constituidas con arreglo a esta Ley, **pero no fundar sindicatos que tengan precisamente por objeto la tutela de sus intereses singulares**, sin perjuicio de su capacidad para constituir asociaciones al amparo de la legislación específica (es decir, de las del

---

51 La Ley 20/2007, de 11 de julio, del Estatuto del trabajo autónomo les permite una doble alternativa: a) Afiliarse (no fundar) al sindicato o asociación empresarial de su elección. b) Afiliarse y fundar asociaciones profesionales específicas de trabajadores autónomos sin autorización previa. Hay que tener en cuenta que la STC 98/1985, antes mencionada, constitucionalizó esta previsión del entonces Proyecto de LOLS, rechazando la alegación de los recurrentes en el sentido de que la prohibición de fundar sindicatos a los trabajadores por cuenta propia se oponía a la libertad sindical que corresponde a *todos*, interpretada según convenios internacionales tales como el 141 de la OIT sobre las organizaciones de trabajadores rurales, con arreglo al cual éstos, tanto si son asalariados como si trabajan por cuenta propia, tienen derecho a constituir organizaciones en las que deben respetarse plenamente los principios de la libertad sindical. El TC entendió que, aunque en determinados ordenamientos se estima que la libertad sindical recogida en el texto constitucional abarca igualmente a los trabajadores autónomos, el Proyecto impugnado habría seguido un criterio estricto al respecto, excluyéndolos expresamente de sus previsiones. Así, esta STC consideró que constituía una lógica consecuencia del reconocimiento por el art. 1.2 como trabajadores en sentido estricto a estos efectos «tanto aquéllos que lo sean de una relación laboral como aquéllos que lo sean de una relación de carácter administrativo o estatutario al servicio de las Administraciones públicas», que quienes trabajen por su cuenta, sin sujeción a relación alguna de las descritas, no sean genuinamente trabajadores, estimando suficiente para cumplir con los convenios internacionales descritos que la norma respete «su capacidad para constituir asociaciones al amparo de la legislación específica» (art. 3.1). Se concluía, así, que lo decisivo es el contenido del derecho de asociación y no la denominación, forma o encuadramiento y que el Convenio 141 OIT se cumple tanto si se autorizan sindicatos exclusivos de trabajadores rurales por cuenta propia, como si se remite su organización, como en la LOLS se hace, al derecho general de asociación.

art. 22 CE). Pero, en todo caso, quedan excluidos del derecho constitucional de huelga —sin perjuicio de que por Ley se les puedan reconocer, con cierto paralelismo, derechos parecidos—, los jubilados, desempleados, estudiantes y los trabajadores autónomos, aunque sus paros y manifestaciones de protesta se suelan denominar huelgas. En el caso de los trabajadores autónomos, la propia STC 11/1981, de 8 de abril, reconoció expresamente su derecho a la cesación de su actividad, subsumible en el marco de la libertad de empresa, y sin que sea apropiado, en su caso, arbitrar para ellos, con carácter garantizador y tuitivo, un derecho como el de huelga[52]. Sin embargo, más allá de lo advertido por el TC, hay que reconocer que las implicaciones de los ceses de actividad de los trabajadores autónomos pueden desbordar con facilidad la esfera de las responsabilidades puramente contractuales con sus clientes y/o usuarios, pudiendo tener también consecuencias en el ámbito del régimen jurídico-administrativo de las contratas o concesiones públicas de las que, en su caso, fueran adjudicatarios y, muy especialmente, en el terreno de las normas de defensa de la competencia (Göerlich Peset, 2020, p. 96). Por lo demás, es una materia en que la generalización presenta evidentes riesgos, puesto que, a efectos de la necesidad/justificación —y consiguiente legitimidad— de su actividad reivindicativa concertada, pueden merecer muy distintas valoraciones las muy heterogéneas realidades empresariales y de posición contractual o de fuerza económica que plantea la propia diversidad de tipología de trabajadores autónomos existente: "falsos" autónomos, trabajadores autónomos económicamente dependientes (TRADES), etc.

h) Los penados internos en instituciones penitenciarias conforme al art. 25.2 CE tienen derecho a un trabajo remunerado y a los

---

52 La STC 11/1981, de 8 de abril, estableció que el derecho constitucional de huelga se concede para que sus titulares puedan desligarse temporalmente de sus obligaciones jurídico-contractuales (colocarse provisionalmente fuera del marco del contrato de trabajo). Aquí radica una muy importante diferencia de los trabajadores independientes que no son trabajadores por cuenta ajena ligados por un contrato de trabajo retribuido. La cesación en la actividad de este tipo de personas, si la actividad empresarial o profesional es libre, se podrá realizar sin necesidad de que ninguna norma les conceda ningún derecho, aunque sin perjuicio de las consecuencias que haya que arrostrar por las perturbaciones que se produzcan.

beneficios correspondientes de la Seguridad Social, pero conforme al art. 34 de la Ley Orgánica 1/1979, de 26 de septiembre, General Penitenciaria, "en cuanto trabajadores por cuenta ajena o socios cooperadores, asumirán individualmente la defensa de sus derechos e intereses laborales o cooperativos, que ejercitarán ante los organismos y tribunales competentes, previa reclamación o conciliación en vía administrativa y en la forma que reglamentariamente se determine". Por tanto, se preceptúa la canalización individual de sus reivindicaciones, quedando excluido el planteamiento de conflictos colectivos y la huelga.

i) Por último, presenta un gran interés dogmático la evolución del tratamiento jurídico de los **extranjeros** en materia de derechos colectivos. Pues, en efecto, la jurisprudencia constitucional ha impulsado una importante progresión legal favorable a la ampliación de los derechos de este colectivo, que ahora tienen reconocido siempre derecho de libertad sindical, tanto si son residentes legales como si no lo son (tras la reforma de la LOE, 4/2000, de 11 de enero, impulsada por las SSTC 236/2007, de 7 de noviembre y 259/2007, de 19 de diciembre), pudiendo fundar sindicatos, afiliarse o desafiliarse, aunque no fundar sindicatos que sólo agrupen a personas de una determinada nacionalidad o raza. Pueden ser electores y elegibles en las elecciones a representantes unitarios de los trabajadores y, tanto si son titulares de permiso de trabajo como si no (STC 259/2007, de 19 de diciembre), tienen derecho de huelga.

Concretamente, la STC 236/2007, de 7 de noviembre, vino a clarificar que es cierto que el legislador puede tomar en consideración el dato de la situación legal y administrativa en España, y exigir a los extranjeros la autorización de su estancia o residencia como presupuesto para el ejercicio de algunos derechos constitucionales que por su propia naturaleza hacen imprescindible el cumplimiento de los requisitos que la misma ley establece para entrar y permanecer en territorio español. Así, por ejemplo, con base en la STC 107/1984, de 23 de noviembre, se reitera que "una legislación que exige el requisito administrativo de la autorización de residencia para reconocer la capacidad de celebrar válidamente un contrato de trabajo no se opone a la Constitución" (F.J. 4).

Ahora bien, a juicio del TC, lo anterior no significa que el legislador esté facultado ex art. 13.1 CE para privarles de los derechos que les corresponden constitucionalmente en su condición de persona con independencia de su situación administrativa.

El incumplimiento de los requisitos legales puede impedir, así, a los extranjeros el ejercicio de determinados derechos o contenidos de los mismos que por su propia naturaleza son incompatibles con la situación de irregularidad, pero no puede implicar que los extranjeros que carecen de la correspondiente autorización de estancia o residencia en España están desposeídos de cualquier derecho mientras se hallan en dicha situación en España.

En síntesis, la STC 236/2007 entiende que art. 13.1 CE concede al legislador una notable libertad para regular los derechos de los extranjeros en España, pudiendo establecer determinadas condiciones para su ejercicio. Pero dicha regulación debe tener en cuenta tres límites fundamentales:

a) En primer lugar, el grado de conexión de los concretos derechos con la garantía de la dignidad humana.

b) En segundo lugar, el contenido preceptivo del derecho, cuando éste venga reconocido a los extranjeros directamente por la Constitución.

c) En tercer lugar, y en todo caso, el contenido delimitado para el derecho por la Constitución y los tratados internacionales (ex. art. 10.2 CE).

Por último, las condiciones de ejercicio establecidas por la Ley deberán dirigirse a preservar otros derechos, bienes o intereses constitucionalmente protegidos, y guardar adecuada proporcionalidad con la finalidad perseguida.

Partiendo de las premisas generales expuestas, a continuación, la STC comentada procede a valorar su aplicación sobre el supuesto concreto del derecho de libertad sindical reconocido en el art. 28.1 CE siguiendo el criterio interpretativo ex art. 10.2 CE[53]. Asimismo, se

---

53 "(...) ha de tenerse en cuenta lo dispuesto en el art. 23 de la DUDH, según el cual "toda persona tiene derecho a fundar sindicatos y a sindicarse para la

atiende a la propia jurisprudencia constitucional consolidada sobre la materia que ha vinculado la titularidad del derecho de libertad sindical a "todos" los trabajadores en su caracterización material, y no jurídico-formal, y a "todos" los sindicatos (art. 28.1 en relación con el art. 7 CE), entendiendo de este modo la proyección universal subjetiva que de dicho derecho efectúan los tratados internacionales citados, entre los cuales es de recordar el Convenio 87 de la OIT relativo a la libertad sindical y a la protección del derecho de sindicación, cuyo art. 2 reconoce a todos los trabajadores, sin distinción alguna y sin autorización previa, los derechos de fundación de sindicatos y de afiliación a los mismos.

Siendo así, el TC considera que "no resulta constitucionalmente admisible la exigencia de la situación de legalidad en España para su ejercicio por parte de los trabajadores extranjeros, aunque lo sea para la celebración válida de su contrato de trabajo y, en consecuencia, para la obtención de la condición jurídico-formal de trabajador [art. 38 de la Ley Orgánica 4/2000, y arts. 1.1, 7 c) y 9.2 del texto refundido de la Ley del estatuto de los trabajadores, aprobado por Real Decreto Legislativo 1/1995, de 24 de marzo]. Por supuesto, ello no significa que el legislador orgánico no pueda establecer limitaciones

---

defensa de sus intereses"; así como el art. 22 PIDCP, que reza: "toda persona tiene derecho a asociarse libremente con otras, incluso a fundar sindicatos y a afiliarse a ellos para la protección de sus intereses", lo que en términos similares recoge el art. 8 PIDESC, proclamando el "derecho de toda persona a fundar sindicatos y a afiliarse al de su elección". Por otra parte, el art. 11.1 CEDH consagra el derecho de "toda persona" a la libertad de reunión y de asociación, "incluido el derecho de fundar, con otras, sindicatos y de afiliarse a los mismos para la defensa de sus intereses", mientras en la Carta social europea las partes contratantes se comprometen a "que la legislación nacional no menoscabe esa libertad [sindical] ni se aplique de manera que pueda menoscabarla" (art. 5). Finalmente, deben mencionarse dos Convenios de la Organización Internacional del Trabajo (OIT), ambos ratificados por España y con virtualidad hermenéutica ex art. 10.2 CE (...): el Convenio núm. 87, sobre libertad sindical y protección del derecho de sindicación, en cuyo art. 2 se garantiza aquí ya "a los trabajadores ... sin ninguna distinción ... el derecho de constituir las organizaciones que estimen convenientes, así como el de afiliarse a estas organizaciones"; y el Convenio núm. 98, relativo a la aplicación de los principios del derecho de sindicación y negociación colectiva, cuyo art. 1 proclama que "los trabajadores deberán gozar de adecuada protección contra todo acto de discriminación tendente a menoscabar la libertad sindical en relación con su empleo".

o excepciones a su ejercicio en los términos a los que ya se refiere el propio art. 28.1 CE. Pero no alcanzando tales limitaciones o excepciones a los trabajadores extranjeros, la exclusión total del derecho de libertad sindical de aquellos extranjeros que trabajen pese a no haber obtenido autorización de estancia o residencia en España, no se compadece con el reconocimiento del derecho de libertad sindical que efectúa el art. 28.1 CE interpretado conforme a la normativa internacional sobre este derecho ratificada por España. Tampoco se compadece con este derecho la limitación consiguiente que deriva para el derecho de los sindicatos de defender y promover los intereses de estos trabajadores".

Finalmente, la STC añade una última consideración muy relevante: "La concepción según la cual el derecho de libertad sindical se ejercería exclusivamente por quienes ostentan la condición de trabajador en sentido legal, es decir, por quienes "sean sujetos de una relación laboral" (en los términos del art. 1.2 de la Ley Orgánica de libertad sindical: LOLS), no se corresponde con la titularidad del derecho fundamental, ejercitable, entre otras finalidades posibles en la defensa de los intereses de los trabajadores, para llegar a ostentar tal condición jurídico-formal. De ahí que no resulte absurdo (...) reconocer este concreto derecho a los extranjeros no autorizados para estar o residir en España, quienes pueden afiliarse a los sindicatos españoles para la defensa de sus intereses, entre los que puede encontrarse la regularidad de su situación, pese a la irregularidad de la misma".

Con posterioridad, la STC 259/2007, de 19 de diciembre, abordó con un planteamiento jurídico muy similar el tema del derecho de huelga de los extranjeros, en los siguientes términos: "(...) en relación con este derecho, el art. 8.1 d) del Pacto internacional de derechos económicos, sociales y culturales (PIDESC) de 16 de diciembre de 1966 reconoce el derecho de huelga, ejercido de conformidad con las leyes de cada país, y el art. 6 de la Carta social europea reconoce el derecho de los trabajadores y empleadores, en caso de conflicto de intereses, a emprender acciones colectivas, incluido el derecho de huelga. En nuestra jurisprudencia, desde la inicial STC 11/1981, de 8 de abril, hemos afirmado que la huelga "que como hecho consiste en la cesación o paro en el trabajo, es un derecho subjetivo del trabajador que simultáneamente se configura como un derecho fundamental constitucionalmente consagrado, en coherencia con la idea del Estado social y democrático de Derecho. Entre otras significaciones tiene la de legitimar medios de defensa a los intereses de grupos y estratos de la población socialmente dependientes, como instrumento de presión constitucionalmente reconocido que la experiencia secular ha mostrado ser necesario para la afirmación de los intereses de los trabajadores en los conflictos socioeconómicos, conflictos que el Estado social no puede excluir, pero a los que sí puede y debe proporcionar los adecuados cauces institucionales" (...) "Como cualquier otro derecho, el de huelga ha de moverse dentro de un perímetro que marcan, por una parte, su conexión o su oposición respecto de otros derechos con asiento en la Constitución, más o menos intensamente protegidos y, por la otra, los límites cuyo establecimiento se deja a la Ley, siempre que en ningún caso se llegue a negar o menoscabar su contenido esencial" (STC 123/1992, de 28 de septiembre, FJ 4). La huelga puede tener por objeto reivindicar mejoras en las condiciones económicas, o, en general, en las condiciones de trabajo, y puede suponer también una protesta con repercusión en otras esferas o ámbitos".

Asimismo, esa STC destaca que este derecho presenta una directa relación en su ejercicio con el derecho de libertad sindical consagrado en el art. 28.1 CE ya que "(...) si bien la titularidad del derecho de huelga pertenece a los trabajadores, el mismo puede ser ejercitado por las organizaciones sindicales con implantación en el ámbito laboral al que se extiende la huelga, como contenido esencial del derecho a la libertad sindical".

Estableciendo, de este modo, que en el contenido esencial del derecho de huelga que se deriva de la doctrina constitucional es de apreciar que la dicción literal del art. 28.2 CE no realiza distinción alguna en cuanto a los sujetos titulares del derecho y tampoco lo hace el Real Decreto-ley 17/1997, de 4 de marzo, sobre relaciones de trabajo, sino que, coherentemente con su consideración de medio legitimo para la defensa de los intereses de los trabajadores, lo reconoce de manera general a todos ellos. Ese concepto de trabajador, relevante para la determinación del ámbito subjetivo del derecho de huelga, ha de entenderse, en línea con la anterior STC 236/2007 (FJ

9), en relación con el derecho a la libertad sindical del trabajador extranjero, en su caracterización material, independientemente de la legalidad o ilegalidad de situación, de suerte que en ella ha de incluirse a todo aquel que presta sus servicios retribuidos por cuenta ajena y dentro del ámbito de organización y dirección de otra persona.

Siendo ello así, se concluye por el TC que no resulta constitucionalmente admisible "la exigencia de la situación de legalidad en España para el ejercicio del derecho de huelga por parte de los trabajadores extranjeros, aunque la anterior situación resulte exigible para la celebración válida de su contrato de trabajo [art. 38 de la Ley Orgánica 4/2000, y arts. 1.1 y 7 c) texto refundido de la Ley del estatuto de los trabajadores, aprobado Real Decreto Legislativo 1/1995, de 24 de marzo]".

A mayor abundamiento se recuerda también el art. 36.3 LOE cuando establece que la carencia de la correspondiente autorización para trabajar no invalida el contrato de trabajo respecto a los derechos del trabajador extranjero. De esta forma el propio legislador orgánico, con tal declaración de equiparación, pretende proteger los derechos del trabajador extranjero que, aun careciendo de autorización administrativa para trabajar, está efectivamente trabajando en nuestro país. Tales derechos no se atribuyen a la persona en razón de su nacionalidad o de la situación administrativa en la que puede encontrarse en un momento determinado, sino sólo por el hecho de ser trabajador. Entre esos derechos básicos se encuentra [art. 4.1 e) del Estatuto de los trabajadores] el de huelga. Por ello en relación con tal derecho ninguna duda puede caber respecto a que el mismo, de titularidad individual y ejercicio colectivo, se encuentra dentro de los medios legítimos para la defensa de los intereses de los trabajadores, concepto éste más amplio que el de derechos, de forma que no resulta constitucionalmente admisible que se prive al trabajador de una protección cuya razón de ser es la propia defensa de sus intereses.

Así pues, se concluye que la exclusión total del derecho de huelga de aquellos extranjeros que trabajen a pesar de carecer de la correspondiente autorización administrativa para ello —la cual, por lo demás, no están personalmente obligados a solicitar, puesto que corresponde a su empleador— no se compadece con el reconocimiento del derecho de huelga que proclama el art. 28.2 CE, interpretado conforme a la normativa internacional sobre este derecho ratificada por España, en particular el art. 8.1 d) PIDESC, en cuya virtud los Estados signatarios del Pacto han de garantizar el ejercicio del derecho de huelga, de forma que la regulación que se establezca deberá tener por objeto el ejercicio del derecho y no impedirlo a los trabajadores que prestan servicios retribuidos por cuenta ajena sin contar con los preceptivos permisos legales[54].

---

54 Hay que advertir que esta sentencia, como la anterior STC 236/2007 respecto del derecho de libertad sindical, entre otros, contó con el voto particular que formuló el Magistrado don Vicente Conde Martín de Hijas, al que se adhirieron dos Magistrados más. El voto particular entiende que si en nuestra Constitución se establece una distinción inicial entre españoles y extranjeros y en nuestro ordenamiento infra constitucional se establece para las situaciones de estancia ilegal de los ciudadanos extranjeros la medida de su expulsión, el que nuestro ordenamiento legal respecto de ciertos derechos fundamentales de los extranjeros (en este caso los de reunión, asociación y sindicación) imponga como condición del disfrute y ejercicio la estancia o residencia legal en España, resulta de pura coherencia sistemática. Por lo demás, el citado voto discordante interpreta el art. 13 CE en el sentido que supone una diferenciación de partida de la posición constitucional de los españoles y de los extranjeros y, por ello, no puede compartirse la construcción de la STC en la que subyace un criterio apriorístico de equiparación.
Así, se subraya que la CE cuando establece en el art. 13 el estatus de los extranjeros, remite en primer lugar a los Tratados, y en segundo lugar a la Ley. Son así los tratados el único límite discernible que la Constitución fija al legislador. Pero a su vez los tratados, en cuanto límite impuesto al legislador por la Constitución, habrán de tomarse en su totalidad; de modo que habrá que valorar cuando en ellos se consagra un derecho, pero a la vez se permite que los Estados puedan limitarlo por las razones que en ellos se indican. Al respecto, y en cuanto se refiere a los derechos de reunión, asociación y sindicación es preciso observar que tanto el PIDCP, en sus arts. 21 y 22 como el CEDH, en su art. 14, permiten en condiciones similares las restricciones de los derechos que sus citados preceptos consagran, siempre que dichas restricciones "estén previstas en la ley y sean necesarias en una sociedad democrática en interés de la seguridad nacional, de la seguridad pública o del orden público, o para proteger la salud o la moral públicas o los derechos y libertades de los demás" (arts. 21 y 22 del Pacto), o "constituyan medidas necesarias, en una sociedad democrática, para la seguridad nacional, la seguridad pública, la defensa del orden y la prevención del delito, la protección de la salud o de la moral o la protección de los derechos y libertades ajenos" (art. 11.2 del Convenio europeo).

Ambas SSTC parten, pues, sin perjuicio de las razones adicionales descritas, de un argumento principal basado en que la dignidad de la persona a que el art. 10.1 CE se refiere como fundamento del orden político y la paz social obliga a reconocer a cualquier persona, independientemente de su situación administrativa, aquellos derechos imprescindibles para garantizarla, erigiéndose así la dignidad en un mínimo invulnerable que por imperativo constitucional se impone a todos los poderes públicos, incluido el legislador. Asimismo, en ambas sentencias, se concreta la vinculación tanto del derecho de libertad sindical como de huelga con tal exigencia de garantía de la dignidad, al concluir que, con estos derechos, se permite a los trabajadores que de manera efectiva están prestando irregularmente sus servicios en beneficio de empleadores (a quienes, además, corresponde la responsabilidad de solicitar las autorizaciones correspondientes) que puedan organizarse y presionar en defensa de sus intereses "para llegar a ostentar tal condición jurídico-formal" y, por ende, repercutiendo el reconocimiento de estos derechos a favorecer el desarrollo su trabajo por estas personas extranjeras en condiciones acordes con su *dignidad humana*.

De este modo, el Magistrado discrepante concluye que, ante una situación masiva de entradas y estancias ilegales de ciudadanos extranjeros, que el legislador establezca como condición de disfrute de los derechos de reunión, asociación y sindicación por parte de los extranjeros, la de la estancia o residencia legal en España, entra con absoluta naturalidad entre las restricciones que los tratados internacionales referidos admiten respecto de los derechos que consagran, en concreto en el de la protección de la seguridad o del orden público. En este sentido, adicionalmente, el Magistrado no considera aceptable, por exagerada, la vinculación a la dignidad humana de los derechos de reunión, asociación y sindicación, más aun si se tiene en cuenta que también el art. 10 CE se refiere a la dignidad de la persona, pero también al "respeto a la ley y a los derechos de los demás, todos los cuales son fundamento del orden político y de la paz social". Y, así, concluye que, en definitiva, esa condición, la estancia legal en España, no es sino expresión inmediata del respeto a la ley, que junto con los demás elementos normativos del art. 10.1 CE, constituyen el fundamento del orden político y de la paz social, respeto incompatible con una situación social generalizada y masiva de incumplimiento.

3.2. PROPUESTA DE REGULACIÓN EN CUANTO A TITULARIDAD DEL DERECHO DE HUELGA

Para este aspecto se propone el siguiente texto:

Artículo 3

1. El derecho a la huelga regulado por esta Ley, en desarrollo del artículo 28.2 de la Constitución española, se refiere a las personas trabajadoras que sean sujetos de una relación laboral al servicio de cualesquiera empleadores, privados o públicos.

2. El derecho a la huelga de quienes sean sujetos de una relación funcionarial o estatutaria al servicio de las Administraciones Públicas se ajustará a lo establecido en la Ley que, en su caso, les reconozca tal derecho. No obstante, no podrá reconocerse el derecho a la huelga a los miembros de las Fuerzas Armadas o demás personal sujeto a disciplina militar; como tampoco, en ningún caso, a los Jueces, Magistrados y Fiscales.

3. La persona trabajadora individual tiene derecho a participar voluntariamente en las actividades preparatorias o complementarias con relación al desarrollo de las huelgas y a recibir información sobre sus causas y objetivos, a adherirse a las mismas, así como a no participar en ellas o a desvincularse de aquellas a las que hubiera decidido sumarse, reincorporándose a su puesto de trabajo sin sufrir ningún tipo de sanción o represalia.

4. En el plano colectivo, el ejercicio del derecho a la huelga comprende las facultades de convocatoria de la huelga, la elección de su ámbito y modalidad, la adopción de cuantas medidas tengan por objeto el desarrollo de la misma, así como su desconvocatoria. La titularidad de las facultades relativas al ejercicio colectivo del derecho a la huelga corresponde a las organizaciones sindicales que tengan presencia en el ámbito de la huelga y, en todo caso, a las que tengan carácter de más representativas conforme a los dispuesto en la Ley Orgánica de Libertad Sindical, así como a los órganos de representación legal de los trabajadores previstos en el título II del Estatuto de los Trabajadores. En su caso, también podrá producirse por decisión mayoritaria de los propios trabajadores de la empresa o centro de trabajo reunidos en asamblea conforme a lo previsto en el artículo 80 del Estatuto de los Trabajadores.

***Disposición Adicional Primera**. La presente Ley no será aplicación a las personas referidas en el artículo 3.2 que se regirán por lo dispuesto en el Real Decreto Legislativo 5/2015, de 30 de octubre, por el que se aprueba el Texto Refundido de la Ley del Estatuto Básico del Empleado Público o en las normas específicas que la sucedan. No obstante, lo regulado en esta Ley podrá ser de aplicación supletoria para los aspectos no previstos en dicha normativa específica.*

Esta D. A. que se propone en última instancia se basa en la idea de que sería recomendable la modificación del Real Decreto Legislativo 5/2015, de 30 de octubre, por el que se aprueba el Texto Refundido de la Ley del Estatuto Básico del Empleado Público, incorporando un precepto que remita expresamente a la Ley Orgánica de huelga para todos aquellos aspectos en que aquel necesite ser completado con la regulación compatible de ésta.

Por lo demás, como puede comprobarse, en el texto legal propuesto para el art. 3 se parte, con carácter general, de una conceptuación de esta regulación —en cuanto desarrollo legal por Ley Orgánica del derecho fundamental de huelga— que circunscribe el estricto ámbito subjetivo de este derecho mediante su reconocimiento exclusivamente a los trabajadores por cuenta ajena o asalariados ex art. 28.2 CE, en tanto regula el *derecho a la huelga de los trabajadores para la defensa de sus intereses*. Asimismo, tratándose de un derecho fundamental (y laboral), el derecho a la huelga de los trabajadores se configura como irrenunciable a título individual, si bien, de conformidad con la jurisprudencia constitucional ya analizada, el texto propuesto permite cláusulas obligacionales convenidas colectivamente que contengan compromisos de inhibición de su ejercicio colectivo a modo de deber de paz absoluto, además del relativo que ya se deriva directamente de la consideración en el art. 2.1b) como ilegales de las huelgas novatorias.

Concretamente, el art. 3, apdos. 1 y 2, confiere el derecho a la huelga que se ampara en el art. 28.2 CE, a los trabajadores que sean sujetos de una relación laboral al servicio de cualesquiera empleadores, privados o públicos. No se niega la posibilidad de un derecho a la huelga de quienes sean sujetos de una relación funcionarial o estatutaria al servicio de las Administraciones Públicas, pero, en su caso, no derivando directamente de dicho precepto constitucional, se establece que su reconocimiento, en su caso, habría de corresponder a una norma con rango de Ley ordinaria (a tal efecto, podría servir el actual art. 15c) del TRLEBEP). Por ello, como hemos visto, se propone adicionalmente una D.A. que encargase una modificación del TRLEBEP que, en su caso, remitiera a esta Ley Orgánica de Huelga para la regulación supletoria de los aspectos no regulados en aquél. Se ha considerado esta opción más ajustada a los criterios constitucionales arriba comentados —que, asimismo, cuentan con el importante apoyo doctrinal también citado antes (Alonso Olea, 1993)—, frente al texto del art. 2 del Proyecto de Ley Orgánica de 1993 que manejaba una noción amplia de las personas trabajadoras que ostentaban la titularidad individual de este derecho comprensiva tanto de los asalariados en sentido estricto (sujetos de una relación laboral) como del personal al servicio de las Administraciones Públicas (funcionario o estatutario), en un sentido similar, al previsto para la libertad sindical por la LOLS.

Por la misma razón (no derivar del art. 28.2 CE), como confirmó la jurisprudencia constitucional estudiada, no se incluyen en el ámbito de aplicación de la regulación propuesta a los empresarios ni a los trabajadores autónomos —lo cual será objeto de comentario en el siguiente apartado—, ni otros colectivos, como desempleados, pensionistas, estudiantes, etc. No obstante esta exclusión, por no poder ser considerados trabajadores asalariados, cabe recordar que la participación de gran parte de estos colectivos en las denominadas *huelgas generales*, junto con las motivaciones y reivindicaciones de más amplio espectro que las puramente laborales, así como sus peculiares destinatarios (poderes públicos y no los empresarios contraparte de un contrato de trabajo), generan las interesantes cuestiones sobre la catalogación y conceptuación de estas huelgas que fueron objeto de estudio en el subapartado *2.3.2.b*.

Adicionalmente, de forma preventiva, en el proyecto propuesto se advierte que no podrá regularse por Ley el derecho a la huelga para los miembros de las Fuerzas Armadas o demás personal sujeto a disciplina militar, pues esta es la consecuencia ineludible —junto a las razones relacionadas con las características de su peculiar función— que deriva de su exclusión del derecho de sindicación (salvo una improbable modificación posterior de la LOLS con base en el término "podrá" del art. 28.1 CE). Asimismo, también se previene en el mismo precepto sugerido que el derecho de huelga, en ningún caso, podrá reconocerse a los Jueces, Magistrados y Fiscales, pues —a mi modo de ver— la exclusión específica del derecho de sindicación de este colectivo por el art. 127.1 CE tendría como finalidad, en garantía de su independencia e imparcialidad, evitar su tratamiento indiferenciado respecto de los funcionarios públicos, eludiéndose así por el constituyente que en el caso de aquéllos, de manera similar a lo ocurrido con éstos, entre otras consecuencias y posibilidades asociadas a un eventual reconocimiento por Ley de una libertad sindical sin peculiaridades, pudiera derivarse la admisibilidad legal del derecho de huelga como parte de (acción sindical) incluida en aquella libertad. Más abajo, en un apartado específico, se ahondará en las razones jurídicas que, a mi juicio, fundamentan estas exclusiones, así como en las que por la doctrina se esgrimen tanto a favor como en contra de las mismas.

Por lo demás, el texto propuesto para los apdos. 3 y 4 del art. 3 se inspira y reproduce parte de los arts. 2 y 3 del proyecto de Ley Orgánica de 1993, que, en coherencia con la STC 11/1981, 8 de abril, propugnó una concepción de la huelga basada en la titularidad individual del derecho pero de necesario ejercicio colectivo, al establecer que "(...) el contenido individual del derecho de huelga comprende la participación voluntaria en cuantas actividades preparatorias o de desarrollo de la huelga se lleven a cabo, la adhesión a una huelga ya convocada y la decisión de dar por terminada la propia participación en la misma". Pero, en efecto, como señaló la STC 11/1981, de 8 de abril, dado que la huelga requiere ser desarrollada (carece de sentido la huelga de un único sujeto) y convocada colectivamente, formando parte esta facultad de convocatoria de huelgas del contenido esencial del derecho de libertad sindical, el TC estableció que la titularidad del derecho, en esta acepción colectiva, corresponde a los trabajadores en su conjunto (que pueden convocarla en asamblea de trabajadores) y a sus representantes (sindicales y también los unitarios). De este modo, junto con aquellas facultades que correspondían a la titularidad del derecho de huelga de las personas trabajadoras individualmente consideradas indicadas, desde el punto de vista de su ejercicio colectivo, el art. 3 del Proyecto de Ley de 1993, reconocía a las organizaciones sindicales más representativas y las que tuvieran presencia en el ámbito de la huelga, a los representantes legales de los trabajadores y a los propios trabajadores de la empresa o centro de trabajo afectados mediante decisión mayoritaria en asamblea, las facultades de convocatoria, elección de modalidades, adopción de medidas de desarrollo y desconvocatoria de la huelga. Así, respecto a las organizaciones sindicales, finalmente, se consideró suficiente la mera presencia del sindicato en el ámbito de la huelga, frente a la primera versión del Proyecto de Ley aprobada por el Congreso en junio de 1992 previa a las modificaciones acordadas con los sindicatos más representativos, que exigía una representatividad de, al menos, el 10% en el ámbito funcional correspondiente. Esta nueva visión se corresponde mejor con la interpretación defendida por la STC 11/1981, de 8 de abril, que declaró la inconstitucionalidad de ciertos requisitos del RDLRT 17/1977, de 4 de marzo (en relación al quórum del 75% de asistencia a la reunión de representantes legales o que la iniciativa de someter la votación de los trabajadores en asamblea fuese respaldada por un 25 por ciento de los trabajadores de la plantilla) por considerar que este tipo de exigencias adicionales —como podría ocurrir también con la exigencia mencionada del Proyecto inicial de una representatividad mínima de los sindicatos convocantes— "(...) es una manera de ahogar el nacimiento de la huelga y constituye una importante limitación a este derecho. Sólo tendría sentido si la voluntad de la mayoría se impusiera necesariamente a la minoría de los no huelguistas de acuerdo con los principios democráticos. Esta conclusión no es coherente porque si la huelga es, como ya se ha dicho, un derecho de carácter individual (aunque de ejercicio colectivo) es claro que no puede ser al mismo tiempo una obligación".

Por último, cabe incidir en la admisibilidad —como también hacía el Proyecto de 1993— de las huelgas adoptadas por decisión mayoritaria de las personas trabajadoras en asamblea (denominadas huelgas espontáneas o salvajes) como lógico correlato de la titularidad del derecho de huelga que, de acuerdo con el art. 28.2 CE, corresponde "(...) a los trabajadores para la defensa de sus intereses".

3.2.1. Los empresarios y el cierre patronal

Como puede comprobarse al analizar en el Anexo II.A. de esta obra los debates parlamentarios previos a la aprobación de la CE (y también con relación a su exclusión por la LOLS en el Anexo II.D.), uno de los puntos más controvertidos —objeto de discusiones muy dilatadas— fue el relativo al tratamiento de la sindicación de los empresarios (o, más bien, asociacionismo empresarial) como equivalente al derecho de libertad sindical de los trabajadores y, paralelamente, sobre la admisibilidad del mecanismo del cierre patronal o *lock out* como contrapunto del derecho a la huelga de los trabajadores.

En efecto, de las discusiones parlamentarias analizadas y de la jurisprudencia constitucional[55] se desprende que lo cierto es que —pese el reconocimiento conjunto de un importante papel político/social en el art. 7 CE— las asociaciones empresariales no pueden equipararse, en el plano de las relaciones laborales, en nuestro ordenamiento constitucional —que configura un Estado Social (art. 1 CE) que tiene como misión remover los obstáculos que impidan la igualdad real o material (art. 9.2 CE)— con la función, en dicho ámbito, de los sindicatos y, mucho menos, el cierre patronal (como mecanismo de oposición de quienes ya tienen una posición inicial de facto de preponderancia sobre el colectivo de los trabajadores) con la huelga.

Por ello, del mismo modo que las asociaciones empresariales fueron excluidas de la LOLS, en la regulación aquí propuesta para una futura Ley Orgánica de la Huelga, no se hace referencia a ningún tipo de papel activo en tal sentido por parte de los empresarios y, por supuesto, tampoco al cierre patronal, ni siquiera defensivo, puesto que —pese que por razones históricas, actualmente, se regula conjuntamente con la huelga en el RDLRT— no puede ser objeto de regulación en una Ley Orgánica que pretende ser desarrollo de un derecho constitucional a la huelga reconocido, exclusivamente, a los trabajadores por el art. 28.2 CE

Podría, no obstante, derivarse y ser objeto de regulación, en su caso por Ley ordinaria, como derivación del derecho a la adopción

---

55 Como recuerda Moll Noguera (2023, pp. 451-452), si bien, inicialmente, el TS (Sala contencioso-administrativo) en sentencia de 31 de enero de 1984, entendió que la expresión *todos* del art. 28.1 CE (en contraste con la referencia exclusiva a los trabajadores del art. 28.2 CE respecto a la huelga) habría de implicar la inclusión dentro de la libertad sindical de los empresarios y de los trabajadores autónomos, lo cierto es que esta postura fue rectificada muy poco después por el TC en Auto 113/1984, de 22 de febrero, así como en las SSTC 52/1992, de 8 de abril, 75/1992, de 14 de mayo y 92/1994, de 21 de mayo, interpretando que "la libertad sindical es siempre una proyección de la defensa y promoción del interés de los trabajadores", siendo esta doctrina seguida también, a partir de entonces, por el TS.

de medidas de conflicto colectivo por parte de empresarios y trabajadores amparado en el art. 37. 2 CE e, incluso, más remotamente, como parte de la libertad de empresa (libertad de establecimiento y cierre del negocio) reconocida en el art. 38 CE. Pero, en cualquier caso, cuando pretenda ser entendido —o empleado— como arma de lucha para enfrentar las medidas de presión de los trabajadores hay que recordar la postura contraria al cierre patronal ofensivo de la STC 11/1981, de 8 de abril (F.J. 22) que ya fue objeto de comentario al tratar de la libertad de empresa en el subapartado *2.1.3.b.*

Por último, como ya fue expuesto, también quedan excluidos del derecho constitucional de huelga y, por ende, de la regulación legal aquí propuesta —sin perjuicio de que por Ley ordinaria se les pudieran reconocer, con cierto paralelismo, derechos parecidos—, los trabajadores autónomos[56], aunque sus paros y manifestaciones de protesta se suelan denominar huelgas.

3.2.2. Exclusión de los miembros de las FF. AA. y de los Jueces, Magistrados y Fiscales

Como puede verse (Anexo II, C. y D.) en los debates parlamentarios constitucionales y en el propio debate parlamentario de totalidad previo a la aprobación de la LOLS, incluso por parte de

---

56 En la STC 98/1985 se justifica la negación del derecho de huelga de los trabajadores autónomos, como consecuencia de su exclusión del derecho de libertad sindical por la LOLS, del siguiente modo: "Si se parte de la idea válida de que el sindicato, en cuanto sujeto de la libertad de sindicación, se justifica primordialmente por el ejercicio de la actividad sindical, y que ésta se caracteriza por la existencia de otra parte ligada al titular del derecho por una relación de servicios y frente a la que se ejercita, siendo su expresión una serie de derechos como los de huelga, de negociación colectiva y de conflicto (reconocidos por los arts. 28.2, 37.1 y 37.2 de la C.E.), que no podría ejercer un sindicato de trabajadores autónomos, no hay motivo para considerar carente de fundamento razonable una regulación que en último término orienta el derecho de los trabajadores autónomos para defender sus intereses o hacia su integración en los sindicatos de trabajadores o, como hemos visto, hacia la constitución de «asociaciones al amparo de la legislación específica», reconociéndoles un derecho que también deriva directamente de la Constitución (art. 22) y está dotado de igual grado de protección y de idéntica autonomía que el derecho de asociación sindical".

Diputados comunistas, se postuló ampliamente el reconocimiento del derecho de sindicación para los distintos cuerpos funcionariales, incluidos, los militares, para los que el art. 28.1 prevé la posibilidad ("podrá") —que no necesariedad— de que, por Ley, queden excluidos.

No obstante lo cual, el texto de la LOLS finalmente aprobado determinó su exclusión del derecho de sindicación regulado en la misma, sin perjuicio de que —como fue avanzado más arriba—, posteriormente, la Ley Orgánica 9/2011, de 27 de julio, de derechos y deberes de los miembros de las Fuerzas Armadas, les reconociera la posibilidad de constituir asociaciones profesionales respecto de las cuales su art. 42 determinó, expresamente, la exclusión del ámbito de actuación de las mismas: el llamamiento al ejercicio del derecho de huelga, las acciones sustitutivas de la misma, la negociación colectiva y la adopción de medidas de conflicto colectivo.

En el mismo sentido, la Ley Orgánica 11/2007, de 22 de octubre, reguladora de los derechos y deberes de los miembros de la Guardia Civil, en sus arts. 9, 11 y 12, había reconocido ya el derecho de los guardias civiles a constituir asociaciones, de conformidad con el art. 22 CE, para la defensa y promoción de sus derechos e intereses profesionales, económicos y sociales, pero sin que puedan ejercer el derecho de sindicación, el derecho de huelga, ni realizar acciones sustitutivas o similares a la misma, ni aquellas otras concertadas con el fin de alterar el normal funcionamiento de los servicios.

Por coherencia con el conjunto regulador vigente descrito, se justifica, pues, la llamada a la exclusión del derecho de huelga ("*no podrá reconocerse el derecho a la huelga a los miembros de las Fuerzas Armadas o demás personal sujeto a disciplina militar*") que se realiza en el aptdo. 2 del art. 3 del Proyecto de Ley aquí propuesto respecto de este colectivo.

De otro lado, respecto de los Jueces, Magistrados y Fiscales, se ha puesto en duda doctrinalmente, por no existir previsión normativa específica que la prohíba, la negación del derecho de huelga de este colectivo. A mi juicio, sin embargo, sin perjuicio de otras razones que se han esgrimido por distintos autores para justificar la exclusión de este derecho (como no considerarlos funcionarios, sino cargos públicos[57], u otras relacionadas con su condición de integrantes del poder judicial y el principio de separación de poderes[58]), del estudio de los debates parlamentarios preconstitucionales (Anexo II.C.) se deriva que la preocupación principal que motivó su exclusión del derecho de libertad de sindical (y también la prohibición integrarse en partidos políticos mientras se hallasen en activo) fue la necesidad de garantizar la independencia política (o, al menos, la apariencia de la misma) en el ejercicio de su función que está basada y tiene su propia razón de ser (art. 117 CE), precisamente, en la independencia e imparcialidad. Por ello mismo, también aquí —aunque en este caso con origen en el propio art. 127.1 CE— sólo se les permite el asociacionismo profesional.

Pero, en ambos casos, cabe preguntarse, ¿por qué se les permite constituir asociaciones que, a diferencia de las demás entidades que puedan derivarse del art. 22 CE, pueden tener por objeto la defensa y promoción de sus intereses profesionales, como los sindicatos, pero, sin embargo, no se les permite constituirse como tales organizaciones sindicales? A mi modo de ver, la respuesta es obvia desde una interpretación lógica y teleológica de dicha regulación. Lo que se pretende es que tales colectivos puedan fomentar, proteger y defender sus intereses profesionales propios, pero sin que, para ello, puedan hacer uso de los medios prototípicos de la acción sindical (negociación colectiva, derecho de huelga y medidas de conflicto colectivo) que podría derivarse de su reconocimiento como organizaciones

---

57 Sempere Navarro (2009), aunque reconoce la condición funcionarial de este colectivo, subraya que la respuesta al derecho de huelga de los jueces y magistrados no puede derivarse de su reconocimiento en la legislación ordinaria para los funcionarios públicos, pues el propio TRLEBEP advierte que sus previsiones sólo se aplicarán directamente a Jueces, Magistrados, Fiscales y demás personal funcionario al servicio de la Administración de Justicia, cuando así lo disponga su legislación específica. En este mismo sentido en cuanto a esto último cabe citar a Gil Plana (2013, p. 27) quien, no obstante, matiza que "cuando la Constitución remite a la ley para que regule el estatuto de los funcionarios públicos no está pensando en incluir dentro de esta categoría a los Jueces y Magistrados a los que concibe como integrantes de un poder del Estado".

58 Teruel Lozano (2023), explica así: "En otras palabras, los jueces y magistrados en su quehacer ordinario ejercen un poder del Estado, siendo, además, individualmente considerados, integrantes de ese poder. Por lo que no tiene ningún sentido que un poder del Estado se ponga en huelga frente al propio Estado".

sindicales, puesto que, con carácter general (salvo regulación de peculiaridades para los funcionarios públicos) tales instrumentos forman parte del contenido esencial del derecho de libertad sindical de acuerdo con la doctrina del TC[59] y con el propio art. 2.2.d) LOLS[60].

Existen, no obstante, importantes opiniones doctrinales en contra. Así, Ojeda Avilés (1993, p. 80) entiende que "el derecho de huelga tiene un asiento propio en la Constitución, independiente de la libertad sindical, y tiene asimismo sus límites propios, consistentes en la garantía de los servicios esenciales para la comunidad. El silencio de las leyes ordinarias respecto a los jueces, magistrados y fiscales sólo puede interpretarse en sentido positivo, al tratarse de funcionarios y de un derecho fundamental". Por su parte, Sempere Navarro (2009) considera que el argumento "*a fortiori* debe descartarse por la sencilla razón de que en nuestro Derecho se admite que la huelga también puede llevarse a cabo al margen de las organizaciones sindicales (en la declaración y gestión) y de los sindicados (al sumarse a ella); la privación de libertad sindical ni implica ausencia de todo derecho colectivo, ni comporta prohibición de la huelga, aunque sí constituye indicio de que no estamos ante fenómenos *naturales* para esta categoría de empleados públicos".

En mi opinión, sin embargo, pese a que es cierto que el RDLRT (con la confirmación expresa del TC en la STC 11/1981, de 8 de abril) admite las denominadas huelgas espontáneas o salvajes, que

---

59 Sería aplicable, pues, la misma *ratio* contenida en la STC 98/1985, antes comentada, si bien refiriéndose ésta al caso de los trabajadores autónomos, al decir: "Si se parte de la idea válida de que el sindicato, en cuanto sujeto de la libertad de sindicación, se justifica primordialmente por el ejercicio de la actividad sindical, (...) siendo su expresión una serie de derechos como los de huelga, de negociación colectiva y de conflicto (reconocidos por los arts. 28.2, 37.1 y 37.2 de la CE), que no podrían ejercer (...) no hay motivo para considerar carente de fundamento razonable una regulación que en último término orienta el derecho (...) para defender sus intereses (...) hacia la constitución de «asociaciones al amparo de la legislación específica», reconociéndoles un derecho que también deriva directamente de la Constitución (art. 22) y está dotado de igual grado de protección y de idéntica autonomía que el derecho de asociación sindical".

60 En el mismo sentido el art. 7.2, 2º de la Ley Orgánica 9/2011, se refiere a "los medios propios de la acción sindical, entendida como negociación colectiva, adopción de medidas de conflicto colectivo y ejercicio del derecho de huelga".

pueden ser convocadas directamente por los trabajadores en asamblea sin mediación de los sindicatos, lo cierto es que esta norma preconstitucional ha sido interpretada por el TC como desarrolladora del derecho de huelga reconocido en el art. 28.2 CE, exclusivamente, a los trabajadores[61]. El derecho de huelga de los funcionarios públicos no derivaría, pues, del RDLRT ni del art. 28.2 CE, sino únicamente de su reconocimiento por Ley como derivación del derecho de libertad sindical (en este caso, sin eventuales peculiaridades) que el art. 28.1 CE sí les reconoce[62]. Y si —como el autor citado reconoce expresamente— "probablemente el constituyente pensó que con esa construcción los integrantes del poder judicial quedaban al margen del fenómeno huelguista; o, más aún, quizá ni siquiera se planteó la cuestión", ¿no habría que interpretar —más bien— que la negación de la sindicación para este colectivo implica, en una interpretación teleológica de la CE, que no era deseo del constituyente que Jueces, Magistrados y Fiscales ostentaran el derecho de huelga u otros que pusieran en duda su actuación imparcial e independencia?, en lugar de considerar —como postula el autor citado— que: "¿No habría, entonces, que considerar el silencio de las Leyes Orgánicas sobre el particular como un indicio a favor de la visión legitimadora, o cuando menos permisiva del fenómeno?".

Las Leyes orgánicas a que se refiere, dada la inexistencia todavía de una que regule la huelga, parece que necesariamente habrán de ser la LOPJ y la LOLS.

---

61 La STC 11/1981, de 8 de abril (F.J.13) declaró que el Real Decreto-ley 17/1977, según claramente resulta de su artículo 1.°, regula el derecho de huelga en el ámbito de las relaciones laborales y este tipo de relaciones se encuentran en la actualidad delimitadas por las reglas del Estatuto de los Trabajadores, que expresamente excluyen (cfr. art. 1, ap. 3 a) «la relación de servicio de los funcionarios públicos» y la del personal al servicio del Estado, las Corporaciones Locales y las Entidades públicas autónomas, cuando, al amparo de una Ley, dicha relación se regule por normas administrativas o estatutarias. Lo anterior significa que el eventual derecho de huelga de los funcionarios públicos no está regulado —y, por consiguiente, tampoco prohibido— por el Real Decreto-ley 17/1977.

62 Como indica García Martínez (2012, p. 31): "(...) formando parte el derecho de huelga del contenido esencial del derecho a la libertad sindical, el derecho de libre sindicación de los funcionarios públicos perdería gran parte de su sentido si no se les reconociera a éstos el derecho a la huelga".

En el caso de la LOLS, me parece claro que esta guarda silencio porque de la CE se desprende claramente que este colectivo no tiene derecho de sindicación mientras esté en activo y no, precisamente, porque pretenda permitir sus huelgas, cuando la propia norma está reconociendo (art. 2.2.d.) como parte del derecho de libertad sindical (del que Magistrados, Jueces y Fiscales quedan excluidos, ex art. 1.4 LOLS) el derecho a las mismas.

En cuanto a la LOPJ, cuesta aceptar que la ausencia de referencia alguna en la misma a las huelgas de Jueces, Magistrados y Fiscales se trate de una *omisión permisiva*, cuando —en cambio— dicha norma sí que se refiere expresamente a ello con relación a colectivos carentes de un protagonismo tan especial como son funcionarios al servicio de la Administración de Justicia, a quienes les reconoció el derecho a la huelga (art. 496 LOPJ) y, consecuentemente, se previó como falta muy grave "el incumplimiento del deber de atender los servicios esenciales en caso de huelga" (art. 536.a).15° LOPJ) o, también, respeto de los Letrados de la Administración de Justicia a quienes no se les reconoció explícitamente tal derecho, pero sí tácitamente, puesto se encuentra contemplada para ellos también este mismo tipo de infracción muy grave por desatención de servicios esenciales (art. 468 bis 1.1,p) LOPJ).

A mi modo de ver, si respecto a estos otros colectivos —sin desdeñar la importancia de las tareas de gran trascendencia que desempeñan y las graves consecuencias que se derivarían de la paralización de sus actividades— la LOPJ trató regular su derecho de huelga y prevenir la desatención de los servicios esenciales, no parece lógico que la omisión en dicha norma de toda referencia a un colectivo todavía más crucial como es el constituido por Jueces, Magistrados y Fiscales, haya de entenderse equivalente a un permiso implícito para el ejercicio —¿ilimitado?— de tal derecho, obviando, para este caso, el reconocimiento expreso y las prevenciones que para los otros colectivos se efectuaron en cuanto a la preservación de los servicios esenciales. Parece claro que, más bien, esta omisión es indicativa de todo lo contrario: de que, ni siquiera, se contempla que puedan ostentar este derecho, dado que ni al configurar el estatuto de los Jueces y Magistrados, ni su régimen disciplinario se encuentra mención alguna al derecho a la huelga, mientras que sí es contemplada como infracción la ausencia injustificada a su trabajo (Teruel Lozano, 2023) y cuando, además, en el art. 401 LOPJ se omite la posibilidad de que las asociaciones profesionales de Jueces y Magistrados puedan plantear conflictos colectivos o convocar huelgas (Sempere Navarro, 2009).

En conclusión, a mi juicio, sin perjuicio del importante debate doctrinal y social —muy vivo todavía en la actualidad— sobre estas cuestiones, bajo la interpretación jurídica que acabo de concretar, resulta evidente que, por la propia exclusión del derecho de sindicación y el correlativo reconocimiento de un derecho de asociación profesional (en el caso de los Jueces, Magistrados y fiscales por mandato de la CE y en el caso de los miembros de las FF.AA. por coherencia con la regulación legal vigente: LOLS y Ley Orgánica 9/2011), estos colectivos han de quedar excluidos del derecho de huelga por la regulación legal aquí propuesta.

En cuanto a otros colectivos armados, pero no sometidos a disciplina militar, como las Fuerzas y Cuerpos de Seguridad, serviría la referencia que en el texto legal propuesto se efectúa a la necesidad, en su caso mediante Ley, del reconocimiento del derecho de huelga para los funcionarios públicos en general. En este sentido, ajustan y podría admitirse la continuidad de la vigencia de las normas actuales al respecto, como son la Ley Orgánica 2/1986, de 13 de marzo, de Fuerzas y Cuerpos de Seguridad (art. 6.8) y la Ley Orgánica 9/2015, de 28 de junio, para la Policía Nacional (art. 8.3.a), que niegan el derecho de huelga a estos colectivos, pese a que, con aparente contradicción —como ya fue comentado más arriba—, les atribuyan una libertad de sindicación que no integraría, para ellos, la posibilidad de ejercicio de uno de los principales medios de acción sindical: la huelga.

4. *PROCEDIMIENTO DE HUELGA*

4.1. CONVOCATORIA Y PREAVISO

Con relación a la convocatoria de la huelga, la regulación del RDLRT —depurado por la STC 11/1981, de 8 de abril— vino a proscribir las huelgas sorpresa, al exigir un preaviso de 5 días naturales o 10 días naturales cuando afecte a empresas encargadas de la prestación de cualquier género de servicios públicos, debiendo notificarse al empresario o empresarios y a la autoridad laboral e incluyendo, asimismo, un deber de publicidad a los usuarios de servicios públicos, en su caso. Si bien, según el TC, la falta de preaviso no convierte la huelga en ilícita necesariamente, sí que podría convertirla en abusiva si no concurren fuerza mayor o estado de necesidad eximentes.

El Proyecto de Ley Orgánica de Huelga de 1993 no introducía grandes novedades en cuanto al procedimiento respecto a la regulación vigente, con similares plazos de preaviso al empresario u organizaciones empresariales afectadas y autoridad laboral (también a la autoridad gubernativa en huelgas en las Administraciones Públicas), etc. El escrito de comunicación era muy similar al vigente, debiendo contener datos mínimos, tales como: motivos de la huelga y modalidades a emplear, ámbitos de la misma, fechas de inicio y fin, procedimientos de solución de conflictos utilizados y composición del Comité de Huelga. La gran novedad aquí residía en el hecho de que podía omitirse el preaviso al empresario en caso de fuerza mayor o estado de necesidad (como cuando se produce cualquier atentado grave a los derechos fundamentales de los trabajadores afectados). Asimismo, la figura del comité de huelga quedaba desdibujada en el Proyecto de Ley respecto a la regulación vigente, adoleciendo de falta de concreción en cuanto a sus funciones y responsabilidades, en especial con relación a la garantía de los servicios de seguridad y mantenimiento. Por otro lado, se introducían algunas otras novedades, como la previsión de que el comité de huelga, cuando la huelga fuese convocada por las representaciones sindicales o unitarias de trabajadores, podría venir integrado por los propios convocantes[63].

Por su parte, si se analiza el anterior Proyecto de Ley Orgánica de Huelga de 1992 se pueden observar sensibles diferencias en la regulación que inicialmente se proyectaba en este aspecto, pues se exigía que la declaración de huelga habría de ser notificada al empresario o autoridad administrativa responsable del servicio o, en su caso, a las organizaciones empresariales afectadas, por escrito, con unos plazos de preaviso sustancialmente más amplios (una antelación mínima de ocho días naturales a la fecha de iniciación de la huelga ó 15 días naturales en empresas relacionadas con la prestación de servicios esenciales para la comunidad), debiéndose remitir copia del escrito de comunicación a la Autoridad Laboral o, en el caso de huelga en las Administraciones Públicas, a la Autoridad Gubernativa.

El contenido mínimo del escrito de comunicación de la declaración de huelga, sin embargo, era muy similar al vigente y al del Proyecto de 1993 ya comentado, debiéndose concretar en él, además, las medidas que se propusieran para garantizar el mantenimiento de los servicios esenciales de la comunidad, imponiéndose, asimismo, a los convocantes de la huelga un deber de publicidad, antes de su iniciación, en favor de los usuarios del servicio y de los ciudadanos potencialmente afectados. En el Proyecto de 1993 se imponía, adi-

---

63 En Inglaterra, se exige que el acuerdo de convocatoria de huelga venga respaldado por el voto mayoritario y secreto de los miembros del sindicato convocante en cada centro de trabajo, cuya decisión tiene un alcance temporal de validez que se extiende a los 4 meses posteriores a la adopción del acuerdo. El incumplimiento de los requisitos materiales (como incurrir en las motivaciones o modalidades de huelga prohibidas) o procedimentales y de plazo señalados, vicia la legalidad del proceso huelguístico, que despojado de la protección derivada de la consideración del ejercicio legítimo de una libertad, acarrea, asimismo, la pérdida de la inmunidad del sindicato convocante por los daños ocasionados y puede ser objeto de la reclamación civil de resarcimiento correspondiente, sin perjuicio de los interdictos judiciales de paralización de huelga ilegal que puedan instarse. En Francia, el acto de declaración de huelga debe ser expreso y público, soliendo exigirse por la jurisprudencia la necesidad de preaviso, si bien su omisión no suele determinar la ilicitud de la huelga por sí sola. En cambio, en el ámbito de los servicios públicos, el art. L.521-3 del *Code du Travail* sí que establece la obligación de preaviso. En Italia, no es necesario preaviso, salvo cuando puedan derivarse daños innecesarios o superiores a los pretendidos.

cionalmente, a la dirección de la empresa o Administración pública responsable del servicio también el deber de comunicar, con una antelación suficiente, a los usuarios potencialmente afectados las modalidades de desarrollo de la huelga, las alteraciones de la actividad previstas como consecuencia de aquélla, así como las circunstancias relativas a la reanudación de la actividad laboral. Del mismo modo, tanto en el Proyecto de 1992 como en el de 1993, se exigían requisitos similares en cuanto a la publicidad de la eventual desconvocatoria.

A mi modo de ver, la regulación del Proyecto de 1993 resulta la más ponderada (plazos de preaviso más moderados y razonables), completa y acorde con el contenido de la jurisprudencia constitucional analizada sobre esta materia. De este modo, en una línea muy similar, se propone el siguiente texto:

> ***Artículo 4***
> *1. La convocatoria de huelga se notificará: al empresario o Administración pública responsable del servicio o, en su caso, a las organizaciones empresariales afectadas, por escrito y con una antelación mínima de cinco días naturales a la fecha de iniciación prevista, salvo que se trate de empresas encargadas de la prestación de servicios esenciales para la comunidad en que el preaviso deberá ser de diez días naturales. Una copia de la convocatoria será remitida a la Autoridad Laboral o, en el caso de huelga en las Administraciones Públicas, a la Autoridad Gubernativa.*
> *2. El escrito de comunicación de la convocatoria de huelga contendrá, como mínimo, los siguientes extremos: a) Motivación y modalidad de la huelga; b) Ámbito funcional y territorial, fecha de iniciación y, en su caso, de terminación; c) Procedimientos de solución del conflicto utilizados con carácter previo, en su caso; d) Composición del Comité de huelga e identidad de sus miembros, que deberán ser trabajadores afectados por el conflicto o representantes sindicales o unitarios con representatividad en las empresas o sectores afectados.*
> *3. Cuando sean necesarias medidas para garantizar el mantenimiento de los servicios esenciales de la comunidad, se impone, asimismo, a los convocantes de la huelga un deber de publicidad, antes de su iniciación, en favor de los usuarios del servicio y los ciudadanos potencialmente afectados. Adicionalmente, la dirección de la empresa o la Administración pública responsable del servicio también tiene el deber de comunicar, con una antelación suficiente, a los usuarios potencialmente afectados las modalidades de desarrollo de la huelga, las alteraciones de la actividad previstas como consecuencia de aquélla, así como, en su caso, las circunstancias relativas a la reanudación de la actividad laboral.*

Cabe destacar la importancia de la consignación exacta de los datos requeridos para la convocatoria de huelga en el art. 4.2 del texto legal propuesto, en la medida en que —como se comprobará al analizar las posibilidades de control judicial durante la huelga— de este mismo escrito —y no sólo de las circunstancias concurrentes en su desarrollo— podrían derivarse, directamente, motivos o modalidades de huelga ilegales, así como disfunciones en cuanto a los ámbitos de huelga elegidos y los correspondientes al conflicto con relación a sus representantes, revelando la ausencia de un ejercicio auténtico del derecho de huelga y la consiguiente concurrencia de otro tipo de conductas o actuaciones, eventualmente, paralizables y, en su caso, sancionables. A estos últimos efectos y, en general, en cuanto a sustanciación de responsabilidades —como se analizará al estudiar los efectos de la huelga ilegal— resulta especialmente relevante la exigencia última de identificación de los convocantes.

4.2. DESARROLLO (LOS PIQUETES)

El RDLRT 17/1977, de 4 de marzo, dota de cobertura legal a la actividad de los piquetes informativos que podrán efectuar publicidad de la misma, en forma pacífica y llevar a cabo una recogida de fondos sin coacción alguna (art. 6.6 RDLRT 17/1977, de 4 marzo). El TC ha respaldado, asimismo, esta previsión al considerar que, sobre todo en determinados tipos de huelga, la difusión y publicidad de sus causas y objetivos es un elemento esencial en el éxito de la huelga, formando parte del contenido esencial de este derecho fundamental, que toda Ley que lo desarrolle deberá respetar de acuerdo con lo previsto en art. 53.1 CE (SSTC 2/1982, 29 enero; 120/1983, 15 diciembre; 134/199, 9 mayo; 332/1994, 19 diciembre y 37/1998, 17 febrero), pero limitado, a su vez, por lo dispuesto en el art. 6.4 RDLRT: "se respetará la libertad de trabajo de aquellos trabajadores que no quisieran sumarse a la huelga" (art. 35.1 CE). Es posible superar la simple publicidad (STS de 20 de marzo de 1991), procurando obtener la participación de los trabajadores en la huelga, mediante el uso de la persuasión (incluso, modernamente, a través de las redes sociales y el recurso a medios digitales: correo electrónico, *intranet* de la empresa, etc.) pero nunca recurriendo a la violencia o coacción (STC

137/1997, 21 julio). Resultan inaceptables, en este sentido, conductas obstruccionistas de la libertad de trabajo de los trabajadores no huelguistas (o de la libertad del empresario y/o de los directivos), ya sean consistentes en barricadas, amenazas, secuestro de materias primas o medios de producción de la empresa, u otras similares.

Este tipo de actuaciones ilícitas y de alteración del orden público pueden originar consecuencias en el ámbito sancionador-administrativo y responsabilidad contractual, pues pueden llevar aparejadas sanciones disciplinarias, incluido el despido. En concomitancia, con otras circunstancias, puede afectar a la legalidad de la huelga, con los efectos que estudiaremos.

En el ámbito penal, existen modificaciones legislativas relativamente recientes de gran relevancia. El art. 315 de la Ley Orgánica del Código Penal 10/1995, de 23 de noviembre, tradicionalmente, ha tipificado como delito la conducta de los que, mediante engaño o abuso de situación de necesidad, impidieren o limitaren el ejercicio de la libertad sindical o el derecho de huelga, con previsión de un tipo penal cualificado, con penas superiores, cuando las conductas reseñadas se llevaren a cabo con coacciones. Por Ley Orgánica 5/2021, de 22 de abril, se suprimió el apartado 3 que contenía un tipo penal específico para "Quienes actuando en grupo o individualmente, pero de acuerdo con otros, coaccionen a otras personas a iniciar o continuar una huelga". Se mantiene, por tanto, la criminalización de las conductas obstruccionistas del derecho de huelga, pero se despenaliza, o al menos, desaparece la tipificación penal específica de las actividades vulneradoras de la libertad de trabajo propias de los piquetes coactivos, en el bien entendido de que estas, eventualmente, podrán seguir siendo castigadas —caso de producirse— conforme al delito genérico de coacciones previsto en el art. 172 de la misma norma penal[64].

---

64 La STC 254/1988, de 21 de diciembre, matizó que no puede considerarse delito de coacciones una «intimidación moral» sobre el empresario porque «en la medida en que se considera indiferente el carácter de los medios utilizados por el autor, conduciría de hecho a una incriminación de toda coacción y por consiguiente también a la criminalización de toda huelga en tanto medida de fuerza por la vía del artículo 496 CP», conclusión inaceptable porque «la ley penal no podía vaciar de contenido a un derecho fundamental» (...) «el ejercicio abusivo

En el texto del Proyecto de Ley Orgánica de Huelga que se propone en este trabajo se podría incorporar, en cuanto a esta materia, un hipotético art. 5 con la siguiente redacción:

> ***Artículo 5***
> *1. Durante la huelga, los trabajadores huelguistas podrán, de forma pacífica, efectuar publicidad, personalmente y/o través de medios electrónicos o telemáticos, y difusión de la misma a través de medios de comunicación y redes sociales, así como llevar a efecto recogidas de fondos sin coacciones.*
> *2. En todo caso, se respetará la libertad de trabajo de aquellos trabajadores que no quisieran sumarse a la huelga, la libre circulación y acceso al centro de trabajo de éstos, del empresario y personal directivo, así como, en su caso, de proveedores, usuarios y clientes.*
> *3. Los trabajadores huelguistas podrán permanecer en los locales de la empresa ejerciendo el derecho de reunión en lugares donde no se impida el trabajo de quienes no participen en la huelga, salvo cuando se origine notorio peligro de daños para las personas o bienes presentes en el centro de trabajo. En este último caso, en caso de ilegal ingreso en los locales o de una ilegal negativa de desalojo frente a una legítima orden de abandono esta permanencia no podrá continuar.*

4.3. LA FINALIZACIÓN DE LA HUELGA

Tradicionalmente, suelen distinguirse tres vías principales de finalización de las huelgas:

1.- Acuerdo de fin de huelga. El artículo 8.2 del RDLRT 17/1977 establece la obligación del empresario y del comité de huelga de negociar (con eventual apoyo por mediación por la Inspección de Trabajo y Seguridad Social, ex art. 9 RDLRT 17/1977, de 4 de marzo) con miras a la consecución de un acuerdo que ponga fin al conflicto, al cual —caso de alcanzarse— se le otorga "la misma eficacia que lo acordado en convenio colectivo" (arts. 8.2 y 24.1 RDLRT 17/1977, de 24 marzo)[65]. Una vez más, se plantean problemas derivados de la

---

del derecho de huelga no puede identificarse con la participación en grupos de huelguistas y tampoco la mera representación de los mismos es, de acuerdo con la ley, motivo suficiente para ser responsabilizado de delito de coacciones cometido por otros». (Baylos Grau, 1989, p. 23).

65 STC 11/1981, de 8 de abril y SSTS de 31 de mayo de 1995 (rec. 1677/1994), 29 de octubre de 2002 (rec. 1244/2001), 14 de marzo de 2005 (rec, 6/2004), 21 de

regulación obsoleta y provisional vigente sobre la huelga, pues tratándose el precepto comentado de una norma previa al ET, para el legislador del RDLRT no era posible anticipar si dicha eficacia es de convenio colectivo estatutario o extraestatutario, lo cual tiene especial trascendencia en orden a determinar las reglas que hayan de resolver los eventuales conflictos y fricciones entre estos acuerdos y los convenios colectivos en sentido estricto, previos o posteriores. Para ello, por lógica, parece que habría de atenderse a la legitimación/representatividad, a la luz del Título III del ET, de los sujetos que conciertan el acuerdo, pero aun así, surgen múltiples dudas y, entre otras muchas cosas, cabe plantearse qué papel y qué relaciones pueden tener los pactos alcanzados por los comités de huelga (que tienen unas reglas de constitución y composición en el RDLRT 17/1977, de 4 marzo, distintas a las previstas en el ET para las comisiones negociadoras de convenios aunque puedan venir integrados por miembros con representatividad suficiente conforme a este) y lo mismo puede decirse respecto de los acuerdos alcanzados y ratificados directamente por los trabajadores en asamblea. Asimismo, cabe preguntarse qué tipo de contenido pueden incorporar estos acuerdos (se ha reconocido, por lo general, que además de contenido normativo propio de la negociación colectiva se puedan acordar compromisos obligacionales relativos al desarrollo del conflicto mismo como, por ejemplo, la renuncia al ejercicio del poder disciplinario por parte de la empresa ante las conductas sancionables de los trabajadores durante la huelga). Finalmente, se origina un entramado de problemas sobre la vigencia (especialmente, si no se concreta su validez por un plazo determinado) y conflictos de concurrencia entre estos acuerdos y convenios anteriores y posteriores. Incluso aplicando las reglas generales del ET sobre vigencia y concurrencia de convenios (arts. 82.4, 84 y 86.5 ET) y, en su caso, las que rigen sus relaciones con los convenios extraestatutarios, se han planteado importantes cuestiones. De entrada, la jurisprudencia (STS de 22 de junio de 2016, rec. 186/2015) ha partido, dada la eficacia de convenio colectivo otorgada a estos acuer-

julio de 2009 (rec. 3389/2008), 21 de septiembre de 2009 (rec. 56//2009), 23 de septiembre de 2009 (rec. 4065/2008), 9 de febrero de 2010 (rec. 2010/2834), 3 de junio de 2010 (rec. 3008/2009), 15 de junio de 2010 (rec. 680/2009), 5 de julio de 2010 (rec. 2039/2009) y 4 de noviembre de 2010 (rec. 2907/2009).

dos, por la aplicación del principio de modernidad, pero —a mi juicio— la cuestión no es tan sencilla si el conflicto se origina mediando un convenio vigente, ya que cuando no se trate de ámbitos y materias en que exista preferencia aplicativa del nuevo convenio ex art. 84.2, 3 y 4 ET, debería sustentarse la aplicación de convenio vigente hasta su terminación, pues a salvo dichas excepciones, en nuestro sistema sigue rigiendo la regla general de no concurrencia (art. 84.1 ET) y la prohibición de huelgas novatorias (art. 11c) RDLRT 17/1977, de 4 marzo). Pero, incluso no estando vigente el convenio anterior, o existiendo preferencia aplicativa, y siendo negociado el acuerdo de fin de huelga por sujetos con legitimación para suscribir un convenio estatutario, se ha opuesto que la aplicación del principio de modernidad propio de las normas requiere no sólo la intervención de sujetos legitimados, sino el cumplimiento de otros requisitos formales y procedimentales que el art. 90 ET previene para garantizar la eficacia normativa de los convenios: particularmente, su publicación en el Boletín Oficial correspondiente, dando cumplimiento al requisito de publicidad de las normas[66]. Para terminar de complicar la cuestión, como ha sido denunciado por la doctrina (Escribano Gutiérrez, 2018, p. 184), la jurisprudencia ha terminado admitiendo, no sólo dicha virtualidad de los acuerdos de fin de huelga para derogar y/o modificar lo pactado en convenio sino, también, la de los acuerdos de conciliación judicial (a nivel empresa) para modificar, incluso *in peius,* lo pactado en un acuerdo de fin de huelga pactado a nivel grupo de empresas (STS de 27 de abril de 2017, rec. 280/2016[67]).

2.- Por desistimiento de los trabajadores, fin de la convocatoria o por desconvocatoria. La huelga también puede finalizar por terminación del plazo contenido en la convocatoria de la misma (si no era indefinida), con o sin consecución de los objetivos perseguidos. El art. 8.2 del RDLRT 17/1977 contempla la posibilidad de que los trabajadores convocantes den por finalizada la huelga en cualquier momento, incluso antes de iniciar una huelga ya convocada. Se admite que la orden de cese de huelga parta de la representación de los

---

66 SSTS de 25 de junio de 1994 (rec. 2847/1993), 2 de noviembre de 1999 (rec. 4786/1998) y 9 de marzo de 1998 (rec. 2061/1997).

67 Con numerosos e importantes votos particulares.

trabajadores que la convocó, de asamblea de trabajadores o del comité de huelga. Por otro lado, aunque no exista acuerdo, también es posible un desistimiento tácito, sin orden de cese, que se patentizaría por la reincorporación de facto de todos los trabajadores huelguistas a sus puestos de trabajo.

3.- Finalmente, el art. 10.1 del RDLRT 17/1977, de 4 de marzo, prevé que el Gobierno, excepcionalmente, a la vista de la duración y/o consecuencias de la huelga (perjuicio grave para la economía nacional) y de las posiciones alejadas de las partes, pueda poner fin a la huelga mediante la imposición de un arbitraje obligatorio. La STC 11/1981, de 8 de abril, introdujo el requisito de que se garantizase la imparcialidad de los árbitros y declaró la inconstitucionalidad de las previsiones de este precepto respecto a la imposición de una reanudación temporal de la actividad laboral. El arbitraje obligatorio, aparte de la cuestión más dogmática sobre una eventual intromisión en la autonomía colectiva y en el derecho de libertad sindical y de huelga que fue constitucionalizada por dicha STC con la justificación de la conciliación del derecho de huelga con los intereses generales, plantea, asimismo, importantes problemas prácticos, especialmente, si no se establece un plazo de vigencia en el laudo arbitral. Se ha propuesto (Sala Franco, 1994, pp. 504-505) que en caso de conflictos jurídicos el laudo tenga una duración coincidente con la de la norma a interpretar o aplicar, pero en el caso de conflictos de intereses, se presenta muy inoperativo considerar abierta la capacidad de reivindicación y huelga en cualquier momento, pues de poco o nada habrá servido el laudo en los casos en que no se fije un plazo de vigencia.

Todos estos problemas claman por una solución global y conducen, de nuevo, en el terreno *lege ferenda*, a plantear una propuesta nueva a incorporar al Proyecto de futura Ley Orgánica de Huelga que aquí se propone. A mi modo de ver, la única solución realmente respetuosa con la libertad sindical y la autonomía colectiva constitucionalmente reconocida, parece pasar por que la Ley auspicie la creación, por medio de convenios o acuerdos marco del art. 83.3 ET, de un órgano permanente de solución extrajudicial o imponga la utilización preceptiva de los ya existentes, para su intervención en las cuestiones incidentales surgidas durante el desarrollo de las huelgas (servicios de seguridad y mantenimiento, etc.) y que facilite y promueva la consecución de acuerdos, en lo posible con eficacia de convenio colectivo estatutario. Para ello podría establecerse, en caso de conflictos enquistados, cuando las huelgas hayan superado el límite temporal razonable que se determine, la intervención preceptiva de dicho órgano, con llamamiento por el mismo a todos los sujetos con legitimación inicial (art. 87 ET) legitimados para negociar un convenio estatutario en el ámbito en que se haya planteado la huelga, para que con independencia de quiénes hayan sido los sujetos convocantes de la misma se trate de obtener un acuerdo negociado (directamente o mediante mediación o conciliación) con el consenso más amplio posible y con la eficacia normativa propia de un convenio estatutario. A partir de la consecución del acuerdo, este debería tramitarse conforme al art. 90 ET y los problemas que su vigencia pudiera plantear y los conflictos de concurrencia que puedan originarse podrán resolverse conforme a las reglas generales de los arts. 82.4, 84 y 86.5 ET. En caso de que no pudiera alcanzarse un acuerdo por sujetos con legitimación suficiente para suscribir un convenio estatutario, pero pudiera ponerse fin al conflicto con un acuerdo extraestatutario de eficacia contractual y limitada, lógicamente la tramitación finalizaría en este punto, debiendo auspiciarse por dicho órgano la incorporación de cláusulas en el pacto en que se reconozca, expresamente, por las partes que la eficacia del acuerdo se limita a la posibilidad de incorporación de lo pactado como condición más beneficiosa de origen contractual a las concretas relaciones individuales de trabajo y que el régimen de modificaciones se rige por el art. 41 ET y las reglas propias aplicables a dichas condiciones. Finalmente, en caso de desacuerdo, después de haber sido admitida por la STC 11/1981, de 8 de abril, la constitucionalidad de la imposición de un arbitraje obligatorio por el Gobierno, no parece que se puedan platear dificultades, con mayor razón, para que por Ley Orgánica se pueda establecer la intervención preceptiva, en caso de huelgas con efectos graves para los intereses generales o la economía nacional, de un órgano como el propuesto, que sería el acordado previamente por las organizaciones sindicales y asociaciones empresariales más representativas, dictando un laudo obligatorio y vinculante que ponga fin al conflicto por un plazo de vigencia que debería hacerse constar expresa y preceptivamente en el texto del mismo.

Con base en lo anterior, se propone el texto siguiente para el art. 6 del Proyecto de Ley Orgánica de Huelga objeto de este estudio:

> ***Artículo 6***
> *1. La huelga podrá finalizar, en cualquier momento, por decisión de quienes la hubiesen promovido mediante su desconvocatoria, así como al cumplirse el período de duración de la misma que, en su caso, se hubiera establecido en el escrito de comunicación de su convocatoria. Asimismo, la huelga se considerará finalizada cuando la totalidad de los trabajadores huelguistas, en ejercicio de su libertad individual de trabajo, hayan decidido su reincorporación y la reanudación de su prestación laboral.*
> *2. Mientras dure la huelga, las partes en conflicto tendrán el deber de negociar de buena fe para la solución del mismo. A estos efectos, la Inspección de Trabajo y Seguridad Social podrá ejercer su función de mediación desde que se comunique la huelga hasta la solución del conflicto.*
> *3. La huelga podrá finalizar por acuerdo entre los trabajadores y el empresario o empresarios afectados. Dicho acuerdo tendrá la naturaleza y eficacia propia de los convenios colectivos regulados en el Título III de la Ley del Estatuto de los Trabajadores, cuando se suscriba por sujetos con legitimación suficiente y conforme a los requisitos y procedimientos previstos en dicha norma. En este caso, regirán las reglas legales aplicables a este tipo de convenios en cuanto a vigencia, sucesión y concurrencia.*
> *En cualquier caso, siempre se admitirá la incorporación o recepción voluntaria, expresa o tácita, del contenido y condiciones estipuladas en el acuerdo de huelga a las relaciones individuales de trabajo.*
> *4. En caso de desacuerdo, la partes en conflicto podrán someter voluntariamente, en cualquier momento, la discrepancia a procedimientos de mediación, arbitraje o conciliación en el seno de los órganos creados al efecto por los acuerdos a que se refiere el artículo 83.3 de Ley del Estatuto de los Trabajadores que correspondan según el ámbito del conflicto.*
> *Cuando en el desarrollo de la huelga concurran circunstancias de las que se deriven perjuicios graves para los intereses generales o para la economía nacional, el sometimiento del conflicto a dichos órganos de solución extrajudicial de conflictos será preceptivo, los cuales resolverán mediante un arbitraje obligatorio, fijando expresamente el plazo de vigencia del laudo.*

5. GARANTÍAS Y OBLIGACIONES DURANTE LA HUELGA

5.1. GARANTÍAS PARA LA EFICACIA DEL DERECHO DE HUELGA

Una Ley Orgánica de Huelga no ha de limitarse a reconocer el derecho de huelga, sino que también resulta esencial arbitrar las medidas necesarias para garantizar su eficacia (asegurar la posibilidad de su ejercicio libre y pacífico), si bien supeditando la efectividad de la huelga y, en su caso, el logro de sus objetivos al éxito que consiga alcanzar por sí misma, en virtud del nivel de adhesión alcanzado y/o el acierto de la estrategia empleada.

En este sentido, como ya fue anticipado al tratar en el capítulo 2 de los aspectos que no integran la libertad de empresa, el ordenamiento jurídico debe reaccionar, con todos sus medios, contra cualesquiera actuaciones empresariales (o de terceros) que traten impedir o socavar el ejercicio del derecho y el desarrollo de la huelga, o que, a posteriori, pretendan aplicarse a modo de represalia, tales como cierre patronal injustificado, despidos, sanciones, diferencias de trato, amenazas, traslados, movilidad funcional, cambios en la organización del calendario de vacaciones etc., cuando se adopten como penalización por la participación en una huelga legal.

A ello se refería el art. 3.3 *in fine* del Proyecto de Ley propuesto y también —como veremos en su momento— el Capítulo V (en particular, el art. 11.1. 2°) dedicado a los efectos de la huelga y a las responsabilidades. Sin embargo, las diversas posibles actuaciones y conductas que pudieran dar lugar a la aplicación del régimen de responsabilidades que en cada caso procedan deberán ser probadas y, en este sentido, la Ley ha de limitarse a la previsión general de estas situaciones y a la regulación y, en su caso, remisión al régimen de responsabilidades aplicable para cada supuesto.

No obstante, no ocurre lo mismo con una conducta empresarial específica, conocida como *esquirolaje*, tradicional y específica del fenómeno huelguístico que, sin impedir de inicio el ejercicio del derecho, sí que pretende vaciarlo de contenido y efectividad perniciosamente, sustituyendo a los trabajadores huelguistas por otros. Este mecanismo, como puede observarse, es de naturaleza muy distinta a los anteriores y requiere de una regulación específica en el Proyecto de Ley propuesto (que se contendrá en el art. 7), puesto que, en este caso, aplicando la misma *ratio* antes expuesta, la Ley también ha de proteger que, en su caso, la falta de efectividad de la huelga dependa exclusivamente del propio proceso huelguístico y no de actuaciones espurias de terceros. Veamos, pues, a continuación, lo relacionado con este tema.

5.1.1. La prohibición de esquirolaje

El art. 6.5 RDLRT establece la prohibición de sustitución de los trabajadores huelguistas por otros no vinculados a la empresa en el momento de iniciarse la misma (esquirolaje externo), salvo en caso de incumplimiento de los servicios de seguridad y mantenimiento (o, por analogía, de los servicios mínimos en servicios esenciales para la comunidad). Si bien no especifica si es posible la sustitución por trabajadores adscritos a centros de trabajo distintos, la LISOS (cuyo Texto Refundido vigente fue aprobado por RDLeg. 5/2000, de 4 de agosto) ha servido tradicionalmente de apoyo para clarificar, en sentido negativo, la cuestión y así, en su actual art. 8.10, considera constitutivos de infracción muy grave: "Los actos del empresario lesivos del derecho de huelga de los trabajadores consistentes en la sustitución de los trabajadores en huelga por otros no vinculados al centro de trabajo al tiempo de su ejercicio, salvo en los casos justificados por el ordenamiento".

Por lo demás, cabe referirse a la extensión de la prohibición de esquirolaje a otras variantes posibles de recurso a trabajadores externos, como ocurre con la interdicción de los contratos de puesta a disposición formalizados por las empresas usuarias en huelga con ETTs que se contiene, expresamente, en el art. 8a) de la Ley 14/1994, de 1 de junio, por la que se regulan las ETT, y cuyo incumplimiento viene tipificado como infracción muy grave de la empresa usuaria en el art. 19.3.a) de la LISOS. La doctrina (Goerlich Peset, 2018, pp. 10

y 16; Ramírez Martínez, 2014, pp. 3-4) se ha ocupado no sólo de la prohibición de sustitución de los trabajadores de la empresa usuaria en huelga mediante contratos de puesta a disposición, sino que la ha entendido también aplicable a la sustitución de los propios trabajadores cedidos por la ETT que ejerciten el derecho de huelga en solidaridad con los de la usuaria. En el caso de que los trabajadores cedidos por la ETT ejerciten el derecho de huelga por reivindicaciones propias frente a esta y no frente a la empresa usuaria, se admite —con cierta analogía con la solución que más adelante se estudiará respecto a las contratas— que esta última pueda recurrir a otras ETT.

Junto al esquirolaje externo referido en el art. 6.5 RDLRT es necesario detenerse en el análisis de otras manifestaciones o versiones de esquirolaje más controvertidas:

A) Esquirolaje interno: Frente a la literalidad de la norma vigente (art. 6.5 RDLRT) que circunscribe el esquirolaje prohibido a la sustitución de los huelguistas por trabajadores no vinculados a la empresa al iniciarse la huelga (esquirolaje externo), la jurisprudencia, desde antiguo, ha extendido la prohibición a todos los supuestos en que el trabajador no huelguista desarrolla tareas distintas de las habituales para suplir la ausencia del trabajador huelguista (STS de 6 de junio de 2014, Recs. 191/2013), comprendiendo los supuestos de utilización de trabajadores de otros centros de trabajo (SSTS de 18 de marzo de 2016 y de 20 de julio de 2016, Recs. 78/2015 y 22/2016) o del mismo centro de trabajo, de distinta categoría profesional (SSTS de 8 de mayo de 1995, Rec. 1319/1994; de 11 de febrero de 2015, Rec. 95/2014) e, incluso, de la misma categoría profesional y funciones, pero de distinto turno y programas (STS de 30 de abril de 2014, Rec. 213/2013).

Por su parte, la doctrina del TC (SSTC 123/1992, de 28 de septiembre y 33/2011, de 28 de marzo) se ha venido aceptando generalmente como clara en el sentido de considerar que la *sustitución interna* de huelguistas durante la medida de conflicto constituye un ejercicio abusivo del *ius variandi* empresarial que corresponde al empresario en situaciones normales pero que, en un contexto de huelga, anula o aminora la presión ejercida legítimamente por los huelguistas. Asimismo, el TS (SSTS de 8 de junio de 2011, Rec. 144/2010, 13 de enero de 2020, Rec. 138/2018 y 27 de enero de 2021, Rec.

140/2019, entre otras) ha seguido la doctrina del TC sobre este particular y, por ello, se considera que ni el empresario puede imponer a los trabajadores no huelguistas la realización de las tareas que corresponden a los que secundaron la convocatoria, ni los trabajadores que libremente decidieron no secundarla pueden sustituir el trabajo de sus compañeros, con las salvedades impuestas por la necesidad de aseguramiento de los servicios esenciales para la comunidad (art. 10.2 RDLRT) y las previsiones sobre los servicios de seguridad y de mantenimiento en la empresa contempladas en el art. 6.7 del RDLRT. Tal esquirolaje prohibido concurre incluso en el caso de que la sustitución resulte de la iniciativa de los propios trabajadores no huelguistas[68] y aunque sean mermas reducidas o incluso insignificantes sobre la efectividad de la huelga (STS de 3 de febrero de 2021, Rec. 36/2019).

B) Sobre el denominado esquirolaje tecnológico o virtual: La STS de 16 de marzo de 1998 (Rec. 1884/1997) consideró que vulneraba el derecho de huelga que la programación (automática o no) en medios de comunicación se extienda más allá de los informativos, pues este es el único tipo de contenido que podría exceptuarse, en virtud del límite que el art. 20.1, d) CE (derecho a comunicar o recibir libremente información veraz por cualquier medio de difusión) impone válidamente a la hora de delimitar el contenido esencial de aquel derecho. Por su parte, la STS de 27 de septiembre de 1999 (Rec. 1825/1998), también en el sector audiovisual, consideró que no podía considerarse esquirolaje prohibido la emisión de un partido de fútbol por *TELEVISIÓ DE CATALUNYA, S.A.*, sin emplear trabajadores externos ni personal alguno (se emitió sin comentarios), pero sí algunos medios técnicos propios y ajenos, preexistentes a la huelga.

Las SSTS de 4 de julio de 2000 (Rec. 75/2000), 9 de diciembre de 2003 (Rec. 41/2003) y 15 de abril de 2005 (Rec. 133/2004) se mostraron, asimismo, favorables al uso de medios tecnológicos por las empresas durante la huelga, al entender que no se impone al empresario el deber u obligación de colaboración con los huelguistas en

---

68 SSTS de 5 de mayo de 2021 (Recs. 4969/2018, 4972/2018, 4976/2018, 4981/2018, 4984/2018 y 4985/2018) y 6 de mayo de 2021 (Recs. 4975/2018 y 4978/2018).

el logro de sus propósitos. Se entendía, pues, que lo que se veta es la sustitución de los trabajadores huelguistas por trabajadores externos e, incluso, se restringe el uso de las facultades de organización que son propias del empresario, en orden a exigir la movilidad funcional (STC 123/1992, de 28 septiembre y SSTS de 24 de octubre de 1989 y 8 de mayo de 1995), pero sin que exista ningún precepto que prohíba al empresario usar los medios técnicos de los que habitualmente dispone en la empresa, para atenuar las consecuencias de la huelga. En definitiva, se consideraba que lo que se garantiza es el derecho de los trabajadores a desarrollar la huelga sin ser sancionados por ello, pero no la consecución de sus objetivos pretendidos, ni el cese total de la actividad empresarial. Por su parte, la STS de 9 de diciembre de 2003 (Rec. 41/2003) concretó que cuando la programación automatizada por la empresa audiovisual consiste en la emisión de publicidad, la propia característica de esta "pone de relieve la ausencia de la actividad propia de una cadena de televisión y compatibiliza el derecho fundamental de huelga".

La irrupción posterior de un grupo de sentencias del TC (183/2006, 184/2006, 191/2006 y 193/2006, de 19 de junio) —cuyo contenido incide tangencialmente en esta materia— parece que influyó decisivamente para un cambio de criterio en el tratamiento de esta cuestión por parte de la doctrina del TS. Si bien el primer pronunciamiento posterior del TS (STS de 11 de junio de 2012, Rec. 110/2011) todavía se ajustaba al criterio precedente, contenía un voto particular que sirvió de referencia para una nueva perspectiva sobre esta cuestión en la siguiente STS de 5 de diciembre de 2012 (Rec. 265/2011). Esta última sentencia —con múltiples votos particulares— entendió que se lesiona el derecho de huelga cuando una empresa del sector de radiodifusión sonora y televisión emite programación o publicidad por medios automáticos, si con ello se vacía el contenido esencial de este derecho. Se advirtió, asimismo, que no cabe acudir al derecho de libertad de empresa como justificación, pues este no incluye facultades de reacción frente a la cesación del trabajo amparada por el derecho de huelga. Si bien se concluyó que es preciso probar, en cada caso, que mediante este tipo de actuaciones empresariales se está minando, realmente, la efectividad del derecho de huelga y, por ello, estimó el recurso empresarial al entender que esto no se producía en el supuesto que se examinaba.

Finalmente, la STC 17/2017, de 2 de febrero, constituye un hito fundamental en este debate sobre el esquirolaje tecnológico, por tratarse del único pronunciamiento con que contamos hasta la fecha en que el TC aborda frontalmente esta cuestión y que vino a corregir el sentido de la última tendencia en la doctrina del TS. La sentencia valoró, por un lado, la inexistencia de esquirolaje interno en la retransmisión de un partido de fútbol de *Champions League* por *TELEMADRID*, rehusando la alegación de desarrollo de tareas materiales de ejecución impropias de un trabajador no huelguista al que correspondían funciones de coordinación y, por otro lado, consideró que tampoco concurría esquirolaje tecnológico por la utilización de medios técnicos preexistentes, aunque de uso no habitual.

C) Esquirolaje en el ámbito de las contratas (llamado esquirolaje comercial u organizativo): Desde un primer momento, partiendo de la noción del derecho de huelga contemplada por la STC 123/1992, de 28 de septiembre, para la que no se circunscribe a garantizar la ausencia de sanción para los que deciden secundar el paro sino que —con base, a su vez, en la STC 41/1984— "también resulta esencial la consecución de una cierta eficacia", se contempló como una variante más de esquirolaje prohibido la formalización de contratas por las empresas que sufren la huelga con el fin de suplir los déficits en las prestaciones de servicios (o en la producción) originados por los trabajadores huelguistas de la propia empresa contratista (STS de 25 de enero de 2010, Rec. 40/2009: "no es lícito emplear en los servicios mínimos a los huelguistas y a otras personas en atender el resto de los servicios, ni, menos aún, contratar con otras empresas que presten servicios de refuerzo para cubrir aquellos que no se pueden atender").

Del mismo modo, se consideró inaceptable la irresponsabilidad de la empresa principal por actuaciones contrarias al derecho de huelga (incluidas las resoluciones de las contratas correspondientes que pudieran implicar la extinción de los contratos de trabajo de los trabajadores afectados por la empresa contratista), so pretexto de una pretendida ajenidad respecto a la relación laboral que sólo une a la persona trabajadora y la empresa contratista. En efecto, se entendió lógico que difícilmente se pueda considerar la huelga de los trabajadores de la empresa contratista como una situación ajena al empresario principal pues "es sobre quien habrán de recaer en última instancia los efectos económicos lesivos de la huelga y quien, por tanto, podrá estar igual o más interesado que el contratista en combatirla" (SSTC 75/2010 y 76/2010, de 19 de octubre, así como la serie de sentencias de 98/2010 a 112/2010, de 16 de noviembre, *SAMOA*[69]).

Sin embargo, se ha admitido el recurso por la empresa principal a nuevas contratas para suplir los déficits de actividad de la contratista en huelga, salvo en los supuestos en que exista especial vinculación entre ésta y aquélla, como en los casos de grupos de empresas (SSTS de 11 de febrero de 2015, Rec. 95/2014, GRUPO PRISA; de 20 de abril de 2015, Rec. 354/2014, *COCA COLA*; de 3 de octubre de 2018, Rec. 1147/2017, *GRUPO VOCENTO* y Rec. 3365/2016, *GRUPO ZETA*).

Así, como regla general, se considera que la prohibición legal de esquirolaje no impide que los clientes de empresas contratistas en huelga puedan utilizar los servicios de otras (STS de 16 de noviembre de 2016, Rec. 59/2016, *ALTRAD RODISOLA*), sin perjuicio de las prevenciones advertidas con relación a los supuestos de grupos de empresas y demás casos en que concurra una "*vinculación especial*" entre las empresas principales y contratistas; siendo admisible, asimismo, el redireccionamiento de los usuarios de la empresa en huelga a otras que se encuentren en plena actividad (STS de 11 de mayo de 2001, Rec. 3609/2000). En este sentido, la STS de 13 de julio de 2017 (Rec. 25/2017, *INDRA*) consideró que no existe este tipo de esquirolaje (ni tampoco tecnológico) cuando la empresa principal, contratante del servicio de telefonía (atención de llamadas telefónicas y resolución de averías), utiliza, como es habitual, un dispositivo automático para redistribuir entre los demás contratistas del servicio los requerimientos de llamadas cuando se producen picos de demanda. Sin embargo, en tiempos más recientes, la STS de 14 de noviembre de 2024 (Rec. 227/2022) decidió, en sentido contrario, sobre la base de un sistema de redistribución de tareas muy similar al del citado caso *INDRA*, que

69 Ello no obstante, la obligación de negociar durante la huelga para llegar a un acuerdo que ponga fin al conflicto que impone el art. 8.2 del RDLRT 17/1977, de 4 de marzo, no incumbe a la empresa principal comitente, sino a las empresas contratistas a cuya plantilla pertenezcan los trabajadores en huelga (STS de 23 de enero de 2017, Rec. 60/2016).

la empresa principal *TELEFÓNICA DE ESPAÑA, SAU* incurrió en conducta antisindical y vulneró el derecho de huelga durante el período de huelga al desviar la producción a otras empresas para sustituir la actividad de la empleadora de los huelguistas *CONSTRUCCIONES DE LAS CONDUCCIONES DEL SUR, SA*, (*COTRONIC*).

Como puede observarse, la diversidad de problemas que plantean las distintas modalidades de esquirolaje analizadas y, en especial, los vaivenes jurisprudenciales descritos, en muchos casos contradictorios, reclaman la formulación de una regulación legal nueva que siente las bases para un tratamiento jurídico ordenado y adecuado en una materia que es crucial para garantizar la eficacia del derecho de huelga. A ello se dedicará el siguiente subapartado.

5.1.2. Propuesta lege ferenda de tratamiento jurídico del esquirolaje

Desde una perspectiva de Derecho comparado, es posible obtener diversos modelos de tratamiento jurídico, con muy distinto cariz, que revelan las dificultades que esta materia ofrece en aras a la obtención de un paradigma regulatorio que, basado en una lógica jurídica uniforme, sea apto para proporcionar cierto consenso. Pero, a su vez, esta misma diversidad de enfoque a nivel internacional favorece la adopción, en la tarea de elaboración de una propuesta *lege ferenda* para el esquirolaje que aquí se inicia, de una postura flexible —o de *mente abierta*— que supere dogmas e ideas preconcebidas en nuestro país, sin perjuicio de los condicionantes de orden constitucional que, en nuestro sistema de relaciones laborales, delimitan el abanico de posibilidades disponibles y excluye directamente determinadas opciones.

Así, los distintos países abordan esta cuestión con muy diferentes respuestas entre los que es posible ejemplificar, frente a la tradicional prohibición española de esquirolaje externo, la opuesta hiperlaxitud permisiva propia de los EE.UU[70]., pasando por la regulación inter-

[70] La Ley nacional de relaciones laborales y derecho a ir a la huelga, estableció que, si el objetivo de una huelga es obtener del empleador alguna concesión económica, tales como salarios más altos, horarios más cortos o mejores condiciones de trabajo, los empleados en huelga son considerados huelguistas de

media francesa que prohíbe expresamente la contratación temporal mientras dure la huelga, pero no la indefinida y que admite ejercer la movilidad funcional con los trabajadores no temporales que no hayan secundado la huelga. En Italia, desde el Estatuto de los Trabajadores de 1970, que reguló aspectos aislados tales como las conductas antisindicales por parte del empresario motivadas por la huelga, parte de la doctrina y jurisprudencia se mostró contraria al esquirolaje, por considerarlo práctica antisindical (Domínguez Bautista, 1993, p. 19), si bien hubo que esperar hasta la Ley 196/1997, de 24 de junio, sobre normas en materia de promoción de la ocupación (art. 1.4.b), para poder disponer, por vez primera, de una referencia legal expresa a la prohibición de la sustitución de trabajadores que ejerzan el derecho de huelga, si bien circunscrita a la contratación mediante ETTs (Bécares Guerra, 2013, p. 41-52[71]).

Atendiendo ya a nuestro país, el Proyecto de Ley Orgánica de Huelga de 1993, en la redacción de su art. 18.2[72], seguía mantenien-

carácter económico. Estos conservarán su condición de empleados y no pueden ser despedidos, pero pueden ser reemplazados por su empleador. Si el empleador ha contratado reemplazos permanentes que se hallan ocupando los trabajos de los huelguistas de carácter económico, cuando los huelguistas solicitan incondicionalmente volver a trabajar, los huelguistas no tienen derecho a la reincorporación en ese momento. Sin embargo, si los huelguistas no obtienen un empleo regular y sustancialmente equivalente, podrían tener derecho a ser llamados para trabajos para los que estén calificados cuando aparezcan vacantes.

71 El autor citado se refiere, asimismo, a algunas normas posteriores que fueron ampliando la tan concreta prohibición expresa inicial comentada para abarcar otros supuestos, como el Decreto Legislativo 368/2001, de 6 de septiembre, de trasposición de la Directiva 1999/70/CE, relativa al Acuerdo Marco sobre el trabajo a tiempo determinado, que estableció en su art. 3.1.a) que "la indicación de un término en la duración de un contrato de trabajo subordinado no será admitida para la sustitución de los trabajadores que ejerzan el derecho de huelga", evitando el uso de tales modalidades contractuales con la manifiesta intención de vulnerar el ejercicio de este derecho fundamental. Por último, el autor citado se refiere al Decreto Legislativo 276/2003, de 10 de diciembre, de actuación en materia de ocupación y mercado de trabajo, dictado en desarrollo de la Ley 30/2003, 14 de febrero, que "aclaró que tanto el contrato de suministro como el intermitente quedaban prohibidos para la sustitución de trabajadores que ejerzan el derecho de huelga [arts. 20.5.a) y 34.3.a)]".

72 El art. 18.2 del citado Proyecto decía: "En tanto dure la huelga, los trabajadores que participen en ella no podrán ser sustituidos por otros trabajadores no vinculados a la empresa en la fecha de declaración de la huelga, sin perjuicio

do una línea similar a la contenida en la regulación vigente (art. 6.5 RDLRT), en cuanto a la prohibición de sustitución de los trabajadores huelguistas por otros no vinculados a la empresa en el momento de iniciarse la misma (esquirolaje externo), salvo en caso de incumplimiento de los servicios de seguridad y mantenimiento o de los servicios esenciales para la comunidad. Por lo demás, en aquel texto tampoco se especificaba si era posible la sustitución por trabajadores adscritos a centros de trabajo distintos y otras cuestiones más modernas, como el llamado esquirolaje tecnológico o el organizativo/comercial, quedaban desatendidas.

A la vista de estas carencias del modelo del Proyecto de 1993 y de la regulación vigente y ante la enorme disparidad de criterios y soluciones que ofrecen las alternativas de Derecho comparado, sin perjuicio de su interés jurídico y la inspiración que puedan aportar en el esquema de partida, considero procedente en esta materia la formulación de una propuesta de regulación jurídica totalmente *ex novo* que se fundamente en el análisis conceptual y el razonamiento lógico. De este modo, con apoyo en una noción estricta de huelga (véase: Rodrigo Sanbartolomé, 2025) entendida como mecanismo de reequilibrio del precio de la mano de obra (y de las condiciones de trabajo) —la cual debería corresponderse con el contenido esencial infranqueable del derecho a la misma que, a su vez, habría delimitar el alcance de la prohibición de esquirolaje establecida para la protección del mismo—, en lo que sigue elaboraré mi propuesta legal con relación a esta cuestión trascendental para la protección de la eficacia del derecho de huelga.

En ella tratará de darse cuenta de las distintas posibilidades que la moderna realidad económica, social y laboral presenta, tratando de aplicar, en cada caso, el planteamiento general descrito al inicio de esta obra. Esto es, partiendo de la necesidad de protección de la eficacia del derecho de huelga mediante la prohibición de las conductas que puedan contrarrestar la retracción de la oferta de trabajo que con ella se pretende en el ámbito correspondiente, habrá que

---

de lo previsto en los artículos 8 y 16 de esta Ley". (Estos dos últimos artículos se referían a servicios de mantenimiento y al incumplimiento de los servicios esenciales para la comunidad).

limitar, a su vez, el alcance de dicha prohibición en lo necesario para garantizar el contenido esencial de los demás derechos implicados, evitando que se rompa el equilibrio que resulta de la aplicación del principio de proporcionalidad arriba estudiado y respetando, así, la necesaria conciliación de todos los derechos constitucionales que se enmarcan en el modelo constitucional vigente.

Como primer punto de partida, a su vez lógico correlato de las anteriores conclusiones, a mi juicio, el precepto vigente previsto en el art. 6.5 RDLRT puede resultar suficiente, como premisa base, para la formulación de una proposición *lege ferenda* de una regulación idónea para esta materia. Es más, contrariamente a lo defendido por un importante (cualitativa y cuantitativamente) sector de la doctrina[73], y pese a que —como es bien sabido— dicho precepto esté contenido en una norma preconstitucional, con grandes deficiencias formales y materiales, que acusa —en general— la obsolescencia derivada del paso de más de 40 años, en este concreto aspecto de régimen jurídico del esquirolaje, considero que la regulación que inspira dicho precepto, con las necesarias adaptaciones a cuestiones particulares no atendidas en el mismo y, sobre todo, con sujeción a las actualizaciones que requieren las necesidades de nuestro tiempo, puede ser la más ajustada a una noción estricta de huelga, así como la más respetuosa con los demás derechos y valores concomitantes. Si bien lo cierto es que, también aquí, es posible y deseable —pero partiendo de dicha regulación— proponer la incorporación de algunos cambios y mejoras, sobre todo en cuanto a su alcance, de modo que extienda y optimice su eficacia sobre los distintos supuestos controvertidos.

---

[73] Así, por ejemplo, Grau Pineda (2021, pp. 33-31) destaca el acrecimiento de los fenómenos de la descentralización productiva y de las *TICS*, junto con la renovación de las medidas de conflicto colectivo y la precaria y obsoleta regulación de la huelga respeto de la cual muchos autores consideran que la labor jurisprudencial ha perjudicado y "acomodado" al legislador en la tarea de renovación de esta normativa preconstitucional. Cita, en este sentido, a Monereo Pérez (2008, p. 263) al afirmar que se trata de "un modelo de huelga del Tribunal Constitucional". Entiende que todo ello ha configurado un "coctel molotov" que ha provocado litigiosidad y la necesidad de pronunciamientos de los tribunales ordinarios y constitucional con relación al contenido esencial de dicho derecho fundamental.

Desde la perspectiva esbozada, simplemente sustituyendo el término *empresa* del citado precepto por una referencia *al ámbito de la huelga*, podría ofrecerse una solución muy sencilla, aplicando la misma lógica que ahora se prevé para el esquirolaje externo, a muchos otros supuestos del denominado esquirolaje interno que, ahora, reciben soluciones jurisprudenciales muy dispersas.

En realidad, todas las soluciones que van a proponerse parten de la premisa de la existencia de una sola noción de esquirolaje (el externo) pero cuya prohibición debería articularse por referencia al ámbito concreto de cada huelga (y no necesariamente al ámbito empresa —como hace el art. 6.5 RDLRT— o centro de trabajo —como en el caso del art. 8.10 LISOS—) y sin quedar limitada a los supuestos de contratación de nuevos trabajadores, sino comprendiendo también los de adscripción de trabajadores ya vinculados a la empresa. En otras palabras, se trataría de aplicar la misma lógica de la prohibición de esquirolaje externo a nivel empresa actualmente vigente en el art. 6.5 RDLRT, pero adaptándola según el ámbito real de la huelga convocada, ya sea el de empresa (entendida, en su caso, como todo el grupo de empresas en su conjunto cuando proceda —como veremos en su momento—), centro de trabajo, unidad productiva autónoma/sección o, en su caso, el grupo profesional.

Bajo este enfoque, a la vista de las distintas posibilidades fácticas que las sociedades y economías modernas plantean, así como tratando de dar solución concreta y adaptada a las diferentes cuestiones jurisprudenciales planteadas en el subapartado anterior, es posible innovar sobre la regulación vigente de la forma que se describe en los apartados siguientes:

a. Conductas ilícitas o fraudulentas: sustitución externa al ámbito de la huelga (incluida la preventiva conectada con el inicio de la conflictividad)

La contratación-adscripción de trabajadores sustitutos que rompan el nuevo equilibrio entre oferta y demanda de mano de obra generada con el proceso huelguístico ha de entenderse necesariamente contraria al eficaz ejercicio del derecho de huelga y, por tanto, vulnerador de dicho derecho fundamental. Ahora bien, tal vez, sería posible mejorar la dicción del precepto vigente para concretar con mayor precisión el ámbito (y el momento) de actuación de la prohibición de esquirolaje. En este sentido, yendo más allá del sencillo cambio propuesto antes, podría ensayarse un nuevo texto más completo, que optimice la redacción y concrete mejor el mandato del vigente, a la vez que describa mejor la idea que propongo. Para tal fin, podría servir el siguiente:

> ***Artículo 7***
>
> *1. Mientras dure la huelga, queda prohibida la adscripción al ámbito para el que haya sido convocada de trabajadores que no formen parte del mismo al momento de iniciarse el conflicto, tanto mediante la contratación (directa o indirecta a través de empresas de trabajo temporal) de trabajadores nuevos como a través de la movilidad de trabajadores correspondientes a otros ámbitos.*
>
> *A los efectos anteriores, por ámbito de la huelga se entenderá la empresa (o, cuando proceda, el grupo empresarial) en su totalidad, el centro de trabajo, la unidad productiva autónoma o el grupo profesional, en función del área de actuación identificada en la convocatoria de huelga.*
>
> *La movilidad o adscripción de trabajadores no huelguistas a los puestos de trabajo de los huelguistas dentro de cada uno de estos ámbitos no se considerará esquirolaje prohibido.*

Aun cuando pueda parecer lo contrario, no se trataría con este tipo de regulación de prohibir tanto el esquirolaje externo como el conocido, hasta ahora, como esquirolaje interno. En realidad, en la propuesta de precepto indicada, la prohibición afecta en todo caso al esquirolaje externo, con la única matización que, a diferencia de lo que ocurre en el precepto vigente, el punto de referencia sobre el que valorar la sustitución prohibida no sería siempre y necesariamente la empresa en su conjunto (el actual art. 6.5 RDLRT dice que "no podrá sustituir a los huelguistas por trabajadores que no estuviesen vinculados a la empresa"), sino que el parámetro válido para la valoración de la validez de la conducta empresarial vendrá determinado por el ámbito al que se extienda la huelga elegido por los convocantes. Así pues, lo crucial será valorar si en el ámbito de la huelga, la conducta empresarial rompe el nuevo equilibrio de precio de la fuerza de trabajo creado con la contracción de la oferta de mano de obra generada por la huelga. Si, tanto mediante la contratación de nuevos trabajadores como mediante la utilización de trabajadores de otros ámbitos, se rompe dicho equilibrio, estaremos ante una vulneración del derecho de huelga. De este modo, en la literalidad del precepto, se ampliarían las posibilidades de esquirolaje al comprender también en caso de huelgas de grupo profesional, o de sólo un centro de trabajo o sección de la empresa, la utilización de trabajadores ya vinculados a la empresa, pero procedentes de otros ámbitos.

En contrapartida, a mi juicio, habría de admitirse el ejercicio legítimo del *ius variandi* empresarial dentro del ámbito de la huelga incluso cuando ello suponga que los puestos de los trabajadores huelguistas sean ocupados por otros trabajadores, si estos sustitutos no huelguistas pertenecen al mismo ámbito en el que opera la huelga. Aunque este aspecto será analizado con más detalle en el apartado que he titulado *movilidad interna no abusiva* conviene detenerse aquí en advertir que las consecuencias serían más trascendentes de lo que —tal vez— a priori haya podido parecer. Así, por ejemplo, si la huelga se convocó a nivel empresa como conjunto, debería admitirse la movilidad entre trabajadores de distintos centros de trabajo, e incluso entre grupos profesionales diferentes, si bien, lógicamente, con sujeción a lo previsto en los arts. 39, 40, 41 ET y concordantes. Al fin y al cabo, en el ámbito de la huelga con estas medidas no se alterarían cuantitativamente las fuerzas de trabajo disponibles dentro del mismo (manteniéndose la correlación entre oferta y demanda de trabajo), si bien se permitiría a la empresa gestionar la organización del trabajo y modular la concreción específica del punto de imputación de la carencia de mano de obra, según sus necesidades. En definitiva, si la huelga es un derecho de titularidad individual, pero de ejercicio colectivo (STC 11/1981, 8 de abril), no tiene sentido garantizar la eficacia del derecho de huelga a nivel puesto de trabajo de cada huelguista, sino que éste podrá ser cubierto siempre que, en el ámbito en que se desarrolla la huelga, se respete el efecto colectivo de disminución de la mano de obra disponible en que ésta consiste.

Esta solución —que imagino podrá resultar impopular para determinados puntos de vista— creo que garantiza, a su vez, eficazmente el ejercicio del derecho fundamental de huelga, atendiendo a su verdadera naturaleza (contracción colectiva de la oferta de trabajo) a la vez que lo concilia con el respeto y mantenimiento de las facultades empresariales de gestión que no sean invasivas de aquél. Adicionalmente, no hay que perder de vista que, incluso en estos casos de cobertura/sustitución interna de los puestos de trabajo de los huelguistas con otros trabajadores no huelguistas pertenecientes al mismo ámbito afectado por la huelga, los puestos de estos últimos quedarían desatendidos, desplazándose el centro de imputación concreto de la efectividad de la huelga por virtud del *ius variandi* empresarial, pero manteniéndose el desequilibrio oferta-demanda de trabajo en dicho ámbito como conjunto, ya que, en todo caso, se mantiene la prohibición de compensar las carencias de mano de obra con nuevas contrataciones o, en su caso, mediante la adscripción de trabajadores procedentes de otros ámbitos no afectados por la huelga.

Finalmente, junto con la modificación propuesta —ya explicada— en cuanto al ámbito sobre el que debería aplicarse la valoración de la sustitución de trabajadores, a modo de prevención frente a eventuales conductas fraudulentas, he incorporado también una matización en cuanto al momento temporal sobre el que habría de realizarse: "al momento de iniciarse el conflicto". Se trata con ello de evitar conductas empresariales que, ante la evidencia del conflicto, traten de efectuar las contrataciones o cambios prohibidos, preventivamente, ante la sospecha o amenaza de huelga. Con la dicción del precepto propuesto, en estos casos, estas prohibiciones actuarían determinando —en caso de que finalmente se convoque la huelga— la ilegalidad de las actuaciones empresariales de este tipo realizadas desde que existan pruebas de que se inició el conflicto.

b. Conductas abusivas y/o fraudulentas con relación al tiempo de trabajo

Bajo este mismo concepto de huelga basado en el equilibrio entre oferta y demanda de trabajo en su ámbito de actuación, resultaría precisa también la prohibición, mientras dure la misma, de posibles ampliaciones del tiempo de trabajo que correspondiera a los trabajadores no huelguistas en el momento de iniciarse el conflicto. Tanto cuando ello tenga lugar con vocación de permanencia a través de la modificación de su jornada de trabajo, por acuerdo entre empresario y trabajador o, en su defecto, mediante modificación sustancial de las condiciones de trabajo (art. 41 ET) o, de forma coyuntural, acudiendo al mecanismo de la distribución irregular de jornada o al ofrecimiento horas extraordinarias[74].

En efecto, en estos casos, aun no tratándose de esquirolaje en sentido estricto entendido como sustitución de los trabajadores huelguistas por otros, desde la perspectiva que fundamenta mi propuesta, la ampliación del tiempo de trabajo de los trabajadores disponibles supone, igualmente, desvirtuar la retracción de la oferta de trabajo pretendida por la huelga. Pues, aun sin incorporar nuevos efectivos al ámbito de la huelga, la empresa compensa la disminución de la fuerza de trabajo originada por los huelguistas con el incremento del tiempo de disponibilidad de la mano de obra no huelguista. Estas conductas, si pueden asociarse al momento de inicio del conflicto y, salvo que se pruebe que obedecen a causas independientes del proceso huelguístico (como, por ejemplo, que ya estuvieran acordadas, tiempo atrás, las modificaciones de jornada en acuerdo de empresa o pactada la realización de horas extraordinarias por motivos productivos de previsión de picos de demanda, etc.) han de considerarse ejercicio abusivo de las facultades empresariales de organización del tiempo de trabajo, en la medida en que, aun bajo el pretexto de servir a las necesidades propias del proceso productivo, conducen a contrarrestar la eficacia de la huelga y vacían de contenido el ejercicio de este derecho.

De esta forma, incluso, se podría prevenir que estas conductas abusivas puedan degenerar en fraudulentas, cuando la realización de las horas extraordinarias o la distribución irregular de la jornada se compense con períodos descanso o disminuciones del tiempo de trabajo del personal afectado por estas medidas, con posterioridad, una

---

[74] Al respecto del ofrecimiento de horas extraordinarias como medida vulneradora del derecho de huelga cabe referirse a la STSJ (Comunidad Valenciana) de 15 de diciembre de 2009, Rec. 2756/2009, de la que fue ponente el Ilmo. Sr. D. Manuel Alegre Nueno, que concretó que la simple petición (no constando acreditada una actitud conminatoria, ni que las peticiones se pretendieran imponer de modo coactivo) a los trabajadores encargados de prestar los servicios mínimos de que realizasen horas extraordinarias (que no fueron aceptadas) o tareas que no les corresponden, no implica la existencia de un comportamiento que haga impracticable el derecho de huelga o que lo dificulte.

vez finalizada la huelga[75], y para compensar entonces la necesidades de trabajo de la empresa se contraten a nuevos trabajadores eludiendo, así, que dichas contrataciones puedan relacionarse en el tiempo con la huelga y que puedan ser calificadas como esquirolaje. No obstante lo cual este tipo de pretensiones deben ser valoradas como lo que son: esquirolaje diferido. En cualquier caso, todos estos problemas podrían evitarse con una solución de regulación adicional como la que, a continuación, se propone para el apartado 2º del art. 7:

> ***Artículo 7***
> *2. Mientras dure la huelga, se presumirán abusivas las ampliaciones del tiempo de trabajo de los trabajadores no huelguistas adoptadas desde el inicio del conflicto, bajo cualquiera de las modalidades legalmente previstas, salvo que se pruebe que las mismas ninguna conexión guardan con el proceso huelguístico.*

c. Conductas lícitas (Movilidad interna no abusiva)

Como ha sido advertido (García Murcia, 2014, p. 106), generalmente, bajo las concepciones que defienden la huelga como un medio para producir daño en la empresa, se entiende que el derecho de huelga persigue una alteración o, en su caso, paralización de la actividad empresarial, al menos en lo que afecta a los puestos de trabajo de

---

75 Como es sabido, la configuración en cómputo anual por el art. 34 ET de la jornada máxima de 40 horas semanales de promedio, permite la compensación de semanas de mayor actividad con otras de menor volumen de trabajo, siempre que respeten los períodos legales mínimos de descanso diario (entre el final de una jornada y el comienzo de la siguiente han de mediar, como mínimo, doce horas) y semanal (con carácter general, día y medio ininterrumpido, que se puede acumular por períodos de hasta 14 días). La distribución irregular a lo largo del año, así como la compensación de las diferencias de tiempo de trabajo resultantes, se pueden pactar por convenio colectivo o acuerdo de empresa, pero, en defecto de pacto, la empresa podrá distribuir de manera irregular a lo largo del año el 10% de la jornada y compensar las diferencias derivadas en el plazo de doce meses desde que se produzcan. La vía anterior es una alternativa para el empresario que necesite mayor mano de obra en un período concreto y no quiera (o no pueda, por haber superado el máximo anual de 80 al año), conforme al art. 35 ET, tener que pagar horas extraordinarias (que, además, son de aceptación voluntaria por los trabajadores) o compensarlas por descansos adicionales (en defecto de pacto, dentro de los cuatro meses siguientes a su realización).

los huelguistas o a la clase de tareas que a ellos corresponde desarrollar, que en todo caso deberían quedar sin atender. Sin embargo, el objetivo del Proyecto de Ley que se propone en este estudio consiste en ofrecer fórmulas que, en la medida de lo posible, posibiliten la conciliación de los distintos derechos constitucionales, de modo que, en estos supuestos, habría de tratar de compatibilizarse la consecución del efecto de contracción de la oferta de mano de obra en el ámbito correspondiente y el respeto a las capacidades de gestión empresarial (*ius variandi*) de la mano de obra disponible (trabajadores no huelguistas). Así, incluso tras la aplicación de las prohibiciones propuestas en los subapartados anteriores, queda espacio suficiente para permitir el logro del objetivo propuesto. También, desde la perspectiva de la literalidad de la norma vigente (art. 6.5 RDLRT) que se refiere a que "en tanto dure la huelga, el empresario no podrá sustituir a los huelguistas por trabajadores que no estuviesen vinculados a la empresa al tiempo de ser comunicada la misma (…)", *sensu contrario,* se derivan dos posibilidades: a) la sustitución de los huelguistas por trabajadores que sí estuvieran ya vinculados a la empresa al iniciarse la huelga y b) la contratación de nuevos trabajadores si no es para sustituir a los huelguistas.

Teniendo presente lo anterior, como se desprende de las consideraciones precedentes, es necesario atender a la concreción del ámbito específico en que se haya convocado la huelga. En el caso de que se trate de una huelga de un centro de trabajo concreto funcionalmente especializado cuya actividad constituya una parte imprescindible para el completo desarrollo del proceso productivo de la empresa, de una sección determinada que constituya una unidad productiva autónoma, o de un grupo profesional concreto (por ejemplo, por un conflicto económico o de intereses para la negociación de un convenio franja), no será posible admitir la sustitución de los trabajadores de dicho centro de trabajo, sección o grupo profesional por otros no huelguistas de otros centros de trabajo, secciones o de grupos profesionales diferentes.

En efecto, en este caso, sí que parece razonable la *analogía legis* con lo pretendido por el art. 6.5 RDLRT al prohibir la contratación externa de trabajadores sustitutos de los huelguistas, en la medida en que, en estos casos planteados, el conflicto laboral y la presión huelguística se concreta en un determinado ámbito (espacio geográfico, unidad o unidades productivas o colectivos) y la sustitución por trabajadores no huelguistas incluso vinculados ya a la empresa en otros ámbitos, supone idéntico efecto de anulación de la contracción de la oferta de trabajo que con la huelga se pretende, mitigando la presión concreta en esos ámbitos específicos mediante su dilución en el conjunto de la empresa. Sin embargo, dentro del centro de trabajo, unidad productiva-sección, o grupo profesional en huelga, sí que debería estar permitida la movilidad interna de los efectivos disponibles (no huelguistas) en dichos ámbitos, siempre que no se realicen nuevas contrataciones de mano de obra con destino a dichas áreas. Mientras quede preservada la correlación/ponderación de fuerza de trabajo en el ámbito afectado por la huelga, debería permitirse la movilidad interna dentro de dicho ámbito e, incluso, la contratación laboral nueva externa si va destinada a otros ámbitos diferentes de la empresa no afectados por la huelga.

Incluso atendiendo, de *lege data*, a la regulación vigente, a esto último no obsta el art. 6.5 RDRLT, que refiere literalmente a que "en tanto dure la huelga, el empresario no podrá sustituir a los huelguistas por trabajadores que no estuviesen vinculados a la empresa al tiempo de ser comunicada la misma (...)", pudiendo, por tanto, contratarse nuevos trabajadores para otros ámbitos de la empresa a los que no se extienda la convocatoria de huelga, pues los nuevos trabajadores sólo podrán ser empleados en dichos ámbitos y, al no admitirse la movilidad entre dichas áreas y las afectadas por la huelga, no podrán sustituir, en ningún momento, ni siquiera indirectamente, a los huelguistas.

No obstante, es preciso prevenir la posibilidad de supuestos de fraude frente al esquema anterior, en los que, aun afectando la huelga a un solo centro de trabajo, la actividad de este no sea parte imprescindible del proceso productivo de la empresa y, por tanto, sea sustituible por la actividad de otros centros de trabajo. Así, podría ocurrir que la empresa implementase la derivación y aumento de la producción o de la prestación de servicios hacia otros centros de trabajo con autonomía productiva suficiente, acompañando la contratación de nuevos trabajadores para atender dicho incremento productivo en estos otros centros de trabajo de la empresa no afectados por la huelga.

En tales casos, la prohibición de esquirolaje debería extenderse por el juez, una vez verificado el fraude de ley, aplicándose —con las consiguientes consecuencias indemnizatorias por lesión del derecho de huelga y, en su caso, sancionadoras— para estos hechos fraudulentos, referida a toda la empresa, con independencia del ámbito concreto para el que hubiera sido convocada la huelga, puesto que, de acuerdo con el art. 6.4 CC, los actos en fraude de ley no han de impedir la debida aplicación de la norma que se hubiere tratado de eludir.

Análogamente, más abajo propondré, al tratar del recurso a contratas intragrupo o red durante la huelga —cuando no corresponda la consideración como empresario único (pues en ese caso procederían las reglas anteriores)—, una aplicación de la prohibición de esquirolaje (y de las ampliaciones de tiempo de trabajo) a nivel de todo el grupo empresarial (o red) a que pudiera pertenecer (o estar vinculada) la contratista que sufre la huelga, aunque la convocatoria afecte sólo a esta y no a todas las empresas vinculadas. Si bien, en estos casos, con el importante matiz que este otro tipo de situación no tendría por qué considerarse siempre fraudulenta por sí misma, sino como mero ejercicio de la libertad de contratación mercantil por la contratista afectada por la huelga, que debería poder subcontratar la producción o el servicio con terceros, pero si lo hace en favor de subcontratistas controladas por ella, ante el riesgo cierto de elusión de la prohibición de esquirolaje externo, habría que extender tal interdicción a todas las empresas vinculadas implicadas.

En coherencia con el esquema anterior propuesto, cuando la huelga se convoque y desarrolle en el conjunto de la empresa[76], sin afección específica de un determinado ámbito, debería permitirse

---

[76] Cabe recordar que la STC 11/1981, de 8 de abril (F.J. 15b) entendió inconstitucional la exigencia de que la huelga se adopte y convoque necesaria e individualizadamente por centros de trabajo: "Por decirlo de algún modo, las huelgas intercentros serían sólo una suma de las huelgas parciales de cada centro. La exigencia de la declaración de huelga centro por centro no tiene verdadera justificación y no tiene más sentido que el de buscar medios de limitación, en lo posible, de los conflictos, especialmente en aquellos casos en que se presume —y estos casos no serán infrecuentes— que la decisión de huelga puede ser más fácil en unos centros que en otros".

la movilidad interna (con sujeción a los límites previstos en el art. 39 y, en su caso, 40 y 41 ET) en la medida en que, dentro del ámbito afectado por el conflicto, la empresa debe conservar la capacidad de gestión de los medios que queden disponibles, mientras no se rompa la correlación o ponderación global de la fuerza de trabajo existente al iniciarse la huelga, mediante la contratación externa. Así pues, en este caso, se podrían movilizar internamente trabajadores (siempre sin incurrir en las conductas abusivas o fraudulentas relativas al tiempo de trabajo descritas en los apartados anteriores), sin que, en este caso, se debiera poder contratar externamente en ningún ámbito de la empresa, puesto que habría que presumir que dichas contrataciones pueden tener por objeto tanto la sustitución directa de los huelguistas como, en su caso, indirectamente, la sustitución de los sustitutos de los huelguistas movilizados internamente. Al fin y al cabo, aunque la actividad concreta de los huelguistas fuese suplida por la actividad laboral (sin incremento de su tiempo de trabajo) de los no huelguistas ya vinculados a la empresa, incluso de los adscritos a otros puestos de trabajo, grupos profesionales o centros de actividad de la misma, habrá que entender que la actividad habitual de estos sustitutos no huelguistas ya vinculados a la empresa en el momento de iniciarse la huelga, quedaría desatendida y aunque por virtud de dicho ejercicio del poder de organización y dirección empresarial derivado de la libertad de empresa, se estaría modificando, en mayor o menor medida, el área sobre la que se aplica la presión de la huelga, la efectividad de la misma seguiría siendo real y muy patente. Por cuanto la empresa como conjunto (ámbito en que, en este caso, se habría convocado y se estaría desarrollando la huelga) sufriría una contracción de la oferta de fuerza de trabajo y la consiguiente carencia de mano de obra en determinadas áreas (ya sean las de adscripción de los huelguistas o, en caso de movilidad funcional y/o geográfica, las habituales de los sustitutos) que no podría ser compensada o neutralizada con contrataciones de trabajadores nuevos, dada la prohibición de esquirolaje que, en este caso, sería aplicable a nivel global de empresa.

Así, desde la perspectiva de los convocantes, estos han de valorar que la elección del nivel empresa como ámbito de la huelga determinará que la prohibición de esquirolaje externo se extienda a la totalidad de la empresa, pero —como contrapartida— la empresa estaría habilitada para movilizar internamente trabajadores no huelguistas en todo el ámbito de la empresa. Por el contrario, en caso de seleccionar como ámbito de la huelga una unidad más específica, por ejemplo, un centro de trabajo, la empresa no podría movilizar trabajadores procedentes de otros centros de trabajo (sino sólo a los no huelguistas adscritos al centro de trabajo en huelga), pero en estos otros ámbitos no afectados por la huelga habría de poder seguir contratando nuevos trabajadores (y ejerciendo, normalmente, el *ius variandi* empresarial), siempre que no sea para atender fraudulentamente el desvío de la producción procedente del centro de trabajo en huelga.

d. La presunción iuris tantum del empleo de los medios tecnológicos disponibles como ejercicio lícito de la libertad de empresa

De acuerdo con la tesis defendida en este análisis, por principio, la utilización de los medios técnicos disponibles en la organización empresarial por su titular debe ser admitida, pues no supone alteración de la cantidad de oferta y demanda de mano de obra en el ámbito correspondiente a la huelga. En realidad, el derecho de propiedad (art. 33 CE) y el derecho de libertad de empresa (art. 38 CE) amparan que su titular pueda hacer uso libremente de todos los medios productivos que le pertenecen (o cuyo derecho de uso o disfrute le corresponda por virtud de otro título distinto al de propiedad: como arrendamiento, leasing, renting, usufructo, etc.) como también a los trabajadores en virtud de su libertad (art. 17 CE), derecho y libertad de trabajo (art. 35 CE) y derecho de huelga (art. 28.2 CE) les corresponde decidir el inicio y/o continuidad de la prestación de sus servicios laborales o, en su caso, su cesación temporal o definitiva. En mi opinión, las únicas limitaciones en este ámbito para la empresa deberían ser las que tengan que ver con la gestión o contratación de mano de obra (en cuanto sí incide directamente sobre el elemento del que la contraparte es titular) que puedan perjudicar la reconfiguración del precio de equilibrio de la misma originada por la huelga.

Si la actuación empresarial en cuestión no tiene relación directa con la gestión o contratación de mano de obra, limitando o anulando la eficacia de la contracción de la oferta de trabajo que la huelga determina, la gestión o utilización de sus propios medios de producción por la empresa debería presumirse, *iuris tantum*, como mera y legítima continuidad de su actividad empresarial amparada por el art. 38 CE[77], con la única salvedad de que, tratándose de medios adquiridos (o dispuestos) *ex novo*, se pruebe que su utilización conforma una estrategia anti-huelga que podría venir, en su caso, acompañada de una actitud conminatoria o coactiva hacia los trabajadores que se encarguen de los mismos o, en última instancia, de un ánimo de penalizar a los trabajadores huelguistas, vulnerando su derecho fundamental de huelga.

En este subapartado no considero adecuado formular una propuesta de redacción normativa que plasme esta presunción *iuris tan-*

---

[77] Por el contrario, la doctrina científica, por lo general, no presume el derecho legítimo al libre empleo de sus medios producción por el titular de la organización empresarial, sino que —tratando de aplicar analogías para ciertos supuestos con el tratamiento jurídico del esquirolaje externo e interno (como si la tecnología fuese fuerza de trabajo sustituyente)— se suelen diferenciar distintas situaciones, que Criado Martos resume (2020, p. 132), citando a Fernández Domínguez (2018), estructurándolas en varias posibilidades: 1) Una situación, donde los huelguistas son sustituidos mediante la utilización de máquinas que ya tenía la empresa en su poder y son utilizadas por los procedimientos habituales, en la que se coincide que no parece que contengan una situación de esquirolaje, puesto que se utilizan las máquinas que se utilizan normalmente y de la misma forma que en un día sin huelga. 2) Se utilizan medios tecnológicos con los que ya contaba la empresa, aunque no se utilizaran con asiduidad, con un procedimiento distinto al habitual con motivo de la huelga. En estos casos se suele hacer un paralelismo con las variantes tradicionales de sustitución de los trabajadores huelguistas y se consideran ejemplos claros de lo que se califica como esquirolaje «tecnológico». 3) Una especie de esquirolaje «mixto», en el que confluyen alguno de los dos tradicionales («externo» e «interno») con el «tecnológico», cuya licitud parece resolverse acudiendo a los criterios aplicables a los primeros. 4) Esquirolaje «automático» mediante máquinas que no precisan de un trabajador que las active, puesto que funcionan con algoritmos preestablecidos, para los que se propugna un criterio casuístico, basado en la intencionalidad del empresario y el efecto que produzca sobre la huelga, en orden a valorar su licitud. 5) Esquirolaje previo o diferido (en el que se encarga a trabajadores que no van a secundarla que tomen las medidas técnicas oportunas para que el día de la huelga la maquinaria funcione) y esquirolaje posterior (consistente en que la empresa refuerce la actividad con medios tecnológicos para recuperar la producción perdida por la huelga), debiendo estarse también en estos casos a las características de cada supuesto.

tum, puesto que, al fin y al cabo, sin necesidad de previsión legal específica, hay que presumir la legalidad de las actuaciones empresariales que se amparen en el ejercicio de un derecho legítimo, debiendo probarse por quién impute una actuación ilícita los hechos en que se fundamenta la misma (art. 24.2 CE). Alternativamente, en el caso de que la conducta empresarial reprochable no tenga que ver con las estrategias represivas o antisindicales que ahora abordamos, sino con los actos de gestión o contratación de mano de obra, antes referidos, que sean aptos para perjudicar la eficacia de la contracción de la oferta de trabajo que la huelga determina, bastaría con aplicar los preceptos propuestos en los apartados anteriores.

A mi modo de ver, por tanto, la efectividad de la huelga, sea total o parcial (con mayor o menor grado de intensidad), puede y debe depender del grado de adhesión, del momento y estrategia elegida, según las características del sector de actividad, etc. pero no conseguirse forzosamente, completando la falta de seguimiento de la huelga con la prohibición del uso de los medios disponibles en la empresa, pues ésta no sólo sería contraria a la libertad de empresa del empresario afectado y de trabajo de los no huelguistas, sino que —más allá— implica la pérdida de neutralidad del Estado en el sistema de las relaciones laborales, tomando partido, al imponer la inhibición empresarial, en favor del lado huelguista (que tampoco tiene por qué representar siempre y necesariamente el sentir mayoritario de los trabajadores afectados), sin consideración de cuál sea la representatividad y el grado de seguimiento en la huelga convocada.

Cuestión distinta es que se rompa esta presunción de legitimidad, cuando se demuestre que se han adquirido o adoptado nuevos medios técnicos en la empresa, precisamente con ocasión de la huelga, con el ánimo probado de que la transformación de la organización empresarial hacia una estructura tecnológica esté orientada, en realidad, a objetivos de represalia y penalización —incluso con el despido (que, en su caso, debería ser nulo por vulneración del derecho fundamental de huelga, arts. 53.4 y 55.5 ET)— de los trabajadores huelguistas.

Hay sectores de actividad (como el audiovisual) en los que el empleo de medios tecnológicos puede desvirtuar notablemente la apariencia de la huelga, como también en otros —por contraposición— el protagonismo de base de la mano de obra en ellos, normalmente, lo impedirá. Pero ello no es un problema de esquirolaje, que no lo hay, pues la huelga en sentido estricto —como he tratado de elucidar— se refiere a la reducción concertada de la oferta de fuerza de trabajo, y lo que ha de impedirse es que esta se contrarreste con contrataciones/sustituciones de mano de obra o ampliaciones del tiempo de trabajo, pero nada debería tener que ver con que la empresa no pueda ser libre de continuar la actividad con los medios disponibles (técnicos y humanos).

e. Contratación mercantil externa lícita, con excepciones en el seno de grupos de empresas o estructuras empresariales reticulares ("especial vinculación") y salvo prueba del ánimo de represalia contra la huelga

Como punto de partida o premisa básica, también en el caso de una empresa afectada por una huelga se ha de respetar la libertad de empresa de autoorganización, en su caso, mediante el recurso a la contratación interempresarial (externalización) de la que, como principio general, ha de gozar toda empresa, siempre que la contratación mercantil en cuestión no esté relacionada directamente con la mano de obra (por ejemplo, mediante la contratación de sustitutos a través de ETTs).

En efecto, dicha libertad para encargar a terceras contratistas las actividades afectadas por la huelga ha de reconocerse, como regla general, tanto si la empresa no tiene previamente externalizada su actividad como si ya forma parte de una organización descentralizada y, en este último caso, tanto si quien sufre la huelga ostenta en ella la posición de empresario principal o comitente como de contratista, puesto que —con las excepciones que serán advertidas más abajo— esto no implicará sustitución de la fuerza de trabajo en huelga, ni tampoco impedirá la efectividad de la misma, en cuanto la recontratación o nueva subcontratación de la obra o servicio tendrá un coste económico para la empresa en cuestión, cuya posición de mercado se verá, además, perjudicada, en beneficio de potenciales competidores.

Únicamente cabe advertir sobre dos excepciones o posibilidades a vigilar:

a) que las nuevas contratas que se formalicen una vez iniciada la huelga tengan lugar intragrupo, dentro de la red o, en general, en favor de empresas con especial vinculación (o controladas) con la empresa que recontrata o subcontrata la ejecución de sus actividades afectadas por la huelga. A mi juicio, estas nuevas contratas se deberían poder permitir, pero aplicándose entonces la prohibición de esquirolaje (y de ampliar el tiempo de trabajo) a todas las empresas del grupo o red o vinculadas, mientras dure la huelga;

b) que se pruebe que la externalización actúa con ánimo represivo frente a la huelga, optándose por la transformación de la estructura empresarial y, en su caso, por el despido a modo de represalia o penalización sobre los trabajadores huelguistas. Caso de producirse, dichos despidos deberían ser calificados como nulos por vulneración del derecho fundamental de huelga (arts. 53.4 y 55.5 ET).

Sin perjuicio del planteamiento general anterior, conviene concentrar el análisis en las cuestiones más controvertidas y de gran interés jurídico que surgen cuando la huelga se desarrolla en el ámbito de empresas que con el perfil de contratistas forman parte de estructuras organizativas empresariales descentralizadas. A mi modo de ver, habría que distinguir tres supuestos diferentes:

1.- La empresa principal que no es la que sufre la huelga (pero es la comitente o cliente de la contratista afectada por la huelga) recontrata el servicio con otra contratista nueva no vinculada de ningún modo a ella ni a la contratista. En este caso, debería reconocerse la libertad de contratación mercantil interempresarial, como la que corresponde según la premisa básica arriba descrita para el caso general de cualquier empresa, con independencia de que esté o no externalizada su producción de bienes o prestación de servicios en el momento de iniciarse la huelga.

2.- La contratista afectada por la huelga subcontrata el servicio con otra subcontratista nueva no vinculada de ningún modo a ella. En este caso, en aplicación del planteamiento general arriba descrito, también debe reconocérsele libertad de contratación mercantil con terceros empresarios, para que pueda seguir cumpliendo su contrato con la empresa cliente, comitente o principal, pagando el correspondiente precio a la nueva subcontratista e, incluso, favoreciendo la posición competitiva de mercado de ésta, que puede ser —muy probablemente— competidora directa de la empresa que sufre la huelga.

En efecto, ésta, aunque padezca la huelga, ha de poder subcontratar la producción o el servicio con otras empresas con el fin de dar cumplimiento al contrato con sus empresas principales o comitentes y/o clientes-usuarios. Ello no será obstáculo para la efectividad de la huelga, que seguirá siendo efectiva, pues las nuevas contratas tendrán costes asociados que le reducen o anulan el margen de beneficio que obtiene de sus clientes (ya sean empresas comitentes o particulares usuarios y consumidores) y, eventualmente, favorecerá la posición de mercado y márgenes de las empresas con las que subcontrata que pueden ser potencialmente sus competidores. Evidentemente, estos son daños importantes sobre los intereses de la empresa afectada por la huelga que implican que ésta está siendo efectiva y sometiendo a presión a aquélla.

3.- Empresario principal y/o contratista en huelga mantienen "vinculaciones especiales" no necesariamente entre ellas mismas, sino que lo relevante es si la recontratación por el empresario principal o la subcontratación por la contratista afectada por la huelga se realiza en favor de una nueva contratista que forme parte del mismo grupo de empresas o red a que puedan pertenecer la empresa principal y la contratista afectada por la huelga o, al menos, del de esta última (u otra vinculación especial acreditada por los criterios consolidados: unidad de caja, confusión plantillas, dirección única, etc.)[78],

---

[78] Aparece aquí una cuestión de importancia radical a estos efectos, a saber, la relativa a la definición de cuándo estamos frente a una situación de "especial vinculación" entre las empresas implicadas. Al respecto, es tradicional distinguir distintas tipologías de entramados empresariales: a) La empresa-red que se basa en la existencia de una empresa grande y principal con la que colaboran distintas empresas pequeñas jurídicamente independientes y especializadas en determinadas fases de su ciclo productivo; b) El distrito industrial o conglomerado regional, que es un modelo muy similar al anterior en cuanto supone la subdivisión del ciclo productivo y la colaboración de diversas empresas para la consecución del producto final, pero —a diferencia de aquél— el distrito industrial siempre está localizado y ligado a un territorio determinado, no existe una

empresa dominante y puede estar basado en lazos sociales y culturales; c) Otra forma muy parecida a las anteriores es la constituida por la colaboración entre las llamadas empresa cabeza y empresas mano en las que la primera realiza la parte principal y de diseño del ciclo productivo, mientras que las segundas desarrollan las tareas más intensivas en mano de obra; d) El trabajo a distancia (el teletrabajo y el trabajo a domicilio) constituyen variantes de gran expansión y desarrollo en la actualidad que pueden formar parte, o no, de los entramados empresariales descritos; e) Grupos de empresas.

Desde el punto de vista jurídico-laboral los elementos a considerar para entender que hay vinculación o control sobre las empresas implicadas que llevaría a la asimilación de la situación a la de la existencia de un único empleador, son: 1.- Confusión de patrimonio entre las distintas empresas del grupo (*caja única*). Se comparten beneficios y pérdidas a través de una contabilidad única, o plural pero comunicada o comunicable; 2.- Prestación de servicios por los trabajadores de manera indiferenciada para distintas empresas del grupo (*confusión de plantillas* o *plantilla única*); 3.- Las distintas empresas se someten a una *dirección única*. Junto con el anterior, en lo laboral, determina que, aunque los trabajadores de las distintas empresas del grupo o red hayan concertado sus contratos de trabajo con entidades o empresas con personalidad jurídica diferenciada desde el punto de vista formal y mercantil, de facto, quedan sujetos al poder de organización y dirección de todo el grupo o de la empresa matriz. Es por ello que, a efectos de este estudio, el grupo o red recibiría el tratamiento de una sola empresa o empleador único; 4.- *Apariencia externa unitaria*: cuando todas las empresas implicadas operan, contratan en el tráfico jurídico o intervienen en el mercado bajo una misma o similar denominación o imagen de marca, etc.

Las SSTS de 3 de octubre de 2018 (Rec. 1147/2017, *GRUPO VOCENTO*, y Rec. 3365/2016, *GRUPO ZETA*), partiendo de la fundamentación de la STS de 11 de febrero de 2015, Rec. 95/2014, *GRUPO PRISA*, contienen una síntesis muy didáctica del tratamiento que la jurisprudencia (en ausencia de reglas legales específicas en el ámbito laboral sobre esta materia) ha otorgado a estas estructuras empresariales. Así, por principio, el hecho de que varias empresas tengan vínculos entre sí, no determina directamente ningún efecto laboral. Es decir, hay que considerar que cada una de las empresas que integran el grupo responde de forma independiente de las obligaciones que contraiga con sus propios trabajadores. "No es suficiente que concurra el mero hecho de que dos o más empresas pertenezcan al mismo grupo empresarial para derivar de ello, sin más, una responsabilidad solidaria respecto de obligaciones contraídas por una de ellas con sus propios trabajadores" (SSTS 21 diciembre 2000, Rec. 1870/1999; 26 de septiembre de 2001, Rec. 558/2001; 27 de mayo de 2013, Rec. 78/2012; 12 de julio de 2017, Rec. 278/2016). En el mismo sentido, las SSTS de 26 de diciembre de 2001 (Rec. 139/2001) y 23 de enero de 2002 (Rec. 1759/2001), entendieron que, desde la perspectiva jurídico laboral, la libertad de empresa consagrada en el art. 38 CE ampara la creación de organizaciones empresariales en forma grupal y el hecho de la existencia de un grupo de empresas organizado como tal en nada afecta a las relaciones laborales, conservando cada pues entonces sí que hay riesgo cierto de esquirolaje indirecto. Es decir, en estos supuestos sí que aparece la posibilidad de que el encargo a la nueva empresa contratista *controlada,* tenga por objetivo que sea esta quien contrate nuevos trabajadores para atender al incremento de volumen de su negocio. En estos casos, se podría optar por permitir la formalización de estas contratas, pero aplicando la prohibición de esquirolaje (y de las ampliaciones de tiempo de trabajo) a todo el grupo, a todas las empresas en red implicadas o conectadas por vínculos especiales.

Según mi propuesta de regulación jurídica, en los casos en que, por apreciarse la concurrencia de las características determinantes de que al grupo empresarial debamos dotarlo de un tratamiento de *grupo laboral* o empleador único (en el sentido del art. 1.1 ET), se debería aplicar la norma general propuesta en el art. 7.1 del Proyecto de Ley propuesto en este estudio, considerando a las diferentes empresas del Grupo como si de distintos centros de trabajo de la misma empresa se tratase. Así, en caso de que se convocara la huelga en una empresa del Grupo y se desviara la producción a otra empresa de este, habría que considerarlo —como se expuso en aquel momento— una conducta fraudulenta que no evitaría la aplicación de la prohibición de esquirolaje externo, para este caso, al ámbito de todo el Grupo.

En los demás casos, se hubiera podido optar, directamente, por prohibir las subcontrataciones en favor de empresas controladas, pero, seguramente, sea más acorde con la libertad de empresa de contratación interempresarial, decantarse por la alternativa de permitir la formalización de estas nuevas contratas con otras empresas

---

empresa las suyas propias y las responsabilidades que de ellas deriven, sin que se produzca comunicación de responsabilidades ni de obligaciones laborales. Por tanto, el concepto de grupo de empresas para el ordenamiento laboral es coincidente con el del resto del ordenamiento jurídico. Sin embargo, al igual que sucede en otras ramas del Derecho, la presencia de determinadas características (confusión de plantillas, intercomunicación de patrimonios...) puede llevar a los órganos judiciales a entender que el grupo puede ser considerado como el verdadero empresario y, en consecuencia, procede comunicar las responsabilidades entre sus integrantes (SSTS de 22 de septiembre de 2014, Rec. 314/2013; 7 de junio de 2016, Rec. 124/2015 y 24 de septiembre de 2015, Rec. 309/2014).

vinculadas (a la contratista o, en su caso a ambas, principal y contratista), pero previendo, para tales supuestos, que no se debería poder contratar nuevos trabajadores externamente (ni ampliar tiempos de trabajo) por ninguna de las empresas vinculadas, puesto que habría de presumirse que estas contrataciones tratan de compensar los déficits de mano de obra generados en las contratistas del grupo o red seleccionadas para cubrir la actividad de la empresa en huelga.

Las conclusiones anteriores serían válidas tanto si la iniciativa de la nueva contratación corresponde a la empresa comitente como a la contratista en huelga, acudiendo a otra empresa del grupo o red (o controlada) para proporcionar el servicio o producción afectada por la huelga, incluyendo, asimismo, los supuestos de reversión de la actividad para su asunción directa por la propia comitente si forma parte del mismo grupo o red que la contratista afectada por la huelga.

5.2. OBLIGACIONES Y GARANTÍAS EXIGIBLES A LOS HUELGUISTAS

Del mismo modo que, al inicio del apartado 5.1, se planteaba la necesidad de arbitrar una serie de garantías, inhibiciones y prohibiciones, en particular sobre el empleador, como medios para asegurar la eficacia del derecho de huelga, también los trabajadores huelguistas deben asumir durante el desarrollo del proceso huelguístico unas obligaciones en garantía de determinados bienes jurídicos protegibles. Principalmente, se trata de la obligación de asegurar la integridad de personas y cosas mediante los denominados servicios de seguridad y mantenimiento, así como, muy especialmente —dada la referencia expresa a ellos en el texto constitucional (art. 28.2. *in fine*)—, de la necesidad de garantía de los servicios esenciales para la comunidad.

5.2.1. Los servicios de seguridad y mantenimiento

Actualmente, el art. 6.7 del RDLRT 17/1977, de 4 de marzo, encomienda al comité de huelga la garantía de la prestación durante la huelga de los servicios necesarios para la seguridad de personas y cosas, así como para el mantenimiento de locales, maquinaria, instalaciones y materias primas en orden a facilitar la reanudación de las actividades al finalizar el conflicto. Sin embargo, la STC 11/1981, de 8 abril, declaró la inconstitucionalidad de la atribución al empleador, en exclusiva, por el inciso final de este precepto, de la facultad de designación de los trabajadores que deban encargarse de dichos servicios.

Para el TC, en la sentencia indicada, no cabe duda de la necesidad de adopción de tales medidas y de que al empresario le corresponde dicha facultad ("no tanto en atención a su condición de propietario de los bienes, como en atención a las facultades de policía de que en el seno de la empresa está investido"), pero en la medida en que la ejecución de estas medidas corresponde a los propios trabajadores (como "uno de los sacrificios que el ejercicio responsable del derecho de huelga les impone") éstos deben tener también alguna intervención en el proceso de fijación y designación para estos servicios. De este modo, en la actualidad, debe ser el empresario junto con el comité de huelga quienes designen a dichos trabajadores, debiendo recaer dicha designación, en la medida de lo posible, sobre los trabajadores no huelguistas, en cuanto se trata de la solución menos invasiva del derecho de huelga. Por lo demás, sólo en el caso de que el comité de huelga se niegue u obstaculice esta negociación, podría admitirse la actuación unilateral del empresario, sin perjuicio de la posterior revisión judicial de su decisión (SSTS de 29 de noviembre de 1993 y 28 de mayo de 2003, recs. 856/1992 y 5/2002).

Por otra parte, en caso de llegar a ser acordadas las medidas, si el comité de huelga no prestase la colaboración precisa para el mantenimiento de dichos servicios, la huelga podrá será declarada ilícita por abusiva (STCO 11/1981, de 8 de abril, FJ 11°) con una posible exigencia de responsabilidad a los sindicatos convocantes de indemnizar los daños y perjuicios (art. 5 LOLS). Sin embargo, cuando el comité de huelga sí cumple con su obligación, el incumplimiento por parte de los trabajadores designados sujeta a estos a las sanciones que pueden derivar por responsabilidad disciplinaria, incluido en su caso el despido (al que se refiere específicamente el art. 16.2 RDLRT 17/1977, de 4 de marzo), pero no convierte, por sí mismo, la huelga en ilícita. Asimismo, cabe recordar que estos trabajadores sí podrían ser sustituidos sin incurrir en esquirolaje prohibido (arts. 6.5, 6.7 y 10.2. RDLRT 17/1977, de 4 de marzo).

El régimen descrito constituye un buen ejemplo de las complicaciones que derivan de la regulación provisional vigente, pues una vez declarada por el TC la inconstitucionalidad de la exclusión del comité de huelga sobre las decisiones en esta cuestión, no queda claro si, en caso de desacuerdo, mientras no exista pronunciamiento judicial, el trabajador huelguista puede optar por seguir las instrucciones del comité de huelga al respecto o queda vinculado por las decisiones del empresario y, si en este último supuesto, en caso de incumplimiento, podría ser sancionado disciplinariamente por este. Con el sistema vigente, resultante de la depuración del art. 6.7 del RDLRT 17/1977, de 4 de marzo, por el TC, parece que, indirectamente, en cierto modo, se esté propugnando, en estos casos de desacuerdo, la aplicación del principio *solve et repete*, como en general en el resto de las decisiones empresariales que cuentan con presunción *iuris tantum* de legitimidad. Pero no debe olvidarse que en este caso, la propia SCT 11/1981, de 8 de abril, estableció que no se trata de decisiones empresariales al uso derivadas de su poder de organización y dirección, sino que deben ser consensuadas con el comité de huelga y que, incluso aunque no fuera así, la jurisprudencia ha venido reconociendo un cierto *ius resistentiae* del trabajador cuando, entre otras, se trate de órdenes empresariales relacionadas con derechos irrenunciables del trabajador y, en este caso, puede estar en juego el ejercicio de un derecho fundamental, como el de huelga. Lo anterior conduce a que en caso de desobediencia de medidas no consensuadas con el comité de huelga no parezca defendible la imposición de sanciones.

En cualquier caso, la cuestión se presenta controvertida y llena de dificultades, siendo uno más de los aspectos que demanda ser abordado y resuelto, directamente, en una Ley Orgánica que regule la huelga, con mayor razón —si cabe— a la vista de que conforme al art. 16.2 del RDLRT 17/1977, de 4 de marzo, la sanción por el incumplimiento de unas medidas, —cuya fijación presenta tantas dudas— alcanza el despido. Son muchas las soluciones posibles que se vislumbran, si bien, tal vez la más operativa, sea propiciar o encomendar por Ley el establecimiento previo, voluntario y concertado, pero preceptivo, del recurso a un órgano de solución extrajudicial permanente, general y de actuación urgente, ya sea creado *ad hoc* o bien sirviéndose de los ya pactados/creados por los agentes sociales (Fundación SIMA del ASAC o autonómicos equivalentes), que pueda imponer una solución vinculante rápida a través de un arbitraje obligatorio.

Con base en estos fundamentos se propone, pues, el siguiente precepto *lege ferenda* para la regulación de los servicios de seguridad y mantenimiento en el Proyecto de Ley que se aborda en esta obra:

> ***Artículo 8***
> *1. Convocada la huelga, y durante el período de preaviso, el empresario o Administración pública responsable del servicio y los representantes de los trabajadores, deberán acordar para cada centro de trabajo, las medidas necesarias para garantizar la prestación de los servicios para la seguridad de las personas y de las cosas, el mantenimiento de los locales, maquinaria, instalaciones y materias primas, en orden a la ulterior reanudación del trabajo.*
> *Asimismo, deberá acordarse la concreta determinación e identificación de los trabajadores que hayan de hacerse cargo de la prestación de tales servicios, debiendo, preferentemente, considerarse idóneos para ocupar los correspondientes puestos de trabajo, de haberlos, los trabajadores que contando con las aptitudes necesarias hayan optado por no sumarse a la huelga.*
> *2. En caso de desacuerdo, la cuestión se someterá preceptivamente a arbitraje obligatorio urgente por parte de los órganos creados al efecto por los acuerdos a que se refiere el artículo 83.3 de Ley del Estatuto de los Trabajadores que correspondan según el ámbito del conflicto.*

En cualquier caso, no podrá iniciarse la huelga, en tanto no se hayan establecido las medidas y asegurado la prestación de tales servicios de seguridad y mantenimiento.

Como puede comprobarse, el precepto que se propone en el art. 8.2 del Proyecto de Ley es una norma imperativa en cuanto a la necesidad, en caso de desacuerdo, de sometimiento a solución arbitral de las discrepancias sobre estos servicios de seguridad y mantenimiento, impidiendo, incluso, el inicio de la huelga, mientras no se haya producido la fijación de los mismos, como lógica consecuencia de estar en juego bienes jurídicos prevalentes como la seguridad de las personas. Sin embargo, el precepto es, a su vez, dispositivo, en cuanto encomienda a los agentes sociales la negociación y concreción de los detalles y requisitos del sistema de arbitraje que habría de aplicarse en tales casos, pudiendo hacerse uso de órganos de solución autónoma de solución de conflictos ya existentes, u otros creados *ad hoc*, con libertad, asimismo, para la fijación de plazos y trámites, con el único requisito de que tengan carácter urgente.

De cualquier modo, siguiendo el modelo de los Proyectos de Ley de 1992 y 1993, se podría contemplar la introducción de una Disposición Transitoria en la norma aquí propuesta en la que se especifique que, en tanto en los citados acuerdos marco no se implementen, con carácter general o particular, los sistemas y procedimientos necesarios para hacer posibles estos arbitrajes urgentes se aplicase supletoriamente la siguiente solución:

> ***Disposición Transitoria***
> *En tanto los agentes sociales negocien y, en su caso, implementen las medidas concretas necesarias para la viabilidad y aplicación del arbitraje obligatorio previsto en el artículo 8.2 de esta Ley, supletoriamente, las partes deberán someter la cuestión e instar dicho arbitraje a la Autoridad laboral en caso de que en 48 horas desde la convocatoria de la huelga no se llegue a un acuerdo sobre la adopción de estas medidas, la cual resolverá en el plazo máximo de 24 horas, previo informe de la Inspección de Trabajo y Seguridad Social.*

5.2.2. Los servicios esenciales para la comunidad

En un sentido parecido al mandato contenido en el art. 28.2 CE: "(…) La ley que regule el ejercicio de este derecho establecerá las garantías precisas para asegurar el mantenimiento de los servicios esenciales de la comunidad", el art. 10.2 RDLRT 17/1977, de 4 de marzo, había establecido que "cuando la huelga se declare en empresas encargadas de la prestación de cualquier género de servicios públicos o de reconocida o inaplazable necesidad y concurran circunstancias de especial gravedad, la autoridad gubernativa podrá acordar las medidas necesarias para asegurar el funcionamiento de los servicios. El Gobierno, asimismo, podrá adoptar a tales fines las medidas de intervención adecuada"[79].

---

[79] En Inglaterra, el Gobierno, desde la Ley de Poderes de Emergencia de 1920, cuando se trate de huelgas que afecten gravemente a servicios esenciales de la comunidad, puede adoptar las medidas necesarias —como la prestación por efectivos militares— para garantizar la prestación de los mismos (en un sentido

En un primer momento, el TC, en la STC 11/1981, de 8 de abril, postergó la determinación de los servicios susceptibles de ser considerados esenciales, limitándose a indicar que se trataba de un concepto jurídico indeterminado, que sería objeto de concreción en futuros recursos de amparo que, efectivamente, se fueron sucediendo y delimitaron un acervo jurisprudencial que, entre otros, pasó a caracterizar como esenciales actividades, tales como: transporte público, sanidad, enseñanza, administración de justicia, parlamentaria, etc.

---

parecido al previsto por nuestro RDLRT 17/1977, de 4 de marzo, en su art. 10.2º). La citada norma de 1920 todavía no ha sido formalmente derogada, pero existen otras disposiciones más modernas y específicas que podrían ser aplicables en un sentido parecido, como la Ley de Salud Pública de1984, la Ley de Obstrucción de Servicios de Emergencia de 2006 o la *Civil Contingences Act* de 2004. En Francia se promulgaron las Leyes de 31 de julio de 1963 y 19 de octubre de 1982 (incorporada al *Code du Travail*) para la regulación de la huelga en los servicios públicos y de funcionarios públicos. A tal efecto, por Decreto de 1962 se facilitó el denominado "procedimiento de requisición" que permite, excepcionalmente, paralizar temporalmente las huelgas y/o imponer determinadas prestaciones personales a los huelguistas. Esta normativa somete las huelgas en el sector público al requisito del preaviso mínimo de 5 días hábiles por parte de las organizaciones sindicales nacionales y del sector afectado, con indicación de los motivos de la huelga, el lugar, la fecha y la hora de comienzo de la misma, así como su duración. La huelga ilegal en este ámbito público lleva aparejadas eventuales sanciones por las autoridades correspondientes que pueden alcanzar la remoción del cargo en cuestión. En Italia, la Ley 146 de 12 de junio de 1990 reguló la huelga en servicios públicos esenciales en que puedan verse afectados derechos constitucionalmente protegidos: tales como los relacionados con la vida, la salud, la libertad, la seguridad, la libertad de circulación, la asistencia social y el fondo de previsión (previdenza), así como la instrucción y la libertad de las personas de comunicarse (posteriormente, por Ley 83, de 11 de abril de 2000, se incluyeron también entre los servicios públicos esenciales los prestados por ciertas categorías de trabajadores por cuenta propia, profesionales y artesanos). Concretamente, esta regulación sujeta la huelga en estos servicios públicos esenciales al requisito de un preaviso mínimo de 10 días, en que deberá constar la duración prevista de la huelga. Asimismo, es preciso comunicar a los usuarios, así como al público en general, las medidas a adoptar para garantizar el funcionamiento de los servicios mínimos y el ejercicio de los derechos implicados en tales servicios. En caso de incumplimiento de tales medidas, la norma prevé la imposición de sanciones individualmente a los trabajadores afectados que pueden alcanzar el despido, la imposición de sanciones pecuniarias o la suspensión en el cargo en el ámbito de las Administraciones Públicas. Asimismo, las organizaciones sindicales implicadas podrían perder los beneficios patrimoniales que tienen reconocidos por Ley (Domínguez Bautista, 1993, p. 18).

En el ámbito de los medios de comunicación, el derecho a recibir la información tutelado en el art. 20.1, d) CE, impone, asimismo, un importante límite al ejercicio del derecho de huelga (STS de 16 de marzo de 1998, rec. 1884/1997). Como criterios generales de dicha doctrina, cabe referirse a la desidentificación del servicio público con servicio esencial y a la prevalencia del resultado o de los intereses que la actividad en cuestión persigue (derechos fundamentales, libertades públicas y bienes constitucionalmente protegidos) sobre la propia naturaleza de la actividad en sí misma (STC 26/1981, de 17 de julio).

Tratando de concretar y ofrecer seguridad jurídica sobre esta controvertida cuestión, el art. 11 del Proyecto de Ley Orgánica de Huelga de 1993 contenía una lista —considerada cerrada o "numerus clausus"[80] (Domínguez Bautista, 1993, p. 34)— de sectores y actividades esenciales seleccionadas sobre la base de la necesidad de protección de los siguientes derechos y libertades constitucionalmente protegidos: vida, integridad física y protección de la salud, libertad y seguridad, libre circulación, libertad de información, comunicación, educación y tutela judicial efectiva. En dichos sectores y actividades se hubieran debido negociar, *ex ante*, dentro de los 12 meses siguientes a la aprobación de la norma, Acuerdos específicos de Regulación del Derecho de Huelga (que deberían contener previsiones sobre fijación de servicios mínimos, procedimientos de designación de trabajadores a adscribir, de solución de conflictos derivados de estas medidas, etc.) entre las Administraciones Públicas implicadas (con exclusión de los empresarios) y los sindicatos más representativos o suficientemente representativos que, posteriormente, serían aprobados como Decreto por la autoridad competente. No obstante, en caso de falta de acuerdos, se preveía la aplicación de un procedimiento alternativo a establecer en una norma provisional supletoria.

---

[80] Si bien el art. 11.3 del Proyecto de Ley ofrecía la posibilidad de que "Cualquiera de las partes a que se refiere el artículo 13 de esta Ley puede iniciar motivadamente ante la Autoridad Gubernativa el procedimiento para la consideración de algún nuevo sector o actividad no incluido en el número anterior como susceptible del mismo tratamiento".

El régimen jurídico general, muy elaborado y planificado, prefijado por el Proyecto de Ley Orgánica de Huelga de 1993 contrasta con el carácter más casuístico e improvisado del procedimiento vigente de fijación de servicios mínimos en los servicios esenciales, que vienen determinados por la autoridad gubernativa competente, si bien se admite negociación previa, mediante el correspondiente Decreto de fijación de servicios mínimos, sujeto a motivación no genérica y al control jurisdiccional del orden contencioso administrativo (art. 3d LRJS 36/2011, de 10 de octubre), salvo en lo relativo a la designación del personal laboral adscrito a la prestación de tales servicios.

La designación de dichos trabajadores, en palabras de la propia STC 11/1981, de 8 de abril, debería recaer preferentemente sobre los trabajadores no huelguistas ya que es la solución menos invasiva del derecho de huelga. En caso de incumplimiento de estos servicios mínimos cabe la exigencia de responsabilidades individuales, de todo tipo, incluido el despido entre las disciplinarias y se permite la sustitución de los trabajadores sin, por ello, incurrir en contravención de la interdicción de esquirolaje del art. 6.5 RDLRT 17/1977, de 4 de marzo (STC 122/1990, de 2 de julio). Asimismo, con amparo en el último inciso del art. 10.2 RDLRT 17/1977, de 4 de marzo, en caso de incumplimiento, el Gobierno podrá acudir a medidas de intervención tales como la sustitución por otros trabajadores, o excepcionalmente por efectivos militares, e incluso, en su caso, la eventual imposición del arbitraje obligatorio previsto en el art. 10.1 RDLRT 17/1977, de 4 marzo (esta última posibilidad —como vimos— constitucionalizada expresamente por la STC 11/1981, de 8 de abril).

a. Propuesta de regulación de la garantía de los servicios esenciales para la comunidad

Como se desprende de lo analizado en el subapartado anterior, el Proyecto de Ley Orgánica de Huelga de 1993 es representativo de un indiscutible esfuerzo regulatorio por dotar de una solución completa y muy minuciosa al concreto problema sobre la necesidad de garantía de los servicios esenciales para la comunidad durante la huelga.

A mi juicio, dos aspectos de la regulación de aquel Proyecto de 1993 pueden ser, todavía hoy, muy aprovechables: En primer lugar, la precisa definición y la completa enumeración de los servicios considerados esenciales para la comunidad contenida en el mismo; y, en segundo lugar, la estructura y aspectos básicos del régimen y procedimiento de fijación de las medidas para garantizar los servicios a atender contenido en su Disposición Transitoria.

Puede llamar la atención que se haya elegido como referencia base para la propuesta *lege ferenda* que se va a formular al respecto en el Proyecto de Ley que se elabora en este trabajo el contenido de una disposición transitoria de aquel Proyecto y no el régimen jurídico principal que regulaba y proyectaba en su articulado, pero ello tiene una explicación clara. A mi modo de ver, sin perjuicio de la preferencia de las vías negociadas previas generales (en mi opinión habrían de fijarse criterios generales por medio de los acuerdos sobre materias concretas del art. 83.3 ET en lugar del complejo sistema diseñado como opción principal en dicho Proyecto de 1993) y concretas en el ámbito de la huelga (con aplicación, en su caso, de aquellos criterios generales), la piedra angular del sistema habría de fundamentarse insoslayablemente en la necesidad de resolución administrativa de autorización de tales acuerdos, en la posibilidad de rectificar/completar si las medidas acordadas se estiman insuficientes y, en caso de desacuerdo, en la decisión por la propia autoridad gubernativa, pues, al fin y al cabo, es ésta, en última instancia, la responsable de las competencias de gestión y prestación y, por ende, de la garantía y cumplimiento de los servicios esenciales de una sociedad[81].

---

81 En este mismo sentido, la STC 11/1981, de 8 abril (F.J.18º) concretaba muy claramente que: "puede extraerse la conclusión de que la decisión sobre la adopción de las garantías de funcionamiento de los servicios no puede ponerse en manos de ninguna de las partes implicadas, sino que debe ser sometida a un tercero imparcial. De este modo, atribuir a la autoridad gubernativa la potestad para establecer las medidas necesarias para asegurar el funcionamiento de los servicios mínimos no es inconstitucional en la medida en que ello entra de lleno dentro de las previsiones del artículo 28.2 de la Constitución, y, además, es la manera más lógica de cumplir con el precepto constitucional. La autoridad gubernativa se encuentra —ello es obvio— limitada en el ejercicio de esta potestad. Son varios los límites con los que se topa. Ante todo, la imposibilidad de que las garantías en cuestión vacíen de contenido el derecho de huelga o rebasen la idea de contenido esencial, y, después, en el orden formal, la posibilidad de entablar contra las decisiones la acción de tutela jurisdiccional de derechos y libertades públicas y el recurso de amparo ante este Tribunal".

Con base en estas ideas se sugiere el siguiente texto para un hipotético art. 9 del Proyecto de Ley Orgánica propuesto en este estudio:

Artículo 9

1. En cumplimiento del artículo 28.2 in fine de la Constitución española, a los efectos de esta Ley se considerarán servicios esenciales para la comunidad, con independencia del régimen público o privado de su prestación, aquellos cuyo mantenimiento resulte necesario para garantizar el contenido esencial de los siguientes derechos y libertades constitucionalmente protegidos: la vida, la integridad física y la protección de la salud; la libertad y la seguridad; la libre circulación; la libertad de información; la comunicación; la educación y la tutela judicial efectiva.

2. El ejercicio del derecho de huelga debe ser compatible con el mantenimiento de dichos servicios esenciales. A tal fin, deberán asegurarse el conjunto de prestaciones indispensables en los siguientes sectores y actividades:

a) La sanidad y la higiene pública.

b) La defensa, la seguridad pública y la protección civil.

c) El pago de las prestaciones públicas de protección social, así como los servicios sociales en cuanto fuesen necesarios para la vida o la salud.

d) La protección del medio ambiente en los supuestos de riesgo.

e) Los servicios funerarios.

f) La ordenación del tráfico y los transportes públicos terrestres de viajeros, regulares y colectivos.

g) Los transportes de pasajeros aéreos y marítimos y, en especial, el tráfico con las Islas Canarias, Islas Baleares, Ceuta y Melilla, que además asegure el suministro de productos imprescindibles para el abastecimiento de la población en esos territorios.

h) El transporte y la distribución de mercancías de primera necesidad.

i) Los servicios públicos de telecomunicación, postales y telegráficos.

j) Los servicios informativos de la radio y la televisión públicas.

k) Los suministros de energía eléctricos, agua, gas y combustibles para los usos domésticos, de locomoción o para otras actividades comprendidas en este artículo.

l) La educación en lo relativo a la evaluación de conocimientos para la superación de cursos, niveles, ciclos o grados oficialmente reconocidos.

m) La administración de justicia en lo referente a actuaciones concernientes a la libertad y seguridad de las personas.

"No es, por último, discutible la constitucionalidad de la atribución de la potestad de concreción de las medidas a la autoridad gubernativa, si se tiene en cuenta que el sujeto de la atribución no es genéricamente la Administración Pública, sino aquellos órganos del Estado que ejercen, directamente o por delegación, las potestades de gobierno".

n) Las instituciones penitenciarias.
o) Las aduanas, por lo que hace a prevención sanitaria y al control de animales y mercancías perecederas.
p) La ejecución por las Administraciones públicas de actividades no recogidas en anteriores letras de este apartado, cuando su prestación resulte indispensable e inaplazable para la atención de los ciudadanos y tenga relación con alguno de los derechos y libertades referidos en el apartado 1 de este artículo.
q) El ejercicio de sus funciones por los Poderes Públicos constitucionales.
3. Con sujeción a los criterios generales que, en su caso, se hubieran establecido en los acuerdos sobre materias concretas a que se refiere el artículo 83.3 de la Ley del Estatuto de los Trabajadores, en el ámbito concreto de la huelga, dentro de los tres días siguientes a la comunicación de la misma, sus convocantes deberán negociar con el empresario o Administración pública responsable del servicio, o, en su caso, con las organizaciones empresariales, las medidas a adoptar para el mantenimiento de los servicios esenciales de la comunidad, así como lo relativo a la designación de los trabajadores que deberán atender las tareas correspondientes, que habrá de recaer, preferentemente y en lo posible, sobre personas trabajadoras con experiencia y capacidad para el desarrollo de las mismas que hayan optado por no sumarse a la huelga.
En caso de acuerdo, su contenido se notificará, dentro de las veinticuatro horas siguientes, a la Autoridad Gubernativa que tenga encomendada la competencia y ordenación del servicio esencial en el ámbito territorial donde vaya a producir efectos la huelga, la cual deberá dictar una resolución administrativa en la que confirme la suficiencia o, en caso contrario, complete las medidas propuestas, con una antelación mínima de cuatro días al inicio previsto para la huelga. Transcurrido este plazo, el silencio administrativo será positivo.
En caso de desacuerdo, en las veinticuatro horas siguientes, se presentarán a la indicada Autoridad las propuestas de ambas partes en conflicto. A la vista de las mismas, la Autoridad indicada dictará resolución motivada al menos cuatro días antes de la fecha prevista para el comienzo de la huelga en la que se establecerán las medidas necesarias para el mantenimiento de los servicios esenciales.
4. Las resoluciones administrativas referidas en el apartado anterior deberán ser comunicadas al empresario o Administración pública responsable del servicio y a los convocantes de la huelga, y en su motivación se hará constar qué trabajos no pueden sufrir interrupción como consecuencia de la esencialidad del servicio y de las características de la huelga convocada, tales como las relativas a su extensión o duración.
5. Salvo en el caso de acuerdo en la negociación en cuanto a las medidas y a la designación de los trabajadores encargados de los servicios confirmado íntegramente por la resolución de la autoridad gubernativa, cuando sea ésta quien complemente o concrete las medidas

necesarias, corresponderá al empresario, en el plazo máximo de las veinticuatro horas siguientes a la comunicación de las resoluciones correspondientes, y en base a las medidas que se concreten en las mismas, la designación de los trabajadores que habrán de atender los correspondientes servicios, previo informe de los representantes de los trabajadores, conforme al criterio de designar, preferentemente y en lo posible, a personas trabajadoras con experiencia y capacidad para el desarrollo de las mismas que hayan optado por no sumarse a la huelga. Dicha designación se comunicará, en el plazo de las veinticuatro horas siguientes, a la Autoridad Gubernativa, así como a los trabajadores afectados y a sus representantes legales.

Así pues, en el texto propuesto, partiendo de la libre facultad para la autonomía colectiva de negociar criterios generales sobre esta materia concreta por la vía del art. 83.3 ET (a diferencia de la regulación principal propuesta en el Proyecto de 1993 que trataba de forzar la conclusión complejos acuerdos en un plazo de 12 meses, con eventual intervención de una Comisión de mediación a constituir, entre otros requisitos), el objeto principal de la negociación se produce en el ámbito concreto de la huelga, si bien con sujeción a los criterios generales que, en su caso, se hubiesen estipulado en aquellos acuerdos generales sobre materia concreta.

Ello no obstante, el resultado de la negociación entre los sujetos implicados en el concreto ámbito de la huelga convocada no pasa a ser directamente la solución aplicable, sino que se configura como una propuesta que debe pasar el filtro de verificación por la autoridad gubernativa con competencia en la gestión del servicio que se trate, la cual en caso de estimar suficientes las medidas propuestas deberá incorporarlas al contenido de una resolución administrativa confirmatoria, o bien, en caso de considerarlas insuficientes o desacuerdo, dictar una resolución que contenga el conjunto de las medidas que se estimen necesarias.

b. Cuestiones problemáticas en caso de declaración de nulidad de los actos gubernativos de fijación de medidas para garantizar los servicios esenciales

Como ha sido descrito, de entre las distintas técnicas posibles para la tarea encomendada por el inciso final del art. 28.2 CE de garantizar los servicios esenciales para la comunidad, en el Proyecto de Ley que se propone en este estudio se ha optado por mantener un sistema que, aunque mucho más concreto, completo y riguroso, resulta muy similar al tradicional actualmente vigente (art. 10.2 RDLRT 17/1977, de 4 de marzo) en cuanto se basa en la necesidad de autorización de las medidas correspondientes mediante una resolución administrativa dictada por la autoridad gubernativa con competencia en la gestión de los servicios en cuestión.

Sin embargo, hay que tener presente que, por esta misma razón, esta opción origina también una serie de cuestiones adicionales problemáticas de gran importancia que aparecían ya con el sistema vigente relacionadas con las consecuencias jurídicas que produce la eventual declaración judicial de nulidad de los ahora denominados comúnmente "Decretos de fijación de servicios mínimos" dictados por la autoridad gubernativa central, autonómica o local. Con relación a este asunto, se deben abordar las siguientes cuestiones relacionadas:

Cabe plantearse, en primer lugar, si, con el régimen jurídico vigente actualmente, en el caso de que la resolución administrativa de fijación de servicios mínimos sea declarada nula por la jurisdicción contencioso-administrativa, la jurisdicción social puede considerar legítima la actitud del trabajador que se negó a cumplir las órdenes empresariales que concreten las prestaciones de tales servicios *(ius resistentiae)* y, por ende, deben dejarse sin efecto las sanciones que hayan podido serle impuestas por la empresa por este motivo. Y, adicionalmente, cabe preguntarse si, en caso de haber sido cumplidas dichas órdenes, a posteriori, sería posible la exigencia por los trabajadores designados de indemnizaciones por vulneración del derecho de huelga.

En este segundo caso, cabe interrogarse sobre: ¿quién debe indemnizar? ¿el empresario (que ordena la ejecución de los servicios mínimos) o la autoridad gubernativa que dictó la resolución declarada nula por la jurisdicción contencioso-administrativa por ilegal o abusiva?

Además, es posible analizar en este ámbito algunas cuestiones adicionales: ¿tiene el trabajador un derecho individual vulnerado e indemnizable o el sujeto a indemnizar debería ser colectivo?, pues —como es sabido— la titularidad del derecho de huelga es individual, pero de ejercicio colectivo, como ha reconocido desde el origen (STC 11/1981, de 8 de abril) nuestra jurisprudencia constitucional.

Finalmente, plantearé —al hilo de esto último— cuestiones problemáticas generales (incluso derivadas de la configuración procesal de esta materia) que suscita el sistema vigente. Pues, como consecuencia de las cuestiones anteriores, tal vez, pueda concluirse que legitimación del sindicato debería ser procedente para reclamar la indemnización por vulneración del derecho de huelga, sin perjuicio de que la legalidad de la decisión gubernativa pudiera ser discutida por cualquier trabajador individual o ciudadano.

Asimismo, parece deseable analizar la conveniencia de que la decisión sobre la resolución gubernativa, y sobre la posible indemnización, pueda corresponder a un mismo órgano judicial en un mismo pronunciamiento, ya sea del orden contencioso-administrativo o social. Sobre la base de estas últimas consideraciones, se abonará el terreno para la formulación de una nueva propuesta de reforma en este específico aspecto que concretará uno de los elementos del siguiente capítulo de esta obra sobre control y tutela judicial.

A) Eventual ius resistentiae de la persona trabajadora designada

La primera cuestión a plantear es la relativa a si el trabajador posee un *ius resistentiae* frente a las órdenes empresariales que concreten la prestación de los servicios mínimos fijados en la resolución gubernativa. Debe subrayarse desde inicio que me estoy refiriendo a supuestos en que la negativa del trabajador sea a cumplir las órdenes del empresario que sean reproducción fiel de la resolución de servicios mínimos que, eventualmente, se considera abusiva o ilegal y no del caso de órdenes exorbitantes, que rebasando el contenido de la resolución gubernativa en que se amparan —o, incluso, unilateralmente, sin resolución gubernativa, como el caso de la STS de 9 de febrero de 2021 (rec. 113/2019)— se incardinarían, sin demasiados problemas, en el ámbito de las denominadas "órdenes empresariales manifiestamente ilegales o abusivas" que la jurisprudencia admite como fundamento para que el trabajador pueda negarse a su cumplimiento.

En definitiva, lo que aquí se plantea es si el trabajador puede negarse a cumplir los servicios mínimos que le ordena el empresario en cumplimiento de la resolución gubernativa, cuando por parte de aquél se considere que tal resolución —y no en sí misma la orden empresarial— es abusiva o carece de fundamento legal[82].

Esta cuestión fue objeto del caso de la STC 123/1990, de 2 de julio. En dicho caso, la sentencia de instancia dictada por el Juzgado de lo social negó que los trabajadores individualmente considerados

---

82 Como es sabido, el trabajador está obligado a "realizar el trabajo convenido bajo la dirección del empresario o persona en quien este delegue. En el cumplimiento de la obligación de trabajar asumida en el contrato, el trabajador debe al empresario la diligencia y la colaboración en el trabajo que marquen las disposiciones legales, los convenios colectivos y las órdenes o instrucciones adoptadas por aquel en el ejercicio regular de sus facultades de dirección y, en su defecto, por los usos y costumbres. En cualquier caso, el trabajador y el empresario se someterán en sus prestaciones recíprocas a las exigencias de la buena fe" (art. 20. 1 y 2 ET). Asimismo, uno de los deberes básicos del trabajador, según el art. 5c) ET, consiste en: "Cumplir las órdenes e instrucciones del empresario en el ejercicio regular de sus facultades directivas. La doctrina general en esta materia se basa en el conocido como principio *solve et repete*. Esto es, el trabajador que considere que las órdenes de empresario no se producen en el "ejercicio regular de sus facultades directivas" (art. 5c) ET), debe cumplirlas, sin perjuicio de que, posteriormente, pueda impugnarlas, si lo considera procedente. Se trata de favorecer con ello la ejecutividad del poder directivo y organizativo empresarial y la instauración de un régimen de disciplina en la empresa que estaría en tela de juicio constantemente, si cada trabajador tuviera, siempre y en todo caso, la facultad de negarse a cumplir las órdenes empresariales cuando por su propio juicio valorativo éstas no se considerasen legales o adecuadas. Por tanto, como regla general, en caso de incumplimiento de las órdenes empresariales, el trabajador podría ser sancionado (conforme al régimen disciplinario y sancionador vigente en la empresa, ex art. 58 ET y de acuerdo con los dispuesto en el convenio colectivo aplicable), pudiendo, al extremo, en casos graves y culpables (art. 54.1 ET), suponer el despido disciplinario procedente del trabajador por indisciplina o desobediencia en el trabajo (art. 54.2.b) ET). Ello no obstante, la jurisprudencia ha reconocido, en casos excepcionales, el derecho del trabajador a negarse al cumplimiento de las órdenes empresariales, configurando un *ius resistentiae* de las personas trabajadoras, entre otros supuestos, cuando el empresario actúe con manifiesta arbitrariedad y abuso de derecho o cuando se trate de órdenes manifiestamente ilegales; contrarias a los derechos fundamentales o libertades públicas del trabajador (especialmente, la dignidad o el derecho a la intimidad del trabajador de los arts. 10 y 18 CE: STC 99/1994, de 11 de abril y) o que pongan en riesgo grave e inminente su vida o su salud (art. 21.2 LPRL).

estén en posesión de un *ius resistentiae* frente a las órdenes empresariales de ejecución de los servicios mínimos fijados en la resolución gubernativa correspondiente, aunque valoren que esta última pueda ser ilegal o abusiva. De lo contrario, se considera que se estaría "dejando a discreción de cada trabajador el cumplimiento de un servicio cuyo mantenimiento ha sido considerado como esencial por el órgano gubernativo". Lo cual se entiende sin perjuicio de que, posteriormente, la resolución gubernativa pueda ser impugnada a fin de obtener la declaración de su ilegalidad en vía judicial: declaración que no compete ni a la empresa ni a los trabajadores. Esta puntualización con relación a la doctrina del derecho de los trabajadores a incumplir órdenes manifiestamente ilegales o contrarias a sus derechos fundamentales y libertades públicas, desemboca en la aplicación del principio *solve et repete* en estos supuestos y podría fundamentarse —como indicó la sentencia de instancia— en que la presunción de legalidad y ejecutividad de los actos administrativos obliga a cumplir la orden empresarial, pues ésta no vendría a servir a un interés empresarial propio, sino al interés general de que los servicios esenciales se mantengan en funcionamiento y al interés constitucionalmente protegido de los usuarios de esos servicios de poder utilizarlos, siquiera a nivel mínimo. Es decir, se trataría de que la orden empresarial no es tal *estrictu sensu*, sino ejecución de un acto administrativo que ha de presumirse lícito y que, por ello, no podría entenderse encuadrado en el marco de la citada doctrina sobre el reconocimiento, en determinados casos, de un *ius resistentiae* a los trabajadores, sino de normas de Derecho administrativo.

La STC 123/1990, de 2 de julio, concluyó, en el mismo sentido, que del "derecho de huelga reconocido en el art. 28.2 C.E. no cabe derivar, por consiguiente, un derecho del trabajador designado para cumplir un servicio mínimo a examinar en cada caso la legalidad de la medida gubernativa y empresarial que imponen dichos servicios, y en función de ese juicio de legalidad, cumplirlo o no cumplirlo, aunque asumiendo en este último caso el riesgo del resultado de la resolución judicial posterior que revisase la medida gubernativa o empresarial, pues ello generaría un riesgo de inseguridad y aleatoriedad en el cumplimiento de los servicios esenciales que pondría en peligro valores y bienes constitucionalmente estimados como prevalentes. La generalización de este tipo de conductas supondría la prevalencia del ejercicio del derecho de huelga sobre el daño desproporcionado e innecesario a la propia Comunidad (STC 51/1986) y a los usuarios de esos servicios que implica su no funcionamiento a causa de la huelga, obligándoles a soportar unos sacrificios innecesarios e indebidos que la Constitución exige evitar".

Así pues, cabe concluir, incluso con miras en el contenido del régimen sancionador a incorporar en la parte final del Proyecto de Ley que se elabora en este estudio, que las personas trabajadoras no ostentan un *ius resistentiae* frente a las órdenes empresariales que sean fiel reproducción del contenido de las resoluciones administrativas sobre garantía de los servicios esenciales para la comunidad durante la huelga, siendo sancionables, de entrada, por la empresa tales incumplimientos. Todo ello sin perjuicio de que, por virtud del principio *solve et repete,* los sujetos legitimados correspondientes puedan impugnar tales resoluciones administrativas y, en su caso, reclamar las consiguientes indemnizaciones, en los términos que a continuación serán analizados.

B) Indemnizaciones: sujetos responsables y sujetos con derecho a indemnización

Con relación a la decisión gubernativa —como hemos visto se indicaba en la sentencia de instancia que fue objeto del recurso de amparo de la citada STC 123/1990, de 2 de julio— la presunción de legalidad y ejecutividad de los actos administrativos obliga a cumplir la orden empresarial, pues ésta no vendría a servir a un interés empresarial propio, sino al interés general de que los servicios esenciales se mantengan en funcionamiento y al interés constitucionalmente protegido de los usuarios de esos servicios de poder utilizarlos, siquiera a nivel mínimo. Este razonamiento me parece correcto y, por ello, la responsabilidad indemnizatoria, en caso de declaración judicial de nulidad, debería corresponder a la autoridad gubernativa que dictó el acto de fijación de servicios mínimos y no al empresario que ordena la ejecución de los servicios que llevan a su cumplimiento[83]. Pero ¿quién es el sujeto indemnizable? ¿el trabajador individual

---

[83] En este sentido, exculpatorio de la empresa, la STS de 18 de abril de 2012 (rec. 153/2011) entendió que "no resulta atribuible a la empresa una responsabilidad por culpa, al limitarse con su actuación al cumplimiento de la orden gu-

o un sujeto colectivo (como el sindicato convocante)? Bien pensado, en mi opinión, lo que se ha limitado con la resolución nula es el ejercicio del derecho (necesariamente colectivo, según la STC 11/1981, de 8 de abril), pero no se ha negado como consecuencia de dicha resolución la titularidad misma del derecho, de modo que quién debería poder reclamar la indemnización es un sujeto colectivo por los daños que ha supuesto para el libre ejercicio colectivo del derecho de huelga y por el perjuicio que para los intereses de los trabajadores, en su conjunto, como colectivo, supone la merma que ello haya podido suponer sobre la capacidad de presión y la potencialidad para la influir en la consecución de sus reivindicaciones. En realidad, el interés individual del trabajador no ha sufrido daño indemnizable, pues el trabajador no ha visto negada la titularidad misma del derecho de huelga, sino sólo su participación en el ejercicio concreto (necesariamente colectivo) del derecho de huelga y, asimismo, él ha trabajado —como era su obligación— cumpliendo instrucciones de su empresario y, si —como se ha concluido antes— no podía negarse a ello en ese momento, por no detentar un *ius resistentiae* (frente a órdenes que apliquen este tipo de resoluciones, aunque posteriormente sean nulas) basado en la mera valoración personal de abusividad y/o ilicitud cuando todavía no ha mediado resolución judicial en tal sentido, no habrá hecho sino cumplir con sus obligaciones laborales y habrá percibido un salario en contraprestación por ello, como consecuencia de la ejecución de unas órdenes empresariales que, en aquel momento, debían presumirse legítimas. No obstante, he de subrayar que mi criterio aquí expuesto sobre esta cuestión no cuenta con apoyo jurisprudencial; en este sentido, se manifiestan en contra,

---

bernativa de fijación de servicios esenciales. Tampoco parece admisible apreciar una responsabilidad por riesgos que permitiera accionar el mecanismo de repetición ulterior frente al agente responsable por culpa, porque para ello hubiera sido preciso que, ante una situación de incertidumbre, la empresa hubiera actuado movida por una decisión propia y no, como sucede, en ejecución del mandato que, en suma, implica la decisión gubernativa". En cuanto a la responsabilidad patrimonial de la Administración, el voto particular de la STC 123/1990 señaló que "(...) no hay obstáculo alguno para que la jurisdicción contencioso-administrativa, cuando lo juzgue necesario, condene a la Administración a resarcir los daños que una antijurídica fijación de servicios mínimos haya podido ocasionar".

entre otras, las SSTS de 29 de enero de 1996 (rec. 7315/1992)[84] y 18 de abril de 2012 (rec. 153/2011) que parten de la falta de legitimación de los sindicatos para ejercer la acción resarcitoria de los trabajadores individuales a quienes considera, sin dudas, los sujetos perjudicados a indemnizar. Sin embargo, no es —la aquí defendida— una opción del todo desconocida; así, cabe citar el voto particular de la STC 123/1990: "La vulneración del derecho de huelga del sindicato (o del actor «colectivo» en general) no implica una vulneración del derecho de huelga de los individuos en cuanto tales porque no son el mismo derecho (…)".

Adicionalmente, como subraya la STS de 13 de octubre de 2021 (rec. 4919/2018), la propia doctrina constitucional ha puesto de relieve que las personas encargadas de prestar los servicios mínimos no pueden impugnar la decisión gubernativa que los fija. Esta sentencia establece que el *dies a quo* para el cómputo del plazo de prescripción del art. 59 ET para reclamar a la empresa daños y perjuicios por parte de los sujetos que consideran vulnerado su derecho de huelga arranca cuando alcanza firmeza la sentencia declarando que la resolución que fija los correspondientes servicios mínimos es contraria a Derecho. Evidentemente, con anterioridad a este tipo de pronunciamiento judicial firme no podrían haber invocado todavía, con fundamento suficiente, la vulneración de su derecho de huelga y, si el plazo, comenzara a computarse desde la fecha de la resolución administrativa de fijación de servicios mínimos, podría ocurrir que en el momento en que recayera la sentencia que la declara nula (cuya impugnación corresponde, además, a distintos sujetos legitimados) ya hubiera prescrito, eventualmente, la acción para reclamar la indemnización de los daños y perjuicios derivados, negándose, de este modo, el derecho a la tutela judicial efectiva (art. 24.1 CE) de

---

84 "(…) la pretensión de indemnización (…) debe ser rechazada pues al constituir dicha indemnización un derecho subjetivo de los interesados debe ser solicitada por éstos y no por la entidad sindical actora". La STC 2/2022, de 24 de enero, se refiere, también, *obiter dicta,* a la existencia de un criterio jurisprudencial reiterado, que impide prosperar la pretensión de indemnización del sindicato "(…) porque el perjuicio que se cita podría ser predicable, en su caso, respecto de los trabajadores afectados, pero difícilmente puede apreciarse similar afección de componente económico en la organización sindical" (F.J.6°, in fine).

los perjudicados. Sin embargo, con carácter más general, a los efectos que aquí nos ocupan, de esta STS resulta de gran interés extraer el reconocimiento expreso por la misma de una serie de problemas importantes de articulación material y procesal de los derechos implicados en esta materia, como consecuencia de la ausencia, todavía —a punto de cumplirse 45 años desde de la aprobación de nuestra norma constitucional— de una Ley Orgánica de Huelga, que regule de forma global y armónica las cuestiones implicadas en la titularidad y ejercicio del derecho fundamental de huelga[85]. La denuncia de estos desajustes en la regulación vigente aparece desde antaño en la jurisprudencia, tanto constitucional[86] como ordinaria[87].

Para Casas Baamonde (2021, p. 11), las consideraciones de la STC 123/1990 con relación a la inexistencia de un derecho del trabajador

---

85 Así, cabe extractar de la sentencia: "1°) Los propios recurridos manifiestan que la vulneración de su derecho de huelga surge cuando la sentencia del orden contencioso anula la Resolución de la Secretaría de Estado. Sin embargo, lo que hacen es acudir al orden social combatiendo una decisión empresarial y demandando tanto a ADIF cuanto al Ministerio. 2°) ADIF, por su parte, considera que a partir del momento en que se establecen los servicios mínimos ya se ha producido el eventual daño del derecho de huelga. Sin embargo, en ese momento la empleadora lo único que ha hecho es ajustar su conducta a los parámetros gubernativamente fijados y constitucionalmente apuntados para la preservación de otros bienes. Y dicho queda que la impugnación directa de la Resolución no está abierta a las personas individualmente afectadas por la misma. 3°) La Sentencia de 30 enero 2017 dictada por la Sala de lo Contencioso de la Audiencia Nacional descarta que el sindicato demandante haya sufrido perjuicio económico, pero admite que pueda suceder de otro modo "respecto de los trabajadores afectados".

86 Para la STC 123/1990, la falta de desarrollo adecuado del mandato del art. 28.2 CE, "origina una conflictividad innecesaria en relación con la fijación de los servicios esenciales, y una puesta en peligro tanto de la garantía del mantenimiento de los servicios esenciales como del ejercicio legítimo del derecho de huelga, lo que exige el establecimiento de procedimientos adecuados para asegurar la necesaria ponderación de los bienes constitucionales en juego ".

87 La STS de 18 de abril de 2012 (rec. 153/2011) señala: "Nos enfrentamos a la necesidad de reparar la lesión sufrida por un derecho fundamental —el de huelga— que se pone de relieve de modo extemporáneo como consecuencia de la falta de regulación armónica del ejercicio de aquél. La variedad de vías jurisdiccionales ofrecida por el Ordenamiento jurídico para impugnar las decisiones que inciden en el ejercicio del mismo derecho, precisamente por referirse a aspectos distintos del mismo, comporta desajustes que es preciso solventar a través del examen pormenorizado de cada caso".

designado a examinar en cada caso la legalidad de la medida gubernativa y empresarial que imponen dichos servicios, que debieron entenderse referidas a la cuestión del *ius resitentiae* —arriba comentada—, han dado pie, erróneamente, a la jurisprudencia ordinaria, para negar la legitimación del trabajador individual para impugnar la resolución, al menos directamente, si bien es posible de manera derivada, a través de la acción que, en su caso, sea ejercitada por el sindicato que la impugne. Sin embargo, a juicio de la prestigiosa autora citada (p. 12), el art. 31 de la LJCA 29/1998, de 13 de julio, no deja lugar a dudas con relación a la legitimación directa de los trabajadores individuales, tanto para impugnar la resolución administrativa como para reclamar la indemnización de daños y perjuicios ante dicha jurisdicción.

En cualquier caso, como concluyó la STS de 18 de abril de 2012 (rec. 153/2011)[88], actualmente, prevalece el desajuste de negar la legitimación al trabajador individual para impugnar la resolución administrativa, mientras que a quien sí está legitimado (el sindicato) se le niega la posibilidad de reclamar las indemnizaciones de daños y perjuicios de los trabajadores individuales. Sería deseable, pues, que en el Proyecto de Ley Orgánica de Huelga propuesto se resuelvan estos desajustes y contradicciones, con las consiguientes repercusiones modificativas, en su caso, sobre la LRJS 36/2011, de 10 de octubre y la LJCA 29/1998, de 13 de julio, y se clarifiquen todas estas cuestiones, determinando quiénes son los sujetos con legitimación para impugnar las resoluciones de la autoridad gubernativa sobre servicios esenciales para la comunidad, quiénes son los sujetos a indemnizar (trabajadores individuales y/o sujetos colectivos), y ante qué orden jurisdiccional, el cual —en mi opinión— debería ser el mismo que, en una misma resolución judicial, en su caso, determinase, simultáneamente, la nulidad del acto administrativo y las indemnizaciones a abonar a los perjudicados.

---

88 "Se ponen en evidencia aquí las lagunas del propio proceso de impugnación de aquel acto gubernativo que hubiera debido concluir, no solo con la nulidad del mismo, sino con el resarcimiento de los perjuicios por la fijación antijurídica de servicios mínimos, aunque es cierto que en el proceso contencioso-administrativo el sindicato accionante no ostenta la legitimación para reclamar la indemnización a los trabajadores afectados (...)".

C) Unificación de órdenes jurisdiccionales y sujetos colectivos legitimados

A mi juicio, a la vista del contexto laboral y de las consecuencias sobre los derechos sindicales implicados, pese a estar presente el elemento propio de Derecho administrativo de encontrarnos en el ámbito de impugnaciones de actos de la autoridad gubernativa dictados en el ejercicio de potestades administrativas en garantía de servicios esenciales de la colectividad, el orden jurisdiccional idóneo (por el conocimiento y *expertise* en estas materias y en la valoración de sus consecuencias jurídico-laborales) debería ser el social[89], ante el cual deberían estar legitimados los sindicatos, no sólo —como ahora— para impugnar el acto gubernativo sino también para reclamar el resarcimiento de los daños y perjuicios ocasionados por el mismo sobre los intereses —como colectivo— de los trabajadores. Asimismo —en línea con las consideraciones que he ido desarrollando— el órgano judicial competente de dicho orden, debería pronunciarse de manera simultánea, tanto sobre la eventual nulidad de la resolución administrativa, como sobre la posible indemnización y resarcimiento de los intereses colectivos perjudicados, a cargo de la Administración que dictó la misma.

A mi modo de ver, este nuevo enfoque puede proporcionar una solución sencilla y más ajustada a la naturaleza y titularidad verdadera de los intereses en juego. Pues, en efecto, el reconocimiento de la competencia a la jurisdicción social para el tratamiento ambas cuestiones (impugnación del acto gubernativo y reclamación de daños y perjuicios) y la consideración como damnificados por la resolución eventualmente declarada nula únicamente de intereses colectivos de

---

89 Pese a que la atribución de la competencia al orden contencioso administrativo en cuanto al enjuiciamiento de la licitud/abusividad de la resolución administrativa de fijación de servicios mínimos es tradicional y respaldada por la jurisprudencia desde antaño, no deja de suscitar cierta tendencia natural en contra, manifestada, en determinados momentos, por ciertos atisbos de rechazo, como pone de manifiesto la necesidad, incluso, de recursos de casación para clarificar la cuestión, v.gr.: la reciente STS de 16 de febrero de 2023 (rec. 7222/2020), comentada, de manera ejemplar —junto con toda la doctrina jurisprudencial que la precede y con referencia también a algunas de las cuestiones planteadas en este estudio— por Sempere Navarro (2023) que, a su vez, remite a escritos clásicos muy recomendables sobre esta cuestión de la "dualidad de jurisdicciones": Montoya Melgar (1970).

los trabajadores, conducen, asimismo, a una legitimación exclusiva de sujetos colectivos en cuanto a la reclamación de indemnizaciones por daños, que clarificaría, en gran medida, el tratamiento jurídico-procesal de esta materia.

6. CONTROL Y TUTELA JUDICIAL DEL DERECHO DE HUELGA

Enlazando con el sentido de las consideraciones y propuestas de índole procesal y sobre competencia jurisdiccional formuladas en la parte final del capítulo anterior, a continuación, se formula una propuesta *lege ferenda* general sobre esta materia, con una marcada tendencia predominante hacia la avocación del conocimiento de los asuntos en materia de control y tutela del derecho fundamental de huelga en favor del orden jurisdiccional social.

6.1. COMPETENCIA JURISDICCIONAL

En concreto el precepto propuesto sería el siguiente:

Artículo 10

1. Corresponde al Orden Jurisdiccional Social:

a) Conocer, en general, de todas las pretensiones que se promuevan como consecuencia de la aplicación de esta Ley, declarando, en su caso, tras el correspondiente proceso, la legalidad o ilegalidad de la huelga y aplicando los efectos que sean procedentes en cada caso según las prescripciones de esta norma.

La paralización judicial de las huelgas, como medida cautelar, sólo procederá, muy excepcionalmente, en aquellos casos en que de manera flagrante y directa, del contenido del escrito de comunicación de la convocatoria de huelga, o de las conductas y actuaciones colectivas de los huelguistas, se desprendan indiscutidamente motivaciones, modalidades o procedimientos no permitidos en esta Ley, así como, en general, la falta de cumplimiento de los requisitos esenciales exigidos en esta norma para la legalidad de la huelga.

b) Conocer de las impugnaciones que se formulen contra las resoluciones administrativas que fijen las medidas de garantía de los servicios esenciales para la comunidad y, en su caso, reconocer y fijar las correspondientes indemnizaciones. Asimismo, conocerá de los litigios relativos a la designación concreta de las personas trabajadoras que hayan de asumir la prestación de tales servicios, incluido el personal laboral al servicio de las Administraciones públicas.

c) Tutelar a los titulares del derecho de huelga que consideren lesionado el mismo por actuaciones de cualquier persona o entidad pública o privada, a través del procedimiento especial de protección jurisdic-

cional de los derechos fundamentales. A tal efecto, el órgano judicial competente, admitida a trámite la demanda y asumidas sumarias informaciones, podrá ordenar la cesación inmediata de la actuación presuntamente lesiva del derecho de huelga. Asimismo, podrán reconocerse y fijarse las indemnizaciones que, en su caso, procedan.
En particular, controlar el ejercicio de la potestad disciplinaria del empresario con relación al ejercicio del derecho de huelga de su personal.
2. Corresponde al Orden Contencioso-Administrativo el conocimiento de las cuestiones litigiosas y recursos contra sanciones impuestas a los empresarios en aplicación de la Ley sobre Infracciones y Sanciones en el Orden Social.

La aplicación del precepto propuesto implicaría modificaciones importantes de las normas procesales reguladoras de las jurisdicciones social y contencioso-administrativa. La configuración técnica de la implementación de tales cambios excede del objeto principal de esta obra, por lo cual —a los efectos de este estudio— considero suficiente la cláusula genérica contenida en la Disposición Derogatoria del Proyecto propuesto.

6.2. ADMISIBILIDAD LIMITADA DE LAS MEDIDAS CAUTELARES DE PARALIZACIÓN DE LA HUELGA

Como habrá podido observarse, en el segundo párrafo del art. 10.1.a) propuesto se ha incluido expresamente una prevención con relación a la eventual adopción judicial de medidas cautelares en orden a la paralización de las huelgas. Se trata de una cuestión de relativa actualidad y de enorme importancia —por tratarse de limitaciones al ejercicio de un derecho fundamental— que sugiere unas consideraciones de gran interés científico-jurídico que se abordarán a continuación, las cuales han motivado y fundamentado la introducción del precepto comentado en el Proyecto de Ley propuesto.

6.2.1. Antecedentes y planteamiento de la cuestión

Primeramente, la Sala de lo Social de la Audiencia Nacional (AN), por Auto de 14 de mayo de 2015, accedió a la medida cautelar solicitada por la *Liga Nacional de Fútbol Profesional (LNFP)* en orden a suspender la huelga convocada por el sindicato de futbolistas profesionales *Asociación de Futbolistas Españoles* (*AFE*), principalmente, por considerar que existían algunos indicios que permitían anticipar que se trataba de una huelga novatoria, así como por el grave desorden organizativo que esta podría acarrear.

Con posterioridad, sin embargo, un Auto de 12 de abril de 2019 de la propia AN rechazó una petición de suspensión cautelar de huelga formulada por parte de la empresa *AIR NOSTRUM* frente a la convocatoria de la misma por el sindicato *SEPLA*, al entender que no procede la adopción de medidas cautelares cuando no se trata de asegurar la eficacia de una futura sentencia que deba resolver un proceso declarativo si, como se consideró en este caso, ya se cuenta con un título ejecutivo suficiente.

Más recientemente, dos Autos de los Juzgados de lo Social nº 10 y nº 39 de Madrid, ambos de 20 de diciembre de 2022, adoptaron medidas cautelares de paralización de la huelga convocada para el día 22 de mismo mes y año en sendas empresas integrantes de la Unión Temporal de Empresas (UTE) encargada de la gestión de los servicios de filtros de seguridad del Aeropuerto Adolfo Suárez Barajas de Madrid, con base en su carácter abusivo (y también novatorio en el caso del segundo de los Autos), reactivando el gran interés doctrinal que, inicialmente, suscitó esta cuestión[90].

---

90 Estas decisiones judiciales cautelares parece que comienzan ya a proliferar preocupantemente y a nadie se le escapa su indudable interés jurídico, por la enorme trascendencia de sus implicaciones jurídico-sociales y por la gravedad de las consecuencias que puede originar sobre la efectividad del derecho fundamental de huelga. Voces muy autorizadas de la doctrina (Cabeza Pereiro, 2015) han exclamado, así: "Eso de la suspensión cautelar del ejercicio de un derecho fundamental me resulta un concepto muy inquietante (...)"; "En juego está la consolidación o no de una innovadora, y peligrosa, también costosa —por las elevadas cauciones—, estrategia patronal de neutralización preventiva, no reactiva, como hasta ahora, del mismo, a través de un uso intensivo, si no abusivo, de las acciones declarativas previas de ilegalidad mediante el incidente de justicia cautelar" (Molina Navarrete, 2015, p. 6); "Este es el problema. La doctrina que el Auto de la Audiencia Nacional de 14 de mayo impone, con evidente trascendencia para la huelga convocada, pero también, como a nadie se le escapa, para cualquier otra huelga. Lo que le hace doblemente preocupante" (Baylos Grau, 2015); "Estamos ante un caso importante, que sienta precedentes, y que ha dejado, como concluiré, no sólo a la huelga del fútbol, sino a cualquier huelga

Como puede comprobarse, contamos con varios pronunciamientos de distinto signo sobre diversas peticiones de medidas cautelares para la paralizar la efectividad de las huelgas, cuya disparidad de criterio puede justificarse en las características propias de los distintos supuestos de hecho sobre los que se proyectan, pero, asimismo, se evidencian y aducen en los mismos ciertas diferencias de valoración en el ámbito de los fundamentos de Derecho tenidos en cuenta para resolver estas solicitudes de medida cautelar.

Resulta, por tanto, necesario y de gran interés, desde un punto de vista doctrinal, indagar y esclarecer los criterios jurídicos que deben fundamentar la resolución de estos casos, en aras a determinar, en su caso, si puede incluirse la posibilidad de adopción de estas medidas en el texto de un Proyecto de Ley Orgánica de Huelga y, si fuera el caso, con qué contenido y limitaciones.

A mi modo de ver, para ordenar el proceso de razonamiento jurídico que dilucide la cuestión planteada es preciso seguir el itinerario que irá delimitando la superación de varios escollos o dificultades lógicas:

1.- En primer lugar, cable plantearse si sólo son aplicables las medidas cautelares previstas en la LRJS. Pues, si se entendiese que dicha norma contiene una relación cerrada o tasada, en la misma medida en que estas decisiones cautelares limitadoras del derecho huelga no aparecieren entre ellas, habría que descartar la admisibilidad de su adopción y terminaría aquí nuestro análisis. En el supuesto de que la relación de medidas cautelares de la LRJS no constituya un *numerus clausus* y quepa la aplicación abierta de medidas cautelares sujeta a la verificación de sus presupuestos esenciales *fumus boni iuris y periculum in mora* (art. 728 LEC), cabría detenerse en el estudio de su compatibilidad con los supuestos de huelgas que, de entrada, puedan presentar cierta apariencia de ilegalidad (v.gr. en el primer caso de la SAN de 14 de mayo de 2015 en que —al parecer de la AN— de la

---

en el *límite siempre del fuera de juego*" (Lahera Forteza, 2015, p. 331); Fernández Sánchez (2016, p. 272), por su parte, indica en este mismo sentido: "Las posibles consecuencias del procedimiento son bastante importantes. Admitir, más allá de los casos previstos por la Ley, la posibilidad de suspender cautelarmente una huelga en función del interés empresarial a la ejecución de la prestación, abriría la puerta a su posible uso indiscriminado".

convocatoria de huelga se desprendía que su objeto era la novación de un convenio vigente). Constituirá este un paso previo al abordaje de la cuestión de si, en estos casos, el interés empresarial es tutelable mediante estas medidas en orden a la paralización de tales huelgas con indicios cualificados de ilegalidad que, por tanto, no revelarían la manifestación del ejercicio de un derecho fundamental.

2.- Dejando de lado provisionalmente las cuestiones anteriores, el siguiente punto objeto de atención debería ser la ponderación de los derechos en juego. Esto es, aplicando la doctrina constitucional que se analizó al principio de esta obra a esta cuestión concreta, habría que abordar la confrontación del ejercicio de un derecho fundamental, como el de huelga, reconocido en art. 28.2 CE, en la Sección 1ª del Capítulo II del Título I frente un derecho de los ciudadanos (libertad de empresa) reconocido en la sección 2ª del mismo (art. 38 CE), teniendo en cuenta que el contenido esencial del derecho de huelga tiene sus implicaciones sobre la libertad de empresa y sobre los intereses empresariales, puesto que por definición la huelga supone una atentado —legalizado y constitucionalizado— sobre dichos intereses, que deben ser protegidos en otro contexto, pero quedan limitados en este caso. Siendo, además, de radical importancia la elección del momento para la efectividad de la huelga, pudiendo una medida cautelar que la impida o retrase tener una enorme incidencia a estos efectos.

Asimismo, cabe tener presente en este orden de cosas la cuestión de la protección de los intereses de la comunidad y de los usuarios, pues el propio 28.2 CE lo limita a servicios esenciales y se articula sobre la técnica de los servicios mínimos, y no de medidas cautelares. Y lo mismo puede decirse en cuanto a la protección frente a los daños eventualmente exorbitantes de las huelgas cuyo cauce oportuno consiste en el recurso al cierre patronal (en los supuestos del art. 12.1 RDLRT 17/1977, de 4 de marzo) y, en su caso, mediante su resarcimiento posterior, vía indemnización por daños y perjuicios, a través de la consiguiente exigencia de responsabilidad civil, en caso de ilegalidad de la huelga.

3.- Finalmente, como resultado del desarrollo anterior, se obtendrá una justificación razonada y fundamentada jurídicamente del precepto que se ha propuesto para el art. 10.1.a), 2° del Proyecto de Ley propuesto en esta obra.

6.2.2. Acomodación de estos supuestos a los presupuestos de las medidas cautelares

a. El tratamiento de las medidas cautelares en el ámbito laboral

Como ha sido oportunamente subrayado (Blasco Pellicer, 2020), tradicionalmente, las medidas cautelares en el proceso laboral han sido un tema desatendido por las normas procesales del orden social. Así, en la derogada Ley de Procedimiento Laboral (LPL, cuyo Texto Refundido fue aprobado por RDLeg. 2/1995, de 7 de abril), apenas aparecían ciertas referencias puntuales a determinadas posibilidades en este sentido, como el embargo preventivo en el art. 79 o —precisamente en sentido contrario al aquí estudiado— la eventual suspensión de los efectos de actos lesivos de derechos fundamentales relacionados con la libertad sindical, en determinados casos: cuando se impidiera la participación de candidatos en el proceso electoral o el ejercicio de la función representativa o sindical respecto de la negociación colectiva, reestructuración de plantillas u otras cuestiones de importancia trascendental que afectasen al interés general de los trabajadores y que puedan causar daños de imposible reparación, a las que se refería el art. 178 de aquella norma.

En todo caso, incluso tras el esfuerzo de mejora en este sentido que ha protagonizado la Ley Reguladora de la Jurisdicción Social 36/2011, de 10 de octubre (LRJS), el tratamiento en el ámbito social de estas medidas cautelares sigue adoleciendo de dos defectos fundamentales: la ausencia de una regulación sistemática y unitaria de las mismas que, partiendo de unos principios básicos comunes, alcance para poder considerar la existencia de un auténtico proceso cautelar (adicional a los procesos declarativos y ejecutivos) y el abuso de la remisión para estos menesteres a la regulación de la Ley de Enjuiciamiento Civil (LEC), (Blasco Pellicer, 2020, p. 256; Martínez Girón, 2017, pp. 3-4). Respecto a esto último, baste con comprobar el reenvío por el art. 79 de la vigente LRJS a "lo dispuesto en los artículos 721 a 747 de la Ley de Enjuiciamiento Civil con la necesaria adaptación a las particularidades del proceso social".

En cualquier caso, la cuestión más trascendental, a los efectos del objeto que nos ocupa, consiste en dilucidar si estas medidas cautelares, ya sean las de la LRJS o, por remisión, las de la LEC, tienen un fundamento y una significación jurídica de entidad suficiente como para limitar o impedir, mediante su paralización, la efectividad de una huelga convocada.

Desde antaño, existe consenso, tanto en el ámbito jurisprudencial como doctrinal, en torno a que las medidas cautelares tienen por finalidad principal justificadora de su adopción la garantía de la eficacia de la sentencia que vaya a poner fin al proceso declarativo. No proceden, por ello, en el proceso ejecutivo. Se trata con ellas de evitar que, bien por el mero transcurso del lapso de tiempo —inevitable— entre el inicio del procedimiento y a la resolución judicial que le ponga fin, o bien por las actuaciones de las partes o de terceros durante el mismo, se puedan originar daños irreparables o cambios contextuales de los que se derive una situación fáctica tan distinta a la inicialmente sometida a la consideración del juzgador que haga perder el sentido y/o la eficacia a la decisión judicial final que recaiga.

Estando en juego la eficacia misma de las resoluciones judiciales resulta obvio que las medidas cautelares se configuran como un instrumento procesal necesario para garantizar el derecho a la tutela judicial efectiva, pues tratan de asegurar el derecho a que el fallo se cumpla —o, más exactamente, a que sea posible dicho cumplimiento— el cual forma parte del contenido esencial de este derecho fundamental a la tutela judicial efectiva reconocido en el art. 24.1 CE, como se recoge en distintas sentencias del Tribunal Constitucional (SSTC 14/1992, 238/1992 y 218/1994). Pero no hay que perder de vista una de las notas caracterizadoras de las medidas cautelares: su instrumentalidad. Pues estas están orientadas a favorecer que el proceso cumpla cabalmente su función de servir eficazmente al derecho material al que sirve (Blasco Pellicer, 2020, p. 266).

De ahí se deriva una conclusión que —como se verá— es de importancia fundamental para la resolución del problema que nos ocupa pues, a mi juicio, los derechos a ponderar en la balanza para resolver esta cuestión no son dos derechos fundamentales insertos en la Sección 1ª del Capítulo II del Título I de la CE. En efecto, no son el derecho tutela judicial efectiva del art. 24.1 CE y el de huelga del art. 28.2 CE los que se oponen[91] y que, en todo caso, deberían de ser cohonestados (y no enfrentados imponiendo el predominio de uno sobre otro) por virtud de la tan auspiciada —y ya analizada al principio de esta obra— aplicación por nuestra jurisprudencia constitucional y ordinaria del principio de proporcionalidad, sino que el derecho material tutelado por las medidas cautelares (libertad de empresa) se encuentra reconocido en el art. 38 CE, en la Sección 2ª de dicho Capítulo II del Título I de la CE, con un nivel de protección y garantías, ex art. 53.1 y 2 CE, inferior al previsto para el derecho fundamental de huelga[92].

A mi modo de ver —en contra del criterio que fundamenta estas resoluciones judiciales—, al resolver el incidente cautelar, si se parte del derecho a la tutela judicial efectiva, este derecho fundamental debería ser ponderado no sólo en favor de asegurar una sentencia justa y eficaz para el empresario/empleador solicitante de estas medidas cautelares, sino también para procurar que en sede judicial se garantice y no sea impedido el ejercicio legítimo del derecho fundamental de huelga por sus titulares. Es decir, el derecho fundamental a la tutela judicial efectiva es instrumental y está al servicio de la garantía judicial de los derechos de todos los ciudadanos, no sólo de los solicitantes de medidas cautelares. Que las medidas cautelares deriven y encuentren su justificación en el derecho a la tutela judicial efectiva no implica —obviamente— que éste limite su alcance a la adopción de aquéllas, puesto que también debe entenderse com-

---

91 Esta contraposición de derechos fundamentales, como Molina Navarrete (2015, p. 10) denuncia: "representaría, en un plano más de política del derecho, tanto como instrumentalizar un derecho fundamental, el de la justicia cautelar, al servicio de la neutralización absoluta de otro, la huelga". Aunque, posteriormente (p. 11), expresa, en sentido contrario, al defendido en este estudio: "(...) no está en juego propiamente la libertad de empresa, derecho de rango constitucional y naturaleza mercantil, de menor protección que el derecho de huelga, de rango fundamental y naturaleza social, sino el derecho fundamental a la efectividad de la tutela judicial ex artículo 24 de la CE que incorpora, como para cualquier ciudadano, la justicia cautelar".

92 Fernández Sánchez (2016, p. 272), aunque inicialmente parte del enfrentamiento entre el derecho fundamental a la tutela judicial efectiva y el derecho fundamental de huelga, llega a una conclusión similar sobre la base de una diferenciación determinante: que el primero es un derecho procesal y el segundo un derecho sustancial.

prendido en el mismo el derecho de la contraparte a que el órgano judicial no perjudique la tutela de sus derechos fundamentales mediante la adopción de tales medidas provisionales. El enfrentamiento no puede ser, pues, entre el derecho procesal a la tutela judicial efectiva y el derecho sustantivo de huelga (como si los titulares de éste no lo fueran también de aquél), pues tan titulares del derecho fundamental a la tutela judicial efectiva son unos como otros. En cambio, en mi opinión, es preciso atender a la adecuada conciliación y ponderación de los derechos materiales a tutelar: derecho cívico a la libertad de empresa (art. 38 CE) y derecho fundamental de huelga (art. 28.2 CE).

No se trata de defender que esta cuestión deba resolverse, simple y llanamente, por un criterio de jerarquía, reconociendo la prevalencia de un derecho material sobre el otro, sino que parece más razonable, desde en una perspectiva de cohesión sistemática de los derechos constitucionales, acudir a otros criterios más acordes con el modo en que, mediante la aplicación del principio de proporcionalidad, la jurisprudencia constitucional y ordinaria viene disciplinando las relaciones sinérgicas entre los distintos derechos. Pero lo cierto es que éste es un dato clave a tener en cuenta en la resolución de este asunto, pues esta prevalencia constitucional del derecho de huelga —en cuanto fundamental— sirve de apoyo y está detrás de la configuración —según la dogmática constitucional— del contenido esencial del derecho fundamental de huelga en el cual está ínsita la posibilidad misma de presionar los intereses empresariales, con paralizaciones de la actividad laboral que pueden provocar desajustes y anomalías sobre el proceso de producción empresarial, que deben ser soportados por la parte patronal.

b. Las medidas cautelares concretas previstas en la LRJS y en la LEC

En nuestro objetivo de desentrañar si es viable jurídicamente la adopción por un órgano judicial de una medida cautelar suspendiendo (mientras se desarrolla el proceso declarativo procedente) una huelga cuya legalidad ha sido impugnada mediante la correspondiente demanda de conflicto colectivo, parece claro que la primera cuestión a plantearse es la relativa a si existe una previsión legal específica que, directa o indirectamente, habilite para tal fin.

Si bien es posible deducir fácilmente la posibilidad de adoptar medidas cautelares para la protección de la huelga de la previsión del art. 180 LRJS en el seno del proceso de tutela de derechos fundamentales y libertades públicas, lo cierto es que, en sentido contrario a esta protección, ninguna de las demás previsiones concretas de tutela cautelar de esta norma se refiere expresamente a la posibilidad de paralizar huelgas en favor de la protección del interés empresarial ni son fácilmente adaptables por analogía a este supuesto. Tampoco parece que dicha posibilidad pueda obtenerse ni derivarse de la remisión genérica del art. 79 LRJS a los arts. 721 a 747 de la LEC. Únicamente hay que tener en cuenta que, aunque el precepto no esté pensado necesariamente para las huelgas, el art. 727. 7ª LEC, con carácter general, permite: “La orden judicial de cesar provisionalmente en una actividad; la de abstenerse temporalmente de llevar a cabo una conducta; o la prohibición temporal de interrumpir o de cesar en la realización de una prestación que viniera llevándose a cabo”. Sobre la base de esta amplia redacción, cabría entender aplicable la tutela cautelar en el supuesto que nos ocupa, con la salvedad de las llamadas medidas cautelarísimas.

A) Medidas cautelarísimas o inaudita parte: Por lo que se refiere a estas últimas, a mi juicio, la aplicabilidad al caso de la huelga del art. 733 LEC, relativo a las denominadas *medidas cautelarísimas inaudita parte* plantea enormes dificultades jurídicas, pese a su adopción por los Autos de los Juzgados de lo Social nº 10 y nª 39 de Madrid, de 20 de diciembre de 2022, con apoyo por este último en la interpretación de un Auto de 30 de marzo de 2010 del TSJ de Madrid. El citado precepto, establece, como regla general, que el tribunal proveerá a la petición de medidas cautelares previa audiencia del demandado, si bien permite, excepcionalmente, en su apartado 2º, sin posibilidad de recurso, acordarlas sin previa audiencia del demandado, si el solicitante lo pide y acredita que concurren razones de urgencia o que la audiencia previa puede comprometer el buen fin de la medida cautelar.

A mi modo de ver, la ausencia total de garantías procesales propia de esta posibilidad implica que deba ser tratada con carácter muy excepcional y que no conjugue bien con los supuestos en que está en juego el ejercicio de un derecho fundamental. Pero, a mayor abundamiento, difícilmente podrán apreciarse tales razones de urgencia en los casos de huelga al ser exigible un preaviso mínimo de 5 días (o 10 días encargadas de la prestación de cualquier género de servicios públicos), salvo que la premura sea provocada por el propio demandante al demorar al extremo la presentación de la demanda y la solicitud de las medidas cautelares. Con relación a esto último, hay que tener presentes los requisitos generales de este tipo de medidas inaudita parte: principio de buena fe y justificación de la urgencia (las razones de la urgencia han de ser independientes de las razones de la adopción de la medida cautelar misma), así como, en fin, que este tipo específico de medidas, por lo general, obtienen su justificación en el *factor sorpresa* que evite actuaciones premeditadas del demandado que puedan desvirtuar la eficacia de la tutela judicial (alzamiento de bienes, etc.) y que poco tienen que ver con supuestos de ejercicio de un derecho fundamental que está sujeto al preaviso del propio demandado. En definitiva, "la petición cautelar no puede degenerar en un medio de presión de una parte sobre la otra, hasta el punto de traicionar más bien que servir a los intereses de la Justicia" (Carnelutti, 1971, p. 435).

B) Numerus apertus: Excepción hecha de las cautelarísimas comentadas, no parece posible oponer a la posibilidad de adopción de las medidas cautelares generales la consideración como taxativa o *numerus clausus* de la enumeración de la LRJS —o, en su caso de la LEC—, puesto que a fin de cuentas —como se ha avanzado arriba— la adopción de medidas cautelares deriva del derecho a la tutela judicial efectiva y, de acuerdo con el art. 53.1 CE, este derecho vincula a todos los poderes públicos y es de aplicabilidad directa, sin necesidad de Ley de desarrollo que delimite su alcance y sin que su contenido esencial pueda ser desbordado por el desarrollo legal. Es decir, si existe un derecho material cuya tutela judicial efectiva requiera de la adopción de medidas cautelares, estas deberían poder ser adoptadas, aunque no se correspondan con uno de los tipos específicos previstos por la Ley. En este mismo, cabe apoyarse en los términos abiertos con que se expresan los arts. 726 y 727.11ª de la LEC.

Descartada, de este modo, la oponibilidad de la inexistencia de una previsión legal específica para las medidas cautelares en estos supuestos (en contra: Roqueta Buj, 2015), cabe dirigir el análisis de su procedencia a los presupuestos generales que justifican su adopción.

c. Aplicabilidad al caso de los presupuestos justificativos de la medida cautelar

Los dos presupuestos clásicos que habilitan, según el art. 728 LEC, la adopción de las medidas cautelares son *fumus boni iuris* (apariencia de buen derecho) y *periculum in mora* (peligro por la demora). Impedir el inicio del ejercicio de un derecho fundamental —o paralizarlo una vez iniciado— debería contar con una apreciación cualificada de cualquiera de estos presupuestos y, adicionalmente, —lo cual es todavía más importante— debería valorarse si el derecho cuya apariencia legitima la adopción de estas medidas en aras a su protección tiene suficiente entidad para limitar o anular el ejercicio del que se le contrapone. Con mayor razón, si se tiene presente que este último es un derecho fundamental en cuya definición de contenido esencial se halla ínsita, en sí misma, su potencialidad de producir daños en los intereses empresariales.

Así, cuando la apariencia de buen derecho fuera precisamente en favor de la huelga, la medida cautelar debería operar, en caso de ser precisa, justamente en sentido contrario, esto es, protegiendo el ejercicio de aquélla frente a actos que puedan perjudicarla. Quedaría, así, reservado el uso de las medidas cautelares que puedan paralizar las supuestas huelgas únicamente a los casos en que la apariencia de las mismas sea de manifiesta ilegalidad y, por tanto, pudiendo anticiparse que no se está ejercitando ningún derecho fundamental —sino todo lo contrario: un acto ilegal ajeno al derecho fundamental-sí quedaría totalmente legitimada la protección de los intereses empresariales en juego y la evitación de los consiguientes daños sobre los mismos. En este último caso, no deberían existir demasiadas dificultades para poder verificar, junto a la apariencia de “buen derecho” empresarial, la concurrencia adicional del *periculum in mora* de daños sobre los intereses de la empresa que se originaría, con gran certidumbre, de mantenerse un proceso de huelga ilegal durante todo el tiempo que pudiera mediar desde su inicio hasta que se declarase su ilegalidad en la sentencia correspondiente.

Tratándose de una tutela cautelar que se produce sin que todavía se tengan elementos de juicio suficientes (pruebas contradictorias, informes periciales o, en su caso, de la ITSS, alegaciones de las partes, etc.), la adopción de esta medida, necesariamente, debería estar, en su caso, supeditada a la comprobación de indicios sólidos del derecho, pues todavía no es posible una declaración plena de su existencia. Cabe recordar, en este sentido, que *los actos limitativos del ejercicio de derechos fundamentales deben aplicarse de manera restrictiva* (entre otras: STC 159/1986). Del mismo modo, en sentido contrario, unas medidas como las referidas estos casos, deberían ser desestimadas cuando el indicio de derecho sea el de la contraparte (en este caso, en favor de la huelga) sin que sea posible limitar el ejercicio de un derecho fundamental, por anticipaciones o presunciones, a menos que de los hechos ya consumados (convocatoria de huelga, primeras manifestaciones o deriva posterior del proceso huelguístico) se desprendan indicios claros de que la huelga es ilegal y, por tanto, no se está ejercitando ningún derecho (ni fundamental ni ordinario) y que el derecho a tutelar, evitando perjuicios mayores, debe ser el empresarial.

Empleando una *ratio decidendi* similar, el primer Auto de la AN de 14 de mayo de 2015, en la huelga convocada por el sindicato de jugadores profesionales de fútbol, pretendió fundamentar estas medidas cautelares en que algunos de los objetivos de la propia convocatoria de huelga podrían perseguir modificar lo pactado en convenio colectivo (constituyendo una declaración de huelga novatoria prohibida por el art. 11c) RDLRT, 17/1977, de 4 de marzo). De haber sido realmente así en aquel supuesto y, en general, en cualquier otro en que conste una declaración expresa en tal sentido en la convocatoria de huelga, ello permitiría, desde luego, de antemano, anticipar la clara ausencia de derecho por los sujetos convocantes, la consiguiente apariencia de derecho para los empresarios afectados y un peligro evidente de daños en sus intereses legítimos durante el tiempo que transcurriese hasta que se dictase resolución judicial definitiva, así como, por tanto, la necesidad de su evitación mediante medidas de cautela.

Fuera de estos casos en que el indicio sea cualificado y manifiesto —y así debe ser al estar en juego la limitación de derechos fundamentales— la medida cautelar debería ceder en beneficio del ejercicio legítimo del derecho fundamental de huelga, sin perjuicio en todo caso, de que si la sentencia termina declarando la ilegalidad o abusividad de la huelga, quepa —a posteriori— el resarcimiento de daños y perjuicios por los sujetos convocantes y/o los demás responsables en los términos previstos en el art. 5 de la Ley Orgánica 11/1985, de 2 de agosto, de Libertad Sindical. Pues, en efecto, como ha sido indicado (SSTS de 14 de febrero de 1990 y 3 de abril de 1991, Rec. 897/90), si bien, cualquier daño o perjuicio originado al empresario por el legítimo ejercicio del derecho de huelga debe ser soportado por él, cuando los huelguistas se extralimiten en el ejercicio del derecho y la huelga sea declarada ilegal pasarán a ser responsables por los daños causados (bien por la vía de la responsabilidad contractual del art. 1101 CC o la extracontractual del art. 1902 CC y ss.) los sindicatos convocantes o el comité de huelga si se prueba su participación o instigación de las conductas que provocan la ilegalidad de la huelga. En otro caso, las responsabilidades deberán individualizarse (art. 5 LOLS y STC 69/2016).

Finalmente, especialmente en estos supuestos huelguísticos, no hay que perder de vista la importancia de la condición a que queda supeditada la adopción de una medida cautelar en el art. 726.1. 2ª LEC: "No ser susceptible de sustitución por otra medida igualmente eficaz, a los efectos del apartado precedente, pero menos gravosa o perjudicial para el demandado". Este precepto tiene especial relevancia para los supuestos (v. gr.: Auto del Juzgado de lo Social nº 10 de Madrid) en que se pretenda fundamentar la medida cautelar en el carácter abusivo de la huelga, puesto que, para evitar esta circunstancia, cuando se trata de servicios esenciales para la comunidad, procederá la fijación de servicios mínimos por la autoridad gubernativa competente y no la adopción de medidas cautelares por el órgano judicial. Estas últimas deberían quedar reservadas, en su caso, exclusivamente a los supuestos en que pueda constatarse fehacientemente en un examen preliminar la ilegalidad de la huelga, pero no deberían ser aplicadas para evitar la abusividad de las huelgas, pues para este fin se cuenta, actualmente, con un cauce específico (servicios mínimos) perfectamente eficaz y menos lesivo para el ejercicio del derecho fundamental de huelga.

6.2.3. Consecuencias de la caracterización del derecho de huelga como derecho fundamental a efectos de las medidas cautelares

Como se desprende de las consideraciones realizadas hasta el momento, a efectos de la resolución de la cuestión que es objeto de análisis no puede obviarse la importancia del hecho de que en el caso de la huelga estamos en presencia de un derecho fundamental. Así, conforme al art. 53.1 CE, el derecho fundamental de huelga vincula a todos los poderes públicos (incluido el judicial) y su regulación por el poder legislativo queda sujeta a reserva de Ley (Orgánica: art. 81.1 CE)[93], imponiéndose, en todo caso, el respeto a su contenido esencial.

a. Implicaciones derivadas del contenido esencial del derecho de huelga

El TC reconoce que el derecho de huelga es, como todo derecho, un derecho limitado, y también es un derecho que admite y precisa una regulación legal "no importando, pues, a efectos de juzgar su constitucionalidad, si la regulación del derecho es restrictiva sino si sobrepasa o no su contenido esencial" (SSTC 11/1981 y 332/1994, entre otras).

---

[93] De modo que ya, en un primer acercamiento desde índole formal, se aprecian dificultades para que mecanismos restrictivos con origen en una Ley ordinaria (LRJS/LEC) puedan tener potencialidad para la limitación de un derecho fundamental como el de huelga, sin previa remisión o habilitación por una Ley Orgánica. En este mismo sentido se pronuncia Lahera Forteza (2015, p. 335-336) que cita, a estos efectos, la STC 187/1999. Así, es por Ley Orgánica, en el art. 23 de la LO 4/1981, de 1 de junio, de los estados de alarma, excepción y sitio, que se regula la posibilidad de que la autoridad gubernativa pueda prohibir las huelgas y la adopción de medidas de conflicto colectivo, cuando la autorización del Congreso para los estados de excepción o de sitio comprenda la suspensión de los arts. 28.2 y 37.2 CE, con base en la habilitación constitucional de los arts. 55 y 116 CE (Morales Sancho, 2016, pp. 2-3).

Resulta imprescindible, pues, dilucidar cuál es el contenido esencial del derecho de huelga y cuáles son sus implicaciones sobre la libertad de empresa y sobre los intereses empresariales, puesto que, por definición, —como he anticipado ya— la huelga supone una atentado —legalizado y constitucionalizado— sobre dichos intereses, que deben ser protegidos y son tutelables en otro contexto, pero no de manera absoluta en este caso, pues, precisamente ello forma parte de aquello en lo que consiste la huelga.

Como ya fue estudiado al inicio de esta obra, la célebre STC 11/1981, de 8 de abril, ha establecido que el derecho de huelga es un derecho subjetivo y un derecho de carácter fundamental que tiene como contenido esencial la cesación del trabajo, en cualquiera de las manifestaciones o modalidades que puede revestir. El reconocimiento de este derecho está ínsito en el art. 1.1 CE (Estado social de Derecho) y, entre otras significaciones, tiene la de legitimar medios de defensa de los intereses de grupos de la población socialmente dependientes. Asimismo, es general y notoria la jurisprudencia que entiende que, convocada la huelga, el empresario debe soportar sus consecuencias (en este sentido, la prohibición de esquirolaje del art. 6.5 RDLRT 17/1977 de 4 de marzo, etc.). Esta misma STC en relación con las posibilidades de declaración de abusividad y/o ilegalidad de las huelgas —que, lógicamente, son las que deberían servir de guía en la valoración apriorística a efectos de las medidas cautelares— reconoce que es necesario que los sacrificios mutuos sean proporcionados. No implica igualdad de padecimientos y daños, pues precisamente la huelga trata de reequilibrar una situación asimétrica de partida, lo cual no será posible si los daños resultantes para ambas partes son iguales (nuestro ordenamiento jurídico no reconoce —como ya vimos— la *kampfparität* o una lucha de igualdad de armas). Por ello, sólo se debería poder impedir una huelga si puede encuadrarse en alguno de los motivos o modalidades prohibidas por el legislador (huelga ilegal) y/o cuando la falta de proporcionalidad entre los medios utilizados y el fin pretendido produce o implica la carencia absoluta de sacrificios mutuos (huelga abusiva). Si nada de esto concurre de manera evidente, el derecho fundamental de huelga no puede ser paralizado preventivamente, pues los daños del lado empresarial forman parte del contenido esencial de dicho derecho fundamental y, asimismo, —no debe olvidarse— que en caso de perjuicios desmedidos (notorio peligro de violencia para las personas o de daños graves para las cosas, ocupación ilegal o peligro cierto de que se produzca, así como irregularidades en el trabajo que impidan gravemente el proceso normal de producción), se cuenta con la vía defensiva autorizada por nuestro ordenamiento jurídico constitucional (art. 37.2 CE) y legal (art. 12 RDLRT 17/1977, de 4 de marzo) del cierre patronal.

Sobre la base de la doctrina constitucional analizada es posible vislumbrar serias dificultades para la verificación de la concurrencia de uno de los elementos justificativos de las medidas cautelares (*periculum in mora*), en la medida en que —siempre y cuando se trate de huelgas legales— la evitación con estas medidas cautelares de los daños sobre los intereses empresariales no constituyen un objetivo legítimo, pues su padecimiento forma parte de lo que constituye el contenido esencial del ejercicio mismo del derecho de huelga.

Así pues, no sólo desde el punto de vista de los presupuestos procesales de las medidas cautelares, sino también, desde esta perspectiva de contenido esencial del derecho de huelga, se presenta como única alternativa posible que puede hacer viable la adopción de estas medidas cautelares, la consideración de que la huelga en cuestión pueda valorarse como manifiestamente ilegal y que, por tanto, no exista el respaldo del ejercicio de este derecho fundamental que pueda justificar un atentado a los intereses de la empresa. Sin embargo, una valoración de tal magnitud que permita afirmar la ilegalidad de la huelga, normalmente, en momentos pre-procesales todavía muy prematuros resultará generalmente muy arriesgada, debiendo prevalecer la conclusión de que, salvo casos excepcionales —e improbables, dado que sería supina la ingenuidad de los convocantes que expresamente hagan constar objetivos ilícitos en la convocatoria—, en que de los propios objetivos planteados en la convocatoria de la huelga o en que del desarrollo del proceso huelguístico (v. gr. por actuaciones violentas o coactivas) pueda desprenderse directamente su ilegalidad, ha de permitirse y garantizarse la posibilidad de ejercicio del derecho de huelga durante el desarrollo del proceso declarativo, sin perjuicio de que proceda la indemnización de los daños y perjuicios causados cuando a resultas de la sentencia quedase reconocida la ilegalidad de la huelga. Desde este punto de vista, la concurrencia del *fumus boni iuris* en favor del empresario solicitante de las medidas cautelares estaría condicionada en estos casos siempre a la apreciación de la apariencia cierta y manifiesta de la ilegalidad de la huelga.

En otro caso, ante la inexistencia de indicios claros de apariencia de ilegalidad de la huelga, habrá de presumirse la legalidad de la huelga mientras no se demuestre lo contrario en el curso del proceso declarativo y así se reconozca en la resolución judicial que le ponga fin y, por tanto, la adopción de la medida cautelar en estos casos constituiría, las más de las veces, una vulneración del derecho fundamental de huelga por parte del poder judicial y, por tanto, susceptible de ser recurrida en amparo ante el TC (arts. 53.2, 161.1a) y 162.1b) CE) una vez agotados todos los medios de impugnación posibles en vía judicial, en los términos previstos en el art. 44 de la Ley Orgánica 2/1979, de 3 de octubre, del Tribunal Constitucional.

En efecto, en tales supuestos, más bien podrá afirmarse que el *fumus boni iuris* estará en favor de la huelga, debiendo tenerse presente, además, que el *periculum in mora* es de especial magnitud en el caso del derecho de huelga para el que la elección del momento para su ejercicio resulta crucial en cuanto a su efectividad y cualquier demora puede originar los perjuicios de difícil reparación que justificarían, en caso necesario, una medida cautelar en su tutela y no justo lo contrario.

Planteado así el asunto, parece que la decisión sobre la adopción de estas medidas cautelares pende del estrecho hilo de una valoración apriorística sobre la ilegalidad de la huelga que —con mayor motivo tratándose de un derecho fundamental— exige un tratamiento restrictivo y riguroso que conduce a un espacio muy limitado para cualquier decisión de este tipo que pretenda adoptarse, debiendo otorgarse una presunción de licitud en su ejercicio que sólo debería destruirse en caso de indicios de flagrante ilegalidad o, en otro caso, mediante la oportuna sentencia recaída tras un proceso declarativo desarrollado con todas la garantías.

b. Eficacia y efectividad de las huelgas. La importancia del momentum

Al hilo del contenido esencial del derecho de huelga, se ha planteado —especialmente, con relación al esquirolaje tecnológico— la cuestión de si este derecho exige que se garantice solamente su eficacia o también su efectividad[94]. Esta distinción en el ámbito de la huelga aparece ya tempranamente en nuestra jurisprudencia constitucional (STC 41/1984, de 21 de marzo).

Mi postura, como también en el caso del esquirolaje (Rodrigo Sanbartolomé, 2025) es en favor de garantizar la eficacia de la huelga (asegurando siempre la posibilidad de su desarrollo, si es legal) si bien supeditando su efectividad (o el logro de sus objetivos) al éxito que consiga alcanzar por sí misma, en virtud del nivel de adhesión alcanzado y/o el acierto de la estrategia empleada. Aplicando este mismo razonamiento, a *sensu contrario*, al tema que ahora nos ocupa, la solicitud de medidas cautelares por la empresa y, en su caso, su adopción por el órgano judicial, en la mayor parte de los casos, pueden limitar no sólo su eficacia (al impedir su ejercicio) sino también su efectividad a futuro, en la medida en que, incluso, permitiéndose su ejercicio en un momento posterior, una vez subsanadas las supuestas deficiencias o en un proceso de huelga independiente posterior, la coyuntura fáctica general (económica, social, comercial..) y/o de la empresa en cuestión pueden ser muy diferentes, corriéndose el riesgo de que la capacidad de presión sobre el proceso productivo sea menor —o, incluso, muy inferior— dependiendo del momento en que la huelga sea desarrollada. En este sentido, para referirme al efecto de estas medidas cautelares sobre las huelgas, prefiero el término *paralización* sobre el vocablo *suspensión* de uso más habitual para estos casos, pues lo cierto es que, las más de las veces, la huelga que es impedida con estas medidas en un momento concreto y determinado ya no será exactamente la misma por el probable cambio circunstancial y de contexto cuando, en su caso, tras la sentencia, se declare su legalidad y se permita su desarrollo posterior. Por lo tanto, más que de una reanudación de la misma huelga tras su suspensión,

94 Véase sobre esta cuestión el interesante estudio de Escribano Gutiérrez (2017).

en gran parte de los casos será más apropiado hablar de inicio de una nueva huelga tras la paralización del intento anterior: "(...) impidiendo su ejercicio (a eso equivale la suspensión)", en palabras de Sempere Navarro (2015, p. 17).

Es más, si tras la adopción de las medidas cautelares, finalmente, en la sentencia que resuelva el proceso de conflicto colectivo se reconociera la legalidad de la huelga, no parece que el perjuicio para su ejercicio pueda venir compensado siempre de manera suficiente con la ejecución de la caución que, en su momento, se hubiera constituido, pues, difícilmente contrarrestará que, en muchos casos, con posterioridad, la huelga ya no pueda realizarse y que, por tanto, quede totalmente desvirtuada[95]. A mayor abundamiento, reconocer la virtualidad de la caución ofrecida por el demandante como contrapeso suficiente para favorecer la adopción de estas medidas cautelares podría degenerar en un efecto de monetización del ejercicio del derecho de huelga[96].

En conclusión, del mismo modo que, en el caso del esquirolaje, defiendo que el éxito de la huelga debe depender de los propios trabajadores (en función de la elección del momento, de la estrategia adoptada y, sobre todo, del grado de aceptación y adhesión) y no de imponer medidas de inhibición exorbitantes a la empresa, *a sensu contrario*, en el caso de las medidas cautelares, el eventual fracaso de la huelga debe depender de estos mismos factores asociados al fenómeno huelguístico mismo, y no de la actitud judicial beligerante de la empresa que, si obtiene respaldo formal vía medida cautelar, puede contribuir no sólo a perjudicar la eficacia de una huelga concreta sino, incluso a largo plazo, la efectividad de esta o futuras huelgas y el logro de objetivos que, en un primer momento, hubiera sido hipotéticamente alcanzable.

---

95 En este sentido, con relación al caso del Auto de la AN de 14 de mayo de 2015, se ha señalado que: "(...) sin perjuicio de la caución (5.000.000 €) realizada por la LNFP para paliar los hipotéticos daños que pudiese generar la suspensión de la huelga en el caso de que esta no fuera declarada finalmente ilegal, lo cierto es que si la Sala en el proceso principal de Conflicto Colectivo declara, finalmente, que la huelga es ajustada a derecho, ésta quedaría totalmente desvirtuada ya que las competiciones habrán finalizado y la huelga no podría llevarse a cabo, quedando sin contenido el ejercicio de este Derecho Fundamental" (Navarro Serrano, 2015, p. 7).

96 Fernández Sánchez (2016, p. 272), plantea esta interesante cuestión sobre este pernicioso efecto adicional.

Por tanto, a mi juicio, no integra el contenido esencial del derecho de huelga, la necesidad de salvaguardar su efectividad mediante una actitud totalmente abstencionista de la empresa, pero sí la preservación de su eficacia frente a atentados por parte de la empresa o frente a actos judiciales (v. gr. medidas cautelares), posibilitándose, de este modo, la efectividad potencial de la misma, si por méritos propios consigue notoriedad y relevancia suficiente para el logro de sus objetivos. Todo ello, obviamente, en caso de que la huelga pueda presumirse legal, pues cuando existan indicios sólidos de ilegalidad de la huelga que puedan apreciarse y derivarse de un simple examen preliminar, la conclusión debe ser en favor de la admisibilidad de estas medidas cautelares.

6.2.4. Justificación del precepto propuesto

Son perfectamente posibles supuestos concretos —probablemente muy excepcionales, como algunos que he ido apuntando más arriba— en que, por instrucciones o actuaciones dirigidas por los convocantes o como —si hubiera sido el caso— el resuelto por el Auto de la AN de 14 de mayo de 2015 en que, de la simple lectura de la convocatoria de huelga, se pudiera llegar concluir que existen evidencias claras de que, por ejemplo, se trata de una huelga novatoria ilegal. En tales casos, ante la ilegalidad manifiesta de la huelga (puesto no se cuenta con el respaldo de estar ejercitándose un derecho fundamental) puede estimarse procedente y justificada la adopción de medidas cautelares en protección de los intereses empresariales, e incluso, en su caso, los de los clientes y usuarios afectados.

Es cierto que, tradicionalmente, nuestro ordenamiento jurídico laboral ha atribuido a la autoridad gubernativa las facultades de intervención para evitar huelgas abusivas contra los intereses de la comunidad o que puedan irrogar perjuicios graves sobre los intereses generales o para la economía nacional[97]. En este sentido, cabe recor-

97 Baylos Grau (2015) subraya en relación a esto: "Pero la huelga es un derecho constitucional, no una libertad que se relacione estrictamente con el espacio del contrato, y el momento de su ejercicio debe ser preservado y garantizado salvo en los supuestos en los que la constitución prevé que se pueden introducir li-

dar las posibilidades que, bajo ciertas condiciones y en casos excepcionales, ofrece a la autoridad gubernativa, pero no a la judicial, la normativa vigente (art. 10. 1 y 2 RDLRT), constitucionalizadas con ciertos matices por la STC 11/1981, en cuanto a medidas de intervención e, incluso, imposición de arbitrajes obligatorios. O también, con carácter más general, pero también muy excepcional, en el art. 23 de la Ley Orgánica 4/1981, de 1 de junio, de los estados de alarma, de excepción y de sitio.

Sin embargo, como hemos ido viendo, a mi juicio, ni esta preferencia de nuestro Derecho actual por la autoridad gubernativa, ni la falta de previsión legal expresa de este tipo de medidas cautelares, deberían impedir que la autoridad judicial pueda paralizar aquellos actos —a buen seguro muy infrecuentes— que, de forma notoria, apriorísticamente y sin necesidad de actividad argumentativa o probatoria adicional, sean susceptibles de ser identificados como actos ilegales y, por tanto, ajenos al derecho fundamental de huelga. Por ser más concreto, ejemplificaré: ¿Cabe alguna duda sobre que, hipotéticamente, la autoridad judicial podría paralizar una huelga convocada por militares que plantease como objetivo subvertir el orden constitucional? ¿No resulta evidente que un órgano judicial debería poder paralizar cualquier huelga en la que en el propio texto de la convocatoria se exprese literalmente: "con esta huelga pretendemos novar el convenio colectivo estatutario vigente"? Evidentemente, estos son casos extremos realmente improbables, pero sólo trato de evidenciar con esto que, conceptualmente, esta posibilidad por sí misma, debería ser viable, si bien reservada a casos puntuales de clara ausencia de derecho de huelga o de presencia de objetivos ilegales.

Lógicamente, las dificultades surgen cuando —seguramente, sean la mayoría de los casos— la determinación del carácter ilegal del acto en cuestión no sea tan evidente. Pues bien, en estos otros casos más difusos, a mi juicio, la presunción debería ser en favor de la legalidad

---

mitaciones, única y exclusivamente legitimadas por que quien las realiza es una autoridad de gobierno y que por tanto efectúa un acto político de restricción de un derecho fundamental. En el resto de los supuestos, el control judicial puede verificar las consecuencias y las responsabilidades del ejercicio irregular de este derecho fundamental, pero no impedirlo con carácter previo".

de la huelga convocada y para desvirtuar tal presunción deberían exigirse las correspondientes pruebas constatadas en el seno de un proceso declarativo y no la vía incidental cautelar.

En efecto, fuera de casos tan patentes como los que acabo de ejemplificar, en la mayoría de procesos huelguísticos no es probable que pueda alcanzarse certidumbre sobre la ilegalidad de la huelga mediante un simple análisis preliminar de la convocatoria de huelga y, asimismo, en la inmensa mayoría de supuestos con potencialidad para tal fin, como actuaciones coactivas o violentas de piquetes, incumplimiento de servicios de seguridad y mantenimiento o de servicios mínimos en servicios esenciales para la comunidad o modalidades de huelga empleadas que puedan reputarse abusivas, será precisa cierta actividad probatoria, alegaciones y demás actuaciones procesales para concluir que dichas actuaciones, caso de ser de suficiente entidad a estos efectos, han sido dirigidas o incitadas por los sujetos convocantes viciando de ilegalidad la huelga misma. Será preciso, por tanto, en estos casos, entrar a valorar el fondo del asunto tras seguirse los cauces procesales completos, sin que sea admisible anticipar medidas cautelares sobre la base de consideraciones conjeturales que tendrían como efecto impedir el ejercicio de un derecho fundamental respecto del que no puede presumirse su ilegalidad.

Tratándose de un derecho fundamental, cuyas eventuales limitaciones deben ser interpretadas y aplicadas de forma restrictiva según la doctrina del TC citada más arriba, se precisa, además, —más aun, si cabe— prueba en contrario de su licitud, con todas las garantías y medios procesales oportunos, pues en caso de que, finalmente, la sentencia declarase la licitud de la huelga, los daños originados por las medidas cautelares con su paralización son los que, en realidad, podrían llegar a ser de imposible reparación o indemnización, como se ha anticipado más arriba al hablar de la efectividad de la huelga y de la importancia del *momentum*.

Mientras no pueda estimarse que el objetivo, contenidos o desarrollo de la huelga es manifiestamente ilícito o abusivo por sí mismo, habrá de entenderse, necesariamente, que forma parte del contenido esencial del derecho de huelga que los sujetos legitimados puedan convocarla cuando estimen más oportuno y que el ejercicio del mismo pueda provocar ciertos daños sobre los intereses empresariales y el de sus clientes y/o usuarios del servicio (con los debidos servicios mínimos si se trata de servicios esenciales para la comunidad), debiendo considerarse las medidas cautelares que en sede judicial traten de proteger estos intereses, impidiendo el desarrollo de la huelga, vulneradoras del art. 28.2 CE. Pues, además, —como he venido afirmando— la preocupación por no originar daños a la empresa no puede impedir el ejercicio de un derecho fundamental (salvo si existen evidencias irrefutables de que estamos ante manifestaciones que no puedan entenderse comprendidas dentro del mismo), pues la ponderación de los bienes jurídicos en juego siempre estará a favor de este, al formar parte de su contenido esencial la potencialidad para irrogar perjuicios sobre los intereses empresariales.

Por otro lado, la protección de los intereses de la comunidad y de los usuarios debe reconducirse a la fijación de servicios mínimos siempre que, conforme al propio art. 28.2 CE, se trate de servicios esenciales para la comunidad. Por lo que, asimismo, salvo supuestos de ilegalidad manifiesta de la huelga, resulta exorbitado justificar medidas cautelares limitadoras del entero desarrollo de la misma sobre la pretendida protección de dichos intereses.

Finalmente, la eventualidad de que posteriormente pueda quedar demostrado, tras el completo desarrollo del proceso declarativo, que la huelga fue ilegal, no es óbice para estas conclusiones, en la medida en que la tutela de los intereses empresariales podrá realizarse a través de la correspondiente indemnización de daños y perjuicios por quienes puedan ser considerados sujetos responsables, en los términos del art. 5 LOLS. Y sin que deba soslayarse el importante elemento que, a estos efectos, aporta el hecho de que, durante el desarrollo de la huelga, el ordenamiento jurídico permite limitar los daños empresariales exorbitantes —en los supuestos en que procede su utilización— por la vía del cierre patronal defensivo previsto en el art. 12 del RDLRT 17/1977, de 4 de marzo, derivado el art. 37.2 CE. Todo ello sin perjuicio de las medidas disciplinarias que, a posteriori, pueda ejercitar el empresario —incluido, en su caso, el despido— una vez declarada la ilegalidad de la huelga.

En definitiva, por todo lo razonado, se ha considerado conveniente incorporar al texto del Proyecto de Ley propuesto una redacción legal de la que se desprenda que sólo en el caso que de una valoración apriorística minuciosa se desprendiera de manera flagrante e indubitada que el proceso huelguístico en cuestión no reúne los condicionantes mínimos podría entenderse que no se trata de una huelga realmente y, entonces, al no gozar de las garantías propias de este derecho fundamental, nos encontraríamos ante actuaciones que deberían ceder frente a la protección del interés empresarial en juego, mediante la adopción medidas cautelares.

7. EFECTOS DE LA HUELGA Y RESPONSABILIDADES

7.1. EFECTOS DE LA HUELGA LEGAL

Como es sabido, el art. 45.1.l) ET configura el ejercicio del derecho de huelga como causa de suspensión del contrato de trabajo que exonera de las obligaciones recíprocas de trabajar y remunerar el trabajo (art. 45. 2 ET), con cómputo de la antigüedad y derecho a reserva del puesto de trabajo (art. 48.1 ET). Por tanto:

1.- El primer y principal efecto de la huelga legal es que no hay deber de prestar servicios por el trabajador en huelga y tampoco existe obligación de retribuir el trabajo por parte del empresario mientras dure la huelga. No se devengan los salarios (art. 6.2 RDL-RT) correspondientes a los días (en caso de huelga total) u horas (si es parcial) en huelga (repercutiendo tanto sobre el salario base como sobre los complementos salariales y excluyéndose únicamente las percepciones extrasalariales) y también se descuenta la parte proporcional de la retribución correspondiente a los días de descanso semanal y a las pagas extraordinarias (SSTS de 1 de octubre de 1991, Rec. 368/1991 y 13 de marzo de 2001, Rec. 3163/2000), asimilándose a ellas las pagas de participación en beneficios (STS de 18 de abril de 1994, Rec. 2555/1993). Sin embargo, los festivos que no coincidan con los días en huelga se cobran íntegros[98], sin que tampoco quepa descuento en la duración ni en la retribución

[98] No hay repercusión, salvo que queden comprendidos en el período de huelga, en la retribución de los festivos, cuyo disfrute —a diferencia del descanso semanal— no está conectado con «un tiempo de trabajo precedente» sino con la «celebración de acontecimientos de orden religioso o civil» (STS de 24 de enero de 1994, Rec. 2653/1992). Sí que afecta a la remuneración de festivos que coincidan con la huelga (STS 18 de abril de 1994, Rec. 2555/1993) y a la remuneración incrementada o descanso compensatorio por festivo intersemanal en el que estaba previsto trabajar no trabajado por la huelga (STS 6 de mayo de 1994, Rec. 2400/1993 y 18 de marzo de 1996, Rec. 397/1995).

de las vacaciones[99] (SSTS de 26 de mayo de 1992, Rec. 1244/1991, 22 de enero de 1993, Rec. 32/1992, 24 de enero de 1994, Rec. 2653/1992 y 11 de octubre de 1994, Rec. 190/1994).

En caso de jornada irregular en la empresa no procede efectuar descuentos generales con arreglo al salario mensual por cada día de huelga, sino que se deben descontar únicamente las horas adjudicadas a cada trabajador los días de huelga, con arreglo al precio hora de cada trabajador que se obtiene dividendo el salario anual por el número de horas de jornada anual, en los términos que serán estudiados más abajo (STS de 4 de octubre de 1995, Rec. 440/1995 y SAN de 25 de septiembre de 2013, Rec. 244/2013).

2.- En el ámbito de seguridad social, la regulación jurídica vigente (art. 166.7 LGSS) considera que se produce una situación de alta especial que exonera de la obligación de cotizar durante la misma. En los casos de huelga parcial, una Resolución de 5 marzo de 1985 de la Secr. Gral. S.S. señaló que los trabajadores permanecen en situación de alta ordinaria durante toda la jornada, con independencia del número de horas trabajadas, pero la cotización comprenderá tan sólo los salarios realmente percibidos. En materia de acción protectora, durante la huelga el trabajador se considera en alta a efectos de causar derecho a prestaciones de asistencia sanitaria, pero no en cuanto a desempleo (aunque sí que se considera período cotizado a efectos de carencia) ni IT (art. 173.3 LGSS), si bien se iniciará la percepción del subsidio con efectos desde la fecha de finalización de la huelga, aplicándose el régimen en cuanto a porcentajes aplicables a la base reguladora y, en su caso, en cuanto a determinación del su-

---

99 Rige el denominado *principio de impermeabilidad* de las vacaciones, en virtud del cual este período de descanso anual no se ve afectado por el ejercicio del derecho de huelga, ni en su duración ni en su retribución, pues del mismo modo que los trabajadores a tiempo parcial cualquiera que sea su número de horas de trabajo disfrutan, como mínimo, de los 30 días naturales del art. 38 ET (descansan en cada día de vacaciones las horas que les hubiera correspondido trabajar cualquiera que sea su número y durante el resto no trabajan porque, de cualquier modo, no les hubiera correspondido trabajar), así como los trabajadores que han disfrutado licencias no remuneradas (ausencias justificadas no retribuidas asimilables a la huelga) no ven disminuido su período de vacaciones, tampoco los trabajadores huelguistas pierden días de vacaciones ni tampoco sus partes proporcionales de su retribución.

jeto responsable (entidad gestora o colaboradora) que corresponda en función del tiempo transcurrido desde el acaecimiento de la contingencia determinante como si se hubiera iniciado la percepción desde esta última fecha.

3.- Lógicamente, estos efectos no se aplican a los trabajadores no huelguistas y a los que, aun cuando eventualmente lo hubieran sido, estén obligados a prestar servicios de seguridad y mantenimiento o a cubrir los servicios esenciales para la comunidad. Con relación a los trabajadores no huelguistas de otras empresas que no puedan prestar servicios debido a la huelga, en general, se considera fuerza mayor que exonera a su empresario de sus obligaciones, salvo en supuestos excepcionales en que, habiendo sido declarada la huelga en empresas ajenas con antelación suficiente, constase que el empresario pudo adoptar las medidas preventivas oportunas para evitar sus efectos en su empresa (SSTS, Sala 3º, de 29 de junio de 1998, Rec. 4505/1992 y 24 de febrero de 1999, Rec. 3536/1993). Por lo demás, cuando los no huelguistas imposibilitados para prestar sus servicios por razón de la huelga sean trabajadores de la propia empresa en huelga ha prevalecido la consideración de que no se trata de fuerza mayor y el empresario debe retribuirlos con base en el art. 30 ET. Si bien el empresario podría escapar de este efecto, acudiendo al cierre patronal (en el caso de que el volumen de inasistencia o irregularidades en el trabajo impidan gravemente el proceso de producción, según lo previsto en el art. 12.1 c) RDLRT 17/1977, de 4 de marzo), provocando la suspensión de los contratos de trabajo (ex arts. 12.2 y 6.2 RDLRT 17/1977, de 4 de marzo y art. 45.1.m) ET) (STS de 20 de junio de 1995, Rec. 2440/1994).

4.- El ejercicio del derecho de huelga legal no extingue la relación de trabajo, ni puede dar lugar a sanción alguna, incluido el despido (que, en su caso, debería ser nulo por vulneración del derecho fundamental de huelga, arts. 53.4 y 55.5 ET), salvo que el trabajador, durante la misma, incurriera en falta laboral (6.1. RDLRT 17/1977, de 4 de marzo). En este sentido, se consideran atentatorias del derecho fundamental de huelga las coacciones o intimidaciones consistentes en amenazas o advertencias de sanción por parte del empresario (SSTS de 22 de octubre de 2002, 23 diciembre de 2003 y 12 de febrero de 2013, Recs. 48/2002, 46/2003 y 254/2011). Por lo demás, como ya fue visto, las eventuales vulneraciones del derecho de huelga, cuando se ejercita legalmente, se sustancian a través del proceso especial de tutela de los derechos fundamentales y libertades públicas (art. 177 y ss. LRJS) y pueden ser sancionables administrativamente (infracción muy grave, según el art. 8.10 LISOS,) e, incluso, penalmente (art. 315 CP).

7.2. EFECTOS DE LA HUELGA ILEGAL

Cuando la huelga sea declarada ilegal, la participación en la misma no puede ser considerada causa de suspensión del contrato de trabajo, sino un incumplimiento contractual, grave y culpable, sancionable disciplinariamente y, como tal, no cabría ampararse en los arts. 6.1 RDLRT ni en el art. 45.1.l ET. Pero, si el empresario decidiera no despedir al trabajador (muchos acuerdos de fin de huelga contemplan el compromiso del empresario de no sancionar o no despedir: Alfonso Mellado, 2019, p. 670), parece prevalecer la consideración de que el contrato del huelguista ilegal quedaría en una situación suspensiva equiparable a la del art. 45.1.l ET (aunque no esté prevista en éste) y, por ello, los efectos en cuanto a salario y seguridad social de las huelgas ilegales no difieren, en lo esencial, de los descritos para las huelgas legales, con alguna salvedad, pues, en estos casos, sí que podrían aceptarse descuentos sobre la duración y la retribución de las vacaciones. En este sentido, del Convenio 132 de la OIT (art. 6.2, entre otros), ratificado por España y publicado en el BOE, se desprende que pueden motivar la reducción de las vacaciones las ausencias injustificadas no relacionadas con motivos independientes de la voluntad de la persona interesada. Pues, aunque las vacaciones no puedan ser objeto de sanción (art. 58.3 ET), las ausencias por huelga ilegal más que provocar una disminución de la duración vacacional (visión que sería más identificable con dicho efecto sancionador prohibido), lo que ocurre es que no pueden considerarse como períodos de prestación de servicios que contribuyan a la generación de crédito vacacional (Sempere Navarro, 1981, p. 145), como consecuencia del carácter sinalagmático del contrato de trabajo. Esta misma *ratio* y la consecuencia de minoración no se pueden aplicar, sin embargo, a los festivos puesto que —como se ha avanzado—, según el criterio de la jurisprudencia, su disfrute no está conectado con un tiempo de trabajo precedente.

Asimismo, por otro lado, la doctrina (Sala Franco, 1994, pp. 477-478), desde antiguo, se planteó dudas, en caso de ilegalidad de la huelga, sobre si sería posible por el empresario el recurso al esquirolaje o únicamente dispondría de la posibilidad del cierre patronal.

En cualquier caso, las consecuencias más sustanciales de las huelgas ilegales se producen el terreno disciplinario y de las responsabilidades jurídicas. El Proyecto de Ley Orgánica de Huelga de 1993, al ser acordado con las organizaciones sindicales más representativas, suprimió la mayor parte de las previsiones de exigencias expresas de responsabilidad civil, penal y administrativa a los sujetos participantes en huelga ilegal o en caso de incumplimiento de servicios mínimos que venían previstas en el texto anterior elaborado por el Gobierno y aprobado por el Congreso en junio de 1992. En el Proyecto de 1993 se excluía, además, expresamente, la posibilidad de despido del trabajador por participación activa en huelga ilegal, el cual quedaría reservado para conductas que, excediendo la simple participación activa, de forma grave y culpable, supusieran el incumplimiento de las obligaciones derivadas de los servicios de seguridad y mantenimiento o los servicios mínimos, o bien fomentaran u organizaran dichas conductas.

Llama la atención el régimen de responsabilidades tan generoso de dicho Proyecto con relación a los trabajadores frente a la regulación vigente en la que, excepción hecha de la exoneración general de responsabilidad de los sindicatos del art. 5 de la LOLS respecto a los actos individuales de sus afiliados (salvo que se produzcan el ejercicio regular de sus funciones representativas o se pruebe que actuaban por cuenta del sindicato) y, pese a que no existe ningún precepto que específicamente se refiera a la participación en huelga ilegal como causa de despido, no se han planteado, por lo general, dificultades en vía judicial para su incardinación dentro de la genérica transgresión de la buena fe contractual prevista el art. 54.2.d) ET. Si bien, la jurisprudencia, desde muy antiguo, viene exigiendo que, para que la sanción disciplinaria alcance el despido, la participación en la huelga ilegal ha de ser "activa o individualizada", entendiendo por tal la instigación o inducción a la huelga (SSTS de 17 de abril de 1986, RJ\1986\2196 y de 17 de octubre de 1990, Rec. 404/1988) o tomar parte en piquetes violentos (SSTS de 8 de abril de 1985, RJ\1985\1853 y 7 de marzo de 1985, RJ\1985\1292).

7.3. EVENTUAL CONSIDERACIÓN DE LA HUELGA COMO ABSENTISMO A EFECTOS DE DETERMINADOS COMPLEMENTOS SALARIALES

Como ha sido anticipado, en caso de huelga se descuenta también la parte proporcional de las pagas extraordinarias (considerando como tales las de participación en beneficios: STS de 18 de abril de 1994, Rec. 2555/1993) y determinados pluses, como el de disponibilidad y el de estímulo a la producción, que también experimenta una reducción proporcional al tiempo de duración de la huelga (STS de 26 de mayo de 1992, Rec. 1244/1991 y SSTJ de Galicia de 18 de mayo de 2000, Rec. 2052/2000 y Asturias de 27 de octubre de 2000, Rec. 2160/2000).

Cuestión aparte es la relativa a la incidencia de la huelga sobre los complementos salariales por *asistencia, asiduidad* o *puntualidad*, comúnmente conocidas como *«primas antiabsentismo»*. Al respecto, cabe subrayar que ya con anterioridad a la derogación de la causa objetiva de extinción del antiguo art. 52d) ET por el RDLey 4/2020 (posteriormente Ley 1/2020), cuando las ausencias eran debidas a huelga legal no se computaban como faltas de asistencia al trabajo a efectos de habilitar al empresario para dicha extinción. Pero, concretando en la cuestión de la incidencia sobre las referidas primas, cabe precisar que la STC 189/1993, de 14 de junio, admite que se pacten tales percepciones siempre que no sean utilizadas como *cláusulas antihuelga,* es decir, siempre que «no graven especialmente la pérdida del tiempo empleado por el trabajador en la huelga», pues como después confirmaron las SSTS de 1 de diciembre de 1998 (Rec. 1747/1998) y 19 de abril de 2004 (Rec. 36/2003): «no cabe admitir la existencia de unos incentivos disuasores del ejercicio del derecho de modo que se prime la no realización de (la) huelga». La jurisprudencia ordinaria ha venido reconduciendo lo anterior a que las ausencias al trabajo producidas por razón de huelga no pueden entenderse comprendidas en los premios a la asiduidad o permanencia o en los pluses de asistencia o de presencia, cuando no se incluyen expresamente en lo convenido (SSTS de 27 de diciembre de 1993[100], Rec. 2975/1992, 5 de mayo de 1997, Rec. 3310/1996, 1 de diciembre de 1998, Rec 1747/1998, 19 y 26 de abril de 2004, Recs. 36/2003 y 96/2003), debiendo matizarse que en los casos en que la cláusula convencional que prevea una «*prima antiabsentismo*» sí que incluya expresamente las ausencias al trabajo producidas por huelgas, estos complementos no se deben perder en su totalidad, sino que han de ser únicamente minorados en proporción al tiempo de duración de la huelga. Sin embargo, en el caso de que la huelga sea declarada ilegal parece prevalecer la tesis de que las «*primas antiabsentismo*» se pierden íntegramente, y no sólo en la parte proporcional correspondiente por los días de huelga, pues este efecto de reducción proporcional sólo rige para las huelgas legales.

La doctrina con relación a estas «*primas antiabsentismo*» viene resumida en la relativamente reciente STS de 9 de febrero de 2023 (Rec. 2354/2020) —que es objeto de un comentario doctrinal específico (Nogueira Guastavino, 2023)—. Dicha sentencia recuerda que se trata de una cuestión «*de claro relieve constitucional*» para la que resulta adecuada, por tanto, la utilización de la modalidad procesal de tutela de los derechos fundamentales, pues puede disuadir del ejercicio del derecho fundamental. Con cita de la STS de 19 de abril de 2004 (Rec. 36/2003) se afirma que «cuando el convenio colectivo aplicable no contiene previsión alguna respecto a la incidencia de la huelga en el plus de asistencia y en el coeficiente corrector (en el presente caso es el premio por presencia), complementos ambos

---

[100] Esta STS cuenta con un interesante voto particular formulado por el Excmo. Sr. Magistrado Don Antonio Martín Valverde que entendió que, si no hay indicación en contrario en el pacto de creación, la inasistencia al trabajo por ejercicio del derecho de huelga debe comportar la pérdida del complemento, al igual que ocurre con otras ausencias justificadas, como las derivadas de IT. En segundo lugar, tampoco compartió con la doctrina mayoritaria que su pérdida desincentive el ejercicio del derecho fundamental de huelga. Comparto que, si la pérdida misma del derecho al salario del día de huelga y partes proporcionales de descanso semanal y pagas no desincentivan al trabajador de sumarse a la huelga, con menor motivo, lo desmotivará la posibilidad de pérdida de estos meros complementos.

que tienen por finalidad reducir el índice de absentismo», dicha ausencia de previsión debe interpretarse en el sentido más favorable al ejercicio del derecho fundamental y no se puede entender como una equiparación tácita del día de huelga al de ausencia injustificada al trabajo dado el carácter de fundamental que el derecho de huelga merece en la Constitución, todo ello sin negar que en convenio colectivo pueda llegar a acordarse lo contrario. Pero, de conformidad con la doctrina de la STC 189/1993, de 14 de junio —y con cita de la STS de 1 de diciembre de 1998 (Rec. 1747/1998)— se especifica que, en tal caso, el acuerdo del convenio colectivo tiene que ser expreso en tal sentido.

7.4. DESCUENTOS SOBRE LA RETRIBUCIÓN: REGLAS DE CÓMPUTO Y PROPUESTA DE FÓRMULA DE CÁLCULO

La STSJ de Galicia de 28 de marzo de 2018 (Rec. 4542/2017) viene referenciándose en los últimos años como modelo a seguir para el descuento de retribuciones por huelga, ya que contiene una completa síntesis de la jurisprudencia aplicable al respecto.

Así, en la misma se resume, textualmente:

«a) la retribución a descontar por cada día de huelga comprende el salario de la jornada y determinados conceptos de «salario diferido» [STS 24/01/94 Ar. 370]
b) Dentro de estos conceptos figuran la parte proporcional de las gratificaciones extraordinarias y la parte proporcional correspondiente a la retribución del descanso semanal del período en que se haya producido la huelga [SSTS 26/05/92 —rco 1244/91— Ar. 3605 22/01/93 —rco 32/92— Ar. 257 24/01/94 Ar. 370 18/04/94 Ar. 3256]
c) El descuento salarial proporcional por huelga no repercute, en cambio, salvo que se comprendan dentro del período de huelga, en la retribución de los días festivos, que «no está conectada con un tiempo de trabajo precedente» sino con la «celebración de acontecimientos de orden religioso o civil» [STS 24/01/94 Ar. 370]
d) en relación con las pagas extraordinarias, el empresario no está autorizado para «anticipar descuentos futuros por un pago salarial que no se ha anticipado» [STS 26/05/92 —rco 1244/91— Ar. 3605]
e) las pagas de participación en beneficios deben ser asimiladas a las gratificaciones extraordinarias a los efectos de descuento retributivo [STS 18/04/94 Ar. 3256] y

f) En relación con la retribución de las vacaciones rige implícitamente en las sentencias citadas el criterio de la imposibilidad de descuento, por aplicación analógica de la regla de cómputo como días de servicio para el cálculo de tal concepto retributivo de las ausencias justificadas al trabajo (SSTS 11/10/94 —rco 190/94— Ar. 7765 13/03/01 —rec. 3163/00— Ar. 3178).

Por ello, al igual que han hecho los demandantes y estima la sentencia recurrida, que el cálculo de la hora ordinaria se hace al dividir el salario anual, menos los días de vacaciones, festivos y descanso por las horas de jornada anual y su resultado multiplicarlo por las horas concretas de huelga realizadas (24 horas)».

No obstante, hay que tener presente que en esta última referencia al descuento por horas de esta parte de la sentencia citada textualmente como criterio para dar solución al caso enjuiciado no está basado en el hecho de que en este supuesto litigioso se tratara una huelga por horas sino por días, pero respecto de unos bomberos que trabajaban 75 turnos anuales de 24 horas consecutivas. En efecto, de acuerdo con la distribución de la jornada anual de trabajo fijada en el Convenio Colectivo de empresa (provincial) de *UTE EIMFOR-NATUTECNIA-EURAL La Coruña*, cada jefe/a de turno y bombero/a tendría distribuida la jornada anual de 1800 horas en 75 turnos de 24 horas, trabajando únicamente 6 o 7 días al mes.

En este caso, al no tener todas las semanas los mismos días de trabajo y las mismas horas trabajadas, no podía aplicarse el sistema general por días de huelga que después será explicado, puesto que, entre otros problemas que plantea este sistema, no era posible obtener una correlación válida para todo el año de la repercusión de los días de huelga sobre los días de descanso semanal, y de ahí la aplicación también para este caso del cómputo por horas. Pero, en cualquier caso, hay que tener en cuenta que, en el sistema a aplicar a las huelgas por horas, no puede inducir a confusión la referencia de esta sentencia a la deducción del salario anual de los días de *descanso*, pues no hay que descontar la retribución del descanso semanal si después solo se va a multiplicar cada hora de huelga sin aplicar un incremento proporcional de descanso semanal como ocurre en el sistema general por días.

A efectos didácticos, veamos sendos ejemplos de cálculo, con el cómputo por días y por horas, del descuento de retribuciones por huelga que tradicionalmente se realiza, a partir de los cuales trataré de explicar mejor esta idea:

Imaginemos una persona trabajadora que trabaja 5 días a la semana y cobra un salario bruto de 1.800 €/mensuales más dos pagas extraordinarias del mismo importe.

En los ejemplos veremos el importe a descontar suponiendo que esta misma persona trabajadora realizara un día completo de huelga o sólo una hora de huelga:

Día completo en huelga. De acuerdo con las reglas del sistema tradicional de descuento por día resumido más arriba, procederá *descontar el salario del día de huelga* + la parte proporcional *días de descanso semanal* + la parte proporcional de *pagas extras y/o pagas de beneficios si las hubiere* (en el mes en que estas sean abonadas, no anticipadamente). No se podrá descontar nada en concepto de vacaciones, ni por los festivos no incluidos en el período de huelga, pero si algún festivo coincide con la huelga se descontará como si de un día de trabajo en huelga se tratara.

En cuanto a la seguridad social, la situación de alta especial exime de la obligación de cotizar por el día completo no trabajado por huelga.

Importes a descontar:

Salario día en huelga: 1800/30= 60,00 €

Parte proporcional pagas extra 1800X2/365= 9,86 €

Parte proporcional descanso semanal: 60X0,40= 24,00 €

El importe total a descontar en este caso, por tanto, serán: **93,86 €**

El importe correspondiente a la repercusión del día no trabajado sobre la retribución del día de descanso semanal que genera resulta de obtener la proporción en que cada día de trabajo contribuye a los dos días de descanso. De este modo, en este caso de descanso semanal de 2 días, resulta de dividir 2 días entre 5: 2/5=0,40 (SAN de 25 de septiembre de 2013, Rec. 244/2013). Así pues, conjuntamente la retribución del día en huelga más la parte proporcional de la retribución de descanso semanal es la que resulta de multiplicar 60 por 1,40 (60X1,40=84€).

Si se hubiera tratado de una persona trabajadora con el descanso semanal mínimo obligatorio previsto en el art. 37.1 ET de día y medio (y, por tanto, con 5 días y medio de trabajo semanales), la proporción a aplicar se hallaría de la misma manera: 1,5/5.5=0,2727. Redondeando a la baja serían 0,27 y conjuntamente con el importe descontar por el día en huelga la cantidad sería en este caso: 60X1,27=76,20 €. Como puede observarse, en este caso el descuento es menor porque la repercusión sobre la retribución correspondiente a los días de descanso también es menor y mayor la parte de retribución que corresponde a los días de trabajo no afectados por la huelga.

Sólo una hora de huelga. Se debe obtener el sueldo anual de la persona trabajadora, deducir el salario de sus vacaciones y el correspondiente a los días festivos, y dividir el resultado entre las horas laborables. Si tenemos en cuenta que en el suelto total anual se incluyen todos los conceptos y que no queremos penalizar el importe de las vacaciones y de los festivos, al deducir estas dos cantidades y dividir por las horas laborables del año, el importe resultante reflejará la cantidad salarial en que cada hora de trabajo contribuye al salario por todos los conceptos (incluyendo pagas extra y descanso semanal), pero con exclusión de vacaciones y festivos. Por tanto, ésta será la cantidad correcta a deducir por cada hora de huelga.

Respecto a la cotización a la seguridad social, en estos casos se mantiene la obligación de cotizar por el día en que se hace huelga de una hora, pero sólo integrará la base de cotización el importe efectivamente satisfecho a la persona trabajadora una vez deducida la cantidad que corresponda a la hora en huelga.

Importes a descontar:

1800X14 (12 pagas ordinarias+2 extra) = 25.200 € anuales (/365= 69,04 día)

- 69,04 X14 (días festivos por año) = 966,56

- 1800 (mes de vacaciones)

Total salario anual computable= 22.433,44

22.433,44 €/1736 (217 días laborablesX8 horas día) = **12,92 €** por cada hora de huelga a deducir

Si se hubiera tratado de una persona trabajadora con día y medio de descanso semanal, entonces se corresponderían 243 días laborablesX8=1944 horas y, el resultado a deducir por cada hora de huelga serían 22.433,44/1944= 11,54 €. Lógicamente, también en este caso, como ocurría en el cómputo por días, el importe a deducir por cada de huelga es inferior respecto de correspondiente a la persona trabajadora con dos días de descanso semanal.

Los 217 días o 243 días laborables, según se tengan dos días de descanso semanal o día y medio, resultan de restar a los 365 días del año, los 104 (52X2) o 78 (52X1,5) días anuales de descanso semanal, 14 días de festivos anuales y 30 días de vacaciones por año.

A mi modo de ver, en este segundo ejemplo de cómputo, como hemos visto al comentar la STSJ de Galicia de 28 de marzo de 2018 (Rec. 4542/2017), si para el cálculo del descuento en las huelgas por horas, de la retribución anual (además de la parte correspondiente a vacaciones y festivos) se dedujera la retribución de los descansos, al sólo dividirse por el número de horas efectivas de trabajo anuales, sin aplicar un multiplicador corrector en función de su incidencia proporcional sobre pagas y descanso semanal como ocurre en el cálculo diario, la retribución por hora a descontar sería menor proporcionalmente a la de las personas trabajadoras que hacen huelga por días completos. La aplicación de dicho criterio en aquellos casos resultaría discriminatoria para éstas puesto que a ellas se les descuenta por huelga multiplicando la retribución de un día de huelga por 1,40=1 día de huelga+2/5=0,40, si se trabajan 5 días a la semana con un descanso semanal de 2 días. Y, en caso de que el descanso sea el mínimo legal de día y medio, sería (1,5/5,5=0, 2727) y el descuento sería de 1,27 días de retribución por cada día en huelga.

Por tanto, en el caso de las personas que realizan huelga por horas del dividendo de la división a realizar habría que deducir el importe de las vacaciones y el de los festivos, para que el importe restante divido por las horas de trabajo efectivas anuales, refleje el valor prorrateado por hora de cada hora de trabajo efectivo no realizada por huelga de los conceptos restantes (salario diario + pagas extra + descanso semanal).

Con todo, aun teniendo en cuenta la integridad de las reglas y matizaciones anteriormente expuestas, si lo observamos con detenimiento, el importe que resulta del sistema tradicional que se viene aplicando para la deducción de las huelgas por días que, en nuestro ejemplo, arroja un descuento 93,86 €, si lo dividimos por 8 horas diarias de trabajo, obtendríamos 11,73 € a descontar por hora mientras que, con el sistema aplicable para una misma persona trabajadora, cuando la huelga se realiza por horas, resultan 12,90 € de descuento por hora de huelga. La diferencia, a mi juicio, resulta, principalmente, de la inexactitud de los criterios aplicados en el primer sistema, por varias razones:

1. En primer lugar, para el cálculo del salario diario a deducir por cada día en huelga se divide el salario mensual por 30, promediando a 360 días al año, para no perjudicar según los días que tenga el mes en que se haga la huelga (pues, de otro modo el descuento siempre sería mayor para los que la hagan en febrero, igual en los meses de 30 días y menor para los que la hacen en meses de 31 días), pero lo cierto es que el año tiene 365 (y no 360) días y, sin embargo, las pagas extraordinarias sí que se suelen promediar entre 365.

2. Asimismo, para el cálculo del salario a descontar por día de huelga incluyendo su repercusión sobre la retribución de los días de descanso semanal, aunque es correcta la proporción

1,40 o, en su caso, 1,27 (si bien en este segundo caso hay un ajuste por redondeo a la baja) esta regla se basa en la hipótesis de que todas las semanas del año tienen una correspondencia exacta de 2 días de descanso por cada 5 días de trabajo (o, en su caso, 1,5 por cada 5,5), pero esto no es así exactamente (v. gr.: 52 semanas del año multiplicadas por 7= 364 días).

3. Finalmente, para el cálculo de la parte proporcional de pagas extraordinarias a descontar, se suele dividir por 365, con lo cual se introducen en el divisor todos los días naturales del año y no sólo los laborables. De este modo, habría que añadir también, para ser exactos, una cantidad adicional, equivalente a la cantidad en que contribuye la parte repercutida a los días de descanso semanal afectada por la huelga a la generación de las pagas extras.

Resulta evidente, pues, que el segundo sistema (el aplicado para el descuento de las retribuciones por huelgas por horas) resulta el más exacto y ajustado a los criterios jurisprudenciales previamente expuestos. Y, además, es mucho más sencillo, pues, únicamente, es necesaria una operación de división en la que hay que deducir del importe del dividendo (retribución total anual) las cantidades que no queremos penalizar por motivo de la huelga (vacaciones y festivos) y la cuantía resultante de introducir en el divisor los días (o, en su caso, las horas) laborables al año, proporcionará ya la prorrata diaria (o por hora) por todos los demás conceptos que se han de descontar por la huelga[101].

---

[101] El sistema tradicional de cálculo del descuento por días implica tomar las retribuciones de cada mes por días y adicionar la parte proporcional de pagas extra correspondiente a los días en huelga y la repercusión sobre los días de descanso semanal, pero sin incrementar el descuento correspondiente a las vacaciones ni festivos. Por así decirlo, el salario por día con este sistema, de inicio, resulta neto sin tener en cuenta la repercusión de los días efectivos sobre los de descanso semanal ni sobre los conceptos no prorrateados en el mes y por ello se incrementa en la proporción correspondiente respecto de aquellos conceptos que sí han de repercutirse por la huelga. En el caso de la huelga por horas el sistema de dividir la remuneración total anual por las horas efectivas ya implica que el salario por hora efectiva resultante ya comprende todos los conceptos. De ahí que, inversamente, al sistema anterior hay que deducir de la remuneración anual el importe anual de los conceptos que no queremos penalizar (vacaciones

En este sentido, respecto a la retribución de los trabajadores a tiempo parcial por horas, cabe recordar el criterio de la SAN de 14 de junio de 2018 (Rec. 66/2018) con relación a la contabilización del porcentaje de jornada de los trabajadores a tiempo parcial, estableciendo que no cabe calcular el salario/hora dividiendo el salario anual de convenio, que incluye retribución de vacaciones, entre las horas de la jornada anual de convenio, que no las incluye. Mientras que, a efectos de abono del salario a las personas trabajadoras, la sentencia de la AN está en lo cierto en que al referirse el convenio a las horas efectivas de trabajo en cuanto a la jornada anual, si se divide por ellas la retribución anual se están prorrateando todos los conceptos (incluidas vacaciones) y, de este modo, para ser justos, sólo se habrían de cobrar retribuciones los meses en que haya prestación efectiva de servicios, pues de lo contrario abonando este importe con las vacaciones prorrateadas, de nuevo en el mes de vacaciones, se estarían cobrando doblemente las vacaciones (una vez prorrateadas en cada mes y otra vez en el mes de vacaciones[102]).

En el sentido contrario, a efectos de deducir los días por huelga, si se toma el importe anual de las retribuciones que se quieren computar a estos efectos (salario, pagas extra y descanso semanal) y se divide por el tiempo laborable, el prorrateo que automáticamente resulta comprenderá de manera exacta el importe a deducir por dichos conceptos por día o por hora efectiva no trabajados por huelga.

Así, la fórmula resultante que propongo para su incorporación a una hipotética Disposición Adicional Segunda del Proyecto de Ley que es objeto de este estudio, unificada para su aplicación tanto a las huelgas por días como por horas sería la siguiente:

---

y festivos), pero no el descanso semanal (aunque la STSJ de Galicia de 28 de marzo de 2018, Rec. 4542/2017, se refiera a la deducción de los descansos).

102 Sería lo mismo que si a los trabajadores con las pagas extra prorrateadas se les vuelven a pagar las pagas extra en junio y en diciembre pese a haberse fraccionado su importe en cada pago mensual. Así también, por ejemplo, en materia de seguridad social, como es bien sabido, en el caso de las pensiones que se cobran en 14 pagas, se dividen los importes que resultan de totalizar las bases de cotización (prorrateadas) a computar por los meses correspondientes en cada caso más dos meses por cada año que estos supongan.

Retribución anual total – importe vacaciones – festivos/días u horas laborables año.

De este modo, al igual que se calculó en el ejemplo del descuento por huelga por horas, también en el caso de las huelgas por días, si tomamos la retribución total anual (menos el importe correspondiente a las vacaciones y festivos y la dividimos por 217 (con dos días de descanso semanal) o 243 (con día y medio de descanso semanal) —o, en su caso, el número distinto de días laborables que esté estipulado—, obtendremos la repercusión retributiva verdadera diaria por todos los conceptos, con vacaciones y festivos excluidos. Este importe resultante se multiplicará por el número de días en huelga contando como tales los días festivos incluidos en el periodo de huelga.

En definitiva, se trataría de aplicar el mismo sistema para las huelgas por días que se ejemplificó en el cómputo por horas a efectos de obtener una misma cantidad anual comprensiva de los conceptos computables para la deducción por huelga, pero dividiendo, según se trate de huelgas por días o por horas, entre los días laborables (217, 243 o el número distinto de días laborables estipulado) o entre 1944 (243X8), 1736 (217x8) horas, o el número diferente de horas laborables que resulte de los días y horas laborables estipulados en su caso. El resultado lo multiplicaremos por el número de días o, en su caso, horas que se haya permanecido en huelga incluyendo las que se hubieran trabajado durante los festivos comprendidos en el periodo de huelga de no haber sido festivos.

Por último, es justo reconocer que frente al sistema que propongo, ahora también en el caso del descuento por días, se podría oponer que con relación a las pagas extraordinarias, el empresario estaría anticipando descuentos futuros por un pago salarial que no se ha anticipado, en contra del criterio de la STS de 26 de mayo de 1992 (Rec. 1244/1991) y 16 de octubre de 1995 (Rec. 885/1995), pero lo cierto es que esto también ocurría ya, actualmente, con el sistema de descuento de las huelgas por horas.

7.5. PROPOSICIÓN DE REDACCIÓN *LEGE FERENDA*

De conformidad con el sentido de las consideraciones realizadas en los apartados precedentes, considero que la redacción idónea para el Capítulo V (y último) del Proyecto de Ley Orgánica de Huelga que se ha elaborado en esta obra sería el siguiente:

Artículo 11

1. Desde que la persona trabajadora inicie el ejercicio del derecho de huelga de conformidad con lo establecido en esta Ley hasta el momento de su reincorporación efectiva al puesto de trabajo se producirá la suspensión del contrato de trabajo y no podrá haber lugar a represalia, sanción o medida disciplinaria alguna por esta causa.

En particular, la empresa no podrá ejercer sus facultades directivas, de movilidad geográfica o funcional, con el fin de penalizar el ejercicio de la huelga y el período en que la persona trabajadora permanezca en esta situación no afectará a la duración de las vacaciones ni perjudicará al cómputo de la antigüedad ni a los derechos que puedan estar a ella vinculados.

2. La suspensión del contrato de trabajo a que se refiere el apartado anterior determinará la pérdida de las retribuciones correspondientes a los días u horas en huelga, repercutiendo tanto sobre el salario base como sobre los complementos salariales, con descuento, asimismo, de la parte proporcional de la retribución correspondiente a los días de descanso semanal, a las pagas extraordinarias y, en su caso, a las pagas de participación en beneficios o similares.

Ello no obstante, la retribución correspondiente a las vacaciones y a los días festivos que no coincidan con los días en huelga se cobrará íntegra, sin descuento alguno.

Los períodos en huelga sólo podrán ser considerados como faltas de asistencia a efectos del correspondiente descuento proporcional sobre eventuales complementos salariales relacionados con la asistencia o asiduidad, cuando así se haya estipulado expresamente en el convenio colectivo aplicable en que se hayan acordado tales complementos.

Para el cálculo de los descuentos retributivos que resulten de lo regulado este apartado será de aplicación la fórmula prevista en la Disposición Adicional Segunda de esta Ley.

3. En materia de seguridad social, los períodos en que la persona trabajadora permanezca en huelga producirán una situación de alta especial, con suspensión de la obligación de cotizar en caso de huelga total, y con los demás efectos que, en cada momento, se prevean por la legislación de seguridad social vigente.

Como puede observarse, en este último apartado dedicado a la materia de seguridad social, se ha optado por una fórmula flexible y abierta que permita, en cada momento, especialmente en materia de acción protectora, según las disponibilidades presupuestarias y la evolución misma del sistema de protección social, ampliar las posibilidades en cuanto a cobertura y prestaciones, sin limitaciones previas impuestas por una Ley Orgánica de Huelga. En efecto, entiendo que, en este caso, debe prevalecer el tratamiento constitucional previsto en el art. 53.3 CE: "de acuerdo con lo que dispongan las leyes que los desarrollen" (dada la ubicación de la materia de seguridad social en el art. 41 CE, entre los principios rectores de la política social y económica del Capítulo III del Título I), dejando una mayor discrecionalidad y dotando de un margen de maniobra al legislador ordinario.

Artículo 12

1. A los empleadores, tanto privados como entidades o Administraciones públicas, autoridades gubernativas o terceros cuando actúen contra lo establecido en la presente Ley y/o lesionen, de cualquier modo, el ejercicio legítimo del derecho fundamental de huelga protegido por la misma, les serán exigibles las responsabilidades de carácter civil, penal o administrativo que correspondan conforme a la legislación específica vigente en cada momento.

2. Concretamente, las acciones u omisiones de los empresarios contrarias a lo dispuesto en esta Ley podrán constituir infracciones laborales, de conformidad con la tipificación y régimen sancionador que, en cada momento, estén vigentes en la Ley sobre Infracciones y Sanciones en el Orden Social. En particular, cualquier conducta del empleador de los trabajadores huelguistas que sea constitutiva de esquirolaje en los términos previstos en el artículo 7 de esta Ley, en cuanto expresión de una vulneración del derecho fundamental de huelga, habrá de ser sancionada siempre como infracción muy grave.

Dichas responsabilidades administrativas no podrán exigirse, por virtud del principio non bin idem, cuando con identidad de sujetos, hechos y fundamento, conforme a lo dispuesto en el artículo 315 del Código Penal, se haya declarado la existencia de responsabilidad penal.

3. En el ámbito de la responsabilidad civil, cuando se declarase la existencia de actuaciones lesivas del derecho de huelga, en la sentencia se incluirá la reparación de las consecuencias derivadas del acto a cargo de aquellos de los sujetos responsables indicados en el apartado primero de este artículo que procedan, incluida la indemnización que corresponda en favor de las personas trabajadoras perjudicadas o de sujetos colectivos, en función de si los derechos o intereses lesionados han sido los de titularidad individual o las facultades de ejercicio colectivo de la huelga.

En este precepto ha tratado de incluirse, en un mismo artículo, una referencia global a todo el abanico de responsabilidades que pueden derivarse del incumplimiento de lo prevenido en esta Ley y de la lesión de los bienes jurídicos protegidos que en ella se tutelan, individuales o colectivos. En este sentido, cabe destacar, especialmente, que haciéndose eco de lo prevenido en el subapartado *5.2.2.b.* de esta obra, entre la heterogeneidad de eventuales sujetos responsables que se mencionan en el apartado primero del artículo propuesto, el precepto incluye expresamente a la autoridad gubernativa, así como en la parte final del apartado tercero a los eventuales sujetos colectivos que habrían de ser los beneficiarios de indemnizaciones en el caso —que en aquel momento se comentó— de declaraciones judiciales de nulidad de las resoluciones sobre servicios esenciales para la comunidad.

Artículo 13

1. El ejercicio del derecho de huelga y de sus facultades de carácter colectivo de forma contraria a lo establecido en la presente Ley, podrá dar lugar a las correspondientes responsabilidades, incluso penales en caso de que se declare la existencia de coacciones o huelgas insurreccionales, a cargo de los sujetos que sean declarados responsables.

2. No podrá exigirse responsabilidad a los sindicatos, de conformidad con el artículo 5 de la Ley Orgánica de Libertad Sindical, respecto a los actos individuales de sus afiliados, salvo que éstos se produzcan el ejercicio regular de sus funciones representativas o se pruebe que actuaban por cuenta del sindicato.

3. No obstante lo dispuesto en el apartado anterior, cuando se reconozcan indemnizaciones de daños y perjuicios en favor del empleador, asociaciones empresariales, Administraciones Públicas o de terceros, a cargo de titulares de facultades de carácter colectivo del derecho de huelga, no podrá exigirse, por los mismos hechos, responsabilidad a los trabajadores que ejerciesen el mismo.

En el precepto anterior se ha tratado de refundir el tratamiento general de las responsabilidades en caso de huelga ilegal, incluyendo una referencia expresa a las posibilidades de responsabilidad penal principales que pueden originarse en materia de huelga en estos casos conforme a lo estudiado más arriba en esta obra, e incluyendo una regulación, con respeto a lo prevenido del art. 5 LOLS, que articule con la debida separación las responsabilidades individuales y colectivas.

> ***Artículo 14***
> *1. Las personas trabajadoras, por sus actos durante la huelga, podrán quedar sujetas, asimismo, al ejercicio del poder disciplinario empresarial, con el régimen establecido y garantías previstas en la normativa aplicable.*
> *2. En concreto, podrá tener la consideración de incumplimiento grave y culpable susceptible de ser sancionado con el despido:*
> *a) La participación activa e individualizada del trabajador en una huelga ilegal o formar parte de piquetes violentos o coactivos.*
> *b) El incumplimiento de sus obligaciones en materia de garantía de prestación de servicios de seguridad y mantenimiento.*
> *c) La negativa a atender el funcionamiento de los servicios esenciales de la comunidad que se hubiesen establecido de conformidad con lo previsto en esta Ley.*

En este último precepto, tras la remisión inicial al régimen general sobre faltas y sanciones de los trabajadores del art. 58 ET, se establece, a continuación, conforme al mismo, una delimitación legal —sin perjuicio de la graduación de faltas y sanciones prevista, en su caso, en el convenio colectivo que sea aplicable— de tres supuestos en los que, de acuerdo con lo prevenido en el art. 54.1 ET, por su magnitud, las conductas pueden corresponderse con los incumplimientos graves y culpables a que dicho precepto condiciona el despido, en cuanto sanción disciplinaria máxima.

8. CONSIDERACIONES FINALES

Un derecho fundamental como el de huelga, en el marco de un Estado social y democrático de Derecho como el que el art. 1.1 CE diseña, ha fundamentar no sólo el desarrollo de las relaciones laborales, sino también, si se amplía en materia de motivaciones y sujetos destinatarios la noción estricta de huelga que para aquéllas se ha defendido en este estudio —como hemos visto al tratar de las huelgas generales y de la *vis* política a reconocer a los sindicatos y agentes sociales—, habría de impulsar el progreso social y democrático mismo de nuestro país.

En este contexto, no encuentra justificación plausible que tal derecho continúe regulado en una norma preconstitucional, no sólo por las deficiencias formales y de índole práctica advertidas en el capítulo introductorio, sino porque, más allá de ello, revela cierta indolencia y acomodación por parte del legislador que no conjuga bien con la gran importancia del derecho, a distintos niveles, que ha sido descrita en el párrafo anterior.

A lo largo de las páginas precedentes del presente estudio han tratado de ponerse de manifiesto las carencias que presenta la vigente regulación del derecho fundamental de huelga. Como ha podido comprobarse, la regulación preconstitucional contenida en el RDLRT 17/1977, de 4 de marzo, aun con la depuración constitucional realizada por la STC 11/1981, de 8 de abril, sigue planteando numerosos interrogantes con relación a las principales cuestiones jurídico-laborales tradicionales en esta materia, pero también respecto de problemas nuevos que no pudieron ser previstos hace más de 40 años en una norma alumbrada en el contexto de una realidad social y económica que dista mucho de la presente. En este sentido, baste con referirse, de nuevo, al importante desarrollo y expansión, en tiempos recientes, de las fórmulas descentralizadoras de las organizaciones empresariales productivas y de servicios, así como a la creciente implementación del factor tecnológico en las distintas ramas de actividad económica (y de la sociedad).

Por otro lado, como hemos visto, aunque el régimen jurídico contenido en el RDLRT 17/1977, de 4 de marzo —pese a su carácter provisional derivado tanto de la depuración del TC (que amputó parcialmente la norma rompiendo la integridad del texto y sujetó la validez del resto del mandato legal a unas determinadas interpretaciones) como de sus carencias formales— puede haber servido a sus fines, incluso con mayor rigor y plenitud que las regulaciones aplicables en los países de nuestro entorno caracterizadas por su dispersión, lo cierto es que ha resultado muy oportuno y tentador aprovechar la necesidad de cumplimiento de los requisitos constitucionales en cuanto a la tipología de la disposición normativa apta para la regulación de este derecho para plantear este estudio comprensivo de un Proyecto de Ley, completo y moderno, con un contenido que trata dar respuesta a las deficiencias advertidas.

En efecto, el conjunto de circunstancias señaladas ofrece una ocasión extraordinaria para el científico del Derecho en orden a la investigación y estudio tanto de las cuestiones más clásicas sobre huelga (como titularidad, alcance y modalidades) como de los nuevos problemas y carencias (como los denominados esquirolaje tecnológico y el organizativo/comercial) que han ido surgiendo con relación al derecho de huelga y que exigen la actualización de la normativa vigente, al tiempo que invitan al desarrollo y elaboración de propuestas *lege ferenda*.

Esta ha sido una oportunidad que no he querido desaprovechar y que ha tenido como resultado la realización de este ejercicio doctrinal de investigación y ensayo jurídico.

Las páginas anteriores constituyen, así, el resultado de una línea de investigación desarrollada durante mis últimos años de estudio, los cuales he dedicado a distintos aspectos relacionados con el derecho de huelga y que han dado como fruto un conjunto de información y propuestas que se compendian en esta obra mediante su aplicación práctica en la elaboración de un hipotético Proyecto de Ley Orgánica de Huelga.

En dicho Proyecto han tratado de incorporarse, para cada una de las cuestiones abordadas en los distintos capítulos de esta obra, propuestas e ideas *lege ferenda* originales y eficaces en la medida de lo posible. Con independencia del mayor o menor acierto y fortuna de las mismas, el planteamiento elaborado será igualmente satisfactorio si, al menos, consigue animar el debate doctrinal y estimular la formulación de nuevas aportaciones por los autores sobre esta materia, un tanto *dormida* también en el ámbito científico-jurídico, pese a que —aunque, *prima facie*, pudiera no parecerlo— reviste tanta actualidad jurídica y social como perentorias son las soluciones a los problemas que la realidad laboral española demanda en nuestro tiempo con relación al ejercicio del derecho fundamental de huelga.

BIBLIOGRAFÍA

Alfonso Mellado, C.L. (2019). Conflictos colectivos. (1994). En (AA.VV.) Goerlich Peset, J.M. (Dir.). *Derecho del Trabajo* (7ª ed.), (pp. 647-683). Valencia. Tirant lo Blanch.

Alonso Olea, M. (1993). A propósito del proyecto caducado de la Ley de Huelga. *Anales de la Real Academia de las Ciencias Morales y Políticas* (70), pp. 413-448.

Baylos Grau, A. P. (1989). ¿La huelga en libertad vigilada? Controles institucionales al derecho de huelga. *Jueces para la democracia* (8), pp. 19-29.

Baylos Grau, A. P. (2005). Continuidad de la producción o del servicio y facultades empresariales en casos de huelga. En AA.VV. Baylos Grau, A. P. (coord.), *Estudios sobre la huelga.* (pp. 89-110). Bomarzo: Albacete.

Baylos Grau, A. P. (16 de mayo de 2015). Sobre la suspensión de la huelga de los futbolistas. *Según Antonio Baylos...* https://baylos.blogspot.com/2015/05/sobre-la-suspension-de-la-huelga-de-los.html

Blasco Pellicer, A. (2020). Las medidas cautelares en la LRJS: especialmente en procedimientos de extinción del contrato del art. 50 del ET. En Nores Torres, L.E. (coord.): *Problemas actuales del proceso laboral: Homenaje al profesor José Mª Goerlich Peset con ocasión de sus 25 años como Catedrático de Derecho del Trabajo y Seguridad Social,* (pp. 255-278). Valencia: Tirant Lo Blanch.

Bécares Guerra, J. A. (2013). La sustitución de los trabajadores huelguistas como forma de evitar los perjuicios ocasionados por la huelga. Una visión comparada del ordenamiento jurídico español e italiano. *Anuario Coruñés de Derecho Comparado del Trabajo.* (5), pp. 29-52.

Borrajo Dacruz, E. (1981). El derecho de huelga de los funcionarios públicos en la Sentencia del Tribunal Constitucional de 8 de abril de 1981. *Revista de Derecho Constitucional* (2), pp. 131-158.

Burgos Giner, M.A. (2011). Desconvocatoria puntual y provisional de la huelga intermitente. *Revista Doctrinal Aranzadi Social,* 4 (1), pp. 51-58.

Cabeza Pereiro, J. (14 de mayo de 2015). Me gusta el fútbol, pero no tanto. *Caderno Social Periférico.* http://conjaimecabeza.blogspot.com/2015/

Calamandrei, P. (1954). Significato costituzionale del diritto di sciopero, *Rivista Giuridica del Lavoro,* (I), pp. 222 y ss.

Carnelutti, F. (1971). *Derecho y proceso.* Buenos Aires: Ediciones Jurídicas Europa-América.

Casas Baamonde, M. A. (2021). Vulneración del derecho fundamental de huelga en servicios esenciales por la imposición gubernativa de servicios mínimos. Prescripción, y no caducidad, de la acción resarcitoria de la vulneración del derecho, ejercida frente a la empresa ante la jurisdicción social, desde la firmeza de la sentencia contenciosa anulatoria de los servicios mínimos. *Revista de Jurisprudencia Laboral* (10), pp. 1-15.

Cordero Gordillo, V. (2019). La sustitución de los trabajadores huelguistas por medios tecnológicos. *Lex Social: revista de los derechos sociales.* 9 (1), pp. 338-354.

De la Fuente y De la Fuente, L. (1998). *Valió la pena: memorias: de la Guerra a la Transición, un periodo apasionante de nuestra historia reciente.* Madrid. Editorial Edaf.

Domínguez Bautista, J.C. (1993). Algunos apuntes sobre el Proyecto de Ley Orgánica de Huelga. *Boletín de la Facultad de Derecho de la UNED* (3), pp. 9-43.

Durán López, F. (1986). El ejercicio de la huelga en la función pública. *Temas Laborales: Revista Andaluza de Trabajo y Bienestar Social* (9), pp. 9-27.

Escribano Gutiérrez, J. (2011). El derecho de huelga en el marco de la descentralización

empresarial. *Temas Laborales: Revista andaluza de trabajo y bienestar social,* (110), pp. 195-206.

Escribano Gutiérrez, J. (2017). Derecho de huelga, ius variandi y esquirolaje tecnológico. *Temas Laborales: Revista andaluza de trabajo y bienestar social,* (139), pp. 217-228.

Escribano Gutiérrez, J. (2018). Relación entre el acuerdo de fin de huelga y el acuerdo de conciliación judicial. *Temas Laborales: Revista andaluza de trabajo y bienestar social,* (142), pp. 181-193.

Fernández Sánchez, S. (2016). ¿Qué se suspende: el campeonato de fútbol o el derecho de huelga? *Revista General de Derecho del Trabajo y de la Seguridad Social,* (44), pp. 265-276.

García Martínez, A. (2012). Los jueces y el derecho de huelga. En (AA.VV.) *Los derechos fundamentales de los jueces* (pp. 169-197). Ed. Marcial Pons.

García Murcia, J. (1985). La protección del Estado y de los intereses de la comunidad frente al conflicto colectivo de trabajo: Del Código Penal de 1848 al de 1928. *Revista de Política Social.* (147), pp. 25-53.

García Murcia, J. (2014). Huelga y conflicto colectivo de trabajo. En AA.VV., García Murcia, J. (coord.), *El sistema español de relaciones laborales a la altura del siglo XXI: Representación en la empresa, negociación colectiva, huelga y conflicto colectivo de trabajo: Jornadas.* (pp. 71-122). Ed. Gobierno del Principado de Asturias.

García-Perrote Escartín, I. (1993). *El proyecto de Ley orgánica de huelga de 1993: la huelga en los servicios esenciales de la comunidad como telón de fondo.* Santander: Servicio de publicaciones de la Universidad de Cantabria.

García-Perrote Escartín, I. (2005). Derecho de huelga y libertad de empresa. *Revista Jurídica de Castilla y León*. (5), pp. 13-54.

Gil Plana, J. (2013). La titularidad del derecho de huelga de los funcionarios públicos. *Cívitas. Revista Española de Derecho del Trabajo*. (159), pp. 259-297.

Goerlich Peset, J. Mª (1994a). Ejercicio del derecho de huelga y poder directivo empresarial. En AA.VV., *Homenaje al profesor Juan García Abellán* (pp. 157-174). Murcia: Universidad de Murcia.

Goerlich Peset, J. Mª (1994b). *Los efectos de la huelga*. Valencia: Tirant lo Blanch.

Goerlich Peset, J.Mª. (2018). Ejercicio del derecho de huelga en el contexto de la descentralización productiva. *Descentralización productiva, nuevas formas de trabajo y organización empresarial. XXVIII Congreso de Derecho del Trabajo y de la Seguridad Social, Santiago de Compostela, 31 de mayo y 1 de junio de 2018/coord. por Asociación Española de Derecho del Trabajo y de la Seguridad Social*. (1), pp. 175-201.

Goerlich Peset, J.Mª. (2020). Digitalización y Derecho de Huelga. *Temas Laborales: Revista Andaluza de Trabajo y Bienestar Social* (155), pp. 93-108.

Grau Pineda, C. (2021). *Los difusos contornos de la prohibición de esquirolaje*. Valencia: Tirant lo Blanch.

Lahera Forteza, J. (2015). La huelga del fútbol en fuera de juego (Auto de la Sala Social de la Audiencia Nacional 14 de mayo 2015). *Derecho de las Relaciones Laborales*, (3), pp. 330-337.

López Cumbre, L. (2016). «Esquirolaje» en la empresa principal. *Análisis GA&P*. (enero), pp. 1-4.

Martínez Girón, J. (2017). La tutela cautelar en la jurisdicción social. *Revista española de derecho del trabajo* (194).

Molina Navarrete, C. (2015). Poder en el fútbol y derecho de huelga: ¿Un «uso estratégico antihuelga» de la justicia social cautelar? *Revista de Trabajo y Seguridad Social. CEF*, (387), 5-14. https://doi.org/10.51302/rtss.2015.2652

Moll Noguera, R. (2023). Libertad sindical y derecho de asociación empresarial. En (AA.VV.) Bohigues Esparza, M.D. (coord.), Fabregat Monfort, G. (Dir.). *Revisitar parte de la obra de Carlos L. Alfonso desde una perspectiva actual (homenaje al profesor Carlos L. Alfonso Mellado con ocasión de su jubilación como Catedrático de Derecho del Trabajo y de la Seguridad Social)*, (pp. 447-454). Valencia. Tirant lo Blanch.

Morales Sancho, G. A. (2016, Marzo). La huelga futbolística. Suspensión cautelar del derecho fundamental de huelga (art. 28. 2 CE). A propósito del Auto de la Sala de lo Social de la Audiencia Nacional de 14 de mayo de 2015. *Research Gate*. https://www.researchgate.

net/publication/297759816_La_huelga_futbolistca. DOI:10.13140/RG.2.1.2868.9040.

Montoya Melgar, A. (1970). *Jurisdicción y Administración de Trabajo. Extensión y límites de sus competencias.* Madrid. Tecnos.

Montoya Melgar, A (2004). Libertad de empresa y poder de dirección del empresario. *Revista del instituto de estudios económicos.* (4), pp. 109-158.

Navarro Serrano, A. (2015). El derecho de huelga: ¿es posible acordar como medida cautelar la suspensión de la huelga cuando se cuestiona si ésta es ilegal? Comentario al Auto de la Sala de lo Social de la Audiencia Nacional, de 14 de mayo de 2015. *Revista Aranzadi Doctrinal* (7).

Nogueira Guastavino, M. (2023). Huelga feminista y premio por presencia: el tiempo empleado en una huelga no puede ser considerado absentismo a tales efectos, en ausencia de especificación expresa en el convenio colectivo. *Revista de Jurisprudencia Laboral (RJL).* (3), pp. 1-6.

Ojeda Avilés, A. (1993). El derecho de huelga de los Magistrados. *THEMIS. Revista de Derecho.* (25), pp. 75-80.

Ojeda Avilés, A. (2003). *Derecho Sindical.* Madrid: Tecnos.

Palomeque López, M.C. (1992). La titularidad diferenciada del derecho de huelga. *Actualidad Laboral.* (2), pp. 357-364.

Palomeque López, M. C. (2025). Y la Ley Orgánica de Libertad Sindical todavía estaba allí. *Briefs AEDTSS* [en línea]. Disponible en: https://www.aedtss.com/y-la-ley-organica-de-libertad-sindical-todavia-estaba-alli/ [consulta: 17 de febrero de 2025]

Pérez Rey, J. (2017). El Tribunal Constitucional ante el esquirolaje tecnológico (o que la huelga no impida ver el fútbol). Comentario a la STC 17/2017 (BOE 10 de marzo de 2017). *Revista de Derecho Social,* (77), pp. 151-168.

Preciado Doménech, C. H. (2017). El esquirolaje tecnológico: un paso más en la sumisión de la persona a la máquina. Jurisdicción social Blog de la Comisión de lo Social de Juezas y Jueces para la democracia, 23 de febrero de 2017, disponible en http://jpdsocial.blogspot.com/2017/02/el-esquirolaje-tecnologico-un-paso-mas.html [Recuperado: 26 de junio de 2022].

Ramírez Martínez, J.M. (1980). Huelga y cierre patronal en la Constitución española. En AA.VV. *Estudios de derecho del trabajo en memoria del profesor Gaspar Bayón Chacón* (pp. 439-466). Madrid. Tecnos.

Ramírez Martínez, J.M. (2014). Sustitución de huelguistas en supuestos de contratas y de empresas de trabajo temporal. *Actualidad laboral* (6), p. 3.

Rodrigo Sanbartolomé, F.A. (2025). *Derecho de huelga y esquirolaje. Propuestas desde el análisis conceptual.* Valencia. Tirant lo Blanch.

Roqueta Buj, R. (2015). La suspensión de la huelga de los futbolistas como medida cautelar. *Revista Aranzadi de Derecho de Deporte y Entretenimiento.* (47), pp. 27-45.

Sagardoy Bengoechea, J.A. (1979). *Las relaciones laborales en la Constitución española.* Madrid.

Sala Franco, T. (1992). La libertad sindical y la jurisprudencia. En (AA.VV.) *Constitución y Derecho del Trabajo,* (pp. 1981-1991). Madrid. Marcial Pons.

Sala Franco, T. (1994). La Huelga. En (AA.VV.) *Derecho Sindical* (3ª ed.), (pp. 447-520). Valencia. Tirant lo Blanch.

Sala Franco, T. (1997). *Derecho del Trabajo* (Manual, 11ª ed.). En AA.VV., Sala Franco, T. (dir.) Valencia. Tirant lo Blanch.

Sala Franco, T. (2023). Acerca del derecho de huelga de los funcionarios públicos. *Revista de Derecho de la Seguridad Social, Laborum y Revista Crítica de Relaciones de Trabajo, Laborum* (Número especial de 2023, homenaje al profesor D. Efrén Borrajo Dacruz), pp. 91-98.

Sempere Navarro, A. V. (1981). Régimen jurídico de las vacaciones periódicas retribuidas. *Revista de Política Social.* (130), pp. 99-163.

Sempere Navarro, A. V. (2009) ¿Huelga judicial? *Revista Doctrinal Aranzadi Social,* 1 (20), pp. 139-147.

Sempere Navarro, A.V. (2015). Suspensión cautelar de huelga novatoria (el conflicto futbolístico). *Revista Española de Derecho del Trabajo.* (176), pp. 17-34.

Sempere Navarro, A. V. (2023). Sobre el modo de impugnar los servicios mínimos y sus lesivas consecuencias. *Revista de Jurisprudencia Laboral* (3), pp. 1-11.

Suárez González, F. (2007). La Huelga: un debate secular. *Anales de la Real academia de ciencias morales y políticas.* (84), pp. 555-560.

Talens Visconti, E. (2013). Esquirolaje tecnológico: interrogantes abiertos. *Revista doctrinal Aranzadi social,* 6 (5), pp. 173-192.

Teruel Lozano, G.M. (2023). Huelgas judiciales. *Blog Hay Derecho* [en línea]. Disponible en: https://www.hayderecho.com/2023/05/31/huelgas-judiciales/ [consulta: 9 de marzo de 2025]

Vivero Serrano, J.B. (2002). La huelga como derecho fundamental. *Anales de la Facultad de Derecho,* (19), pp. 263-286.

Vivero Serrano, J.B. (2008). Huelga atípica en un escenario de regulación convencional flexible del tiempo de trabajo y cesión de trabajadores a través de una ETT. *Revista Doctrinal Aranzadi Social,* 1 (2), pp. 73-79.

Anexo I
TEXTO COMPLETO DEL PROYECTO DE LEY ORGÁNICA DE HUELGA PROPUESTO

Exposición de Motivos

1. De acuerdo con el artículo 1.1 de la Constitución española, España se constituye en un Estado Social y Democrático de Derecho. Una de las consecuencias principales de la caracterización como social del Estado democrático instituido por la Carta Magna es el papel predominante que a los agentes sociales y, en particular, a las organizaciones sindicales corresponde en el marco jurídico, laboral y social resultante, como se desprende del contenido del artículo 7 y de su propia ubicación en el Título Preliminar.

Junto a este importante papel constitucional genérico, una de las manifestaciones fundamentales concretas que distingue la actividad sindical propia de los sindicatos, y la diferencia de la de cualesquiera otras asociaciones constituidas al amparo del artículo 22 de la Constitución, —junto con el derecho a la negociación colectiva que les viene reconocido en el artículo 37.1 de la norma suprema en la Sección segunda del Capítulo segundo del Título primero (dentro de los derechos y deberes de los ciudadanos)— viene constituida por el derecho de huelga reconocido como derecho subjetivo fundamental de los trabajadores en el artículo 28.2 dentro de la Sección primera del Capítulo segundo del Título primero.

2. La ubicación privilegiada del derecho de huelga, así como su consiguiente caracterización como fundamental (artículo 53.2 de la Constitución española) exige su regulación por medio de una Ley Orgánica (artículo 81 de la Constitución española). El artículo 28.2 de la Constitución española encomienda expresamente al legislador la regulación del ejercicio de este derecho y, asimismo el artículo 9.2 de esta mima norma, atribuye a los Poderes Públicos el objetivo de promover las condiciones para que la libertad y la igualdad del individuo y de los grupos en que se integra sean reales y efectivas, para cuyo cumplimiento la huelga se revela como un instrumento idóneo y especialmente eficaz.

3. Mientras el derecho a la libre sindicación reconocido en el artículo 28.1 de la Constitución española, contó con cumplido desarrollo en la temprana Ley Orgánica 11/1985, de 2 de agosto y el derecho a la negociación colectiva reconocido en mencionado artículo 37.1 de la norma constitucional fue regulado en su Título III por el Estatuto de los trabajadores, incluso antes, desde su versión original de la Ley 8/1980, de 10 de marzo, la tarea de continuar y completar el desarrollo de la Constitución española en materia de relaciones laborales ha quedado abandonada en materia de derecho de huelga, el cual continúa rigiéndose, por una norma preconstitucional y sin el debido rango de Ley Orgánica: el Real Decreto Ley 17/1977, de 4 de marzo, de Relaciones de Trabajo. La vigencia de esta norma ha motivado la necesidad de múltiples sentencias del Tribunal Constitucional dirigidas a trazar el perfil constitucional del derecho de huelga. Entre ellas, destaca sobremanera la sentencia 11/1981, de 8 de abril, que declaró la inconstitucionalidad de diversos preceptos del citado Real Decreto-Ley e indicó en qué sentido habría que interpretar otros artículos de esta disposición normativa para poder seguir siendo aplicada conforme a los principios constitucionales.

Sin embargo, la falta de rigor formal y la provisionalidad resultante de la situación anterior, junto con la obsolescencia de la precitada norma de 1977 que acusa el paso de los años y no responde adecuadamente a los nuevos problemas y necesidades propios de las relaciones laborales de nuestro tiempo (como son, particularmente, los derivados de la implantación de enormes y numerosos avances tecnológicos, así como de fórmulas descentralizadoras y de externalización en las estructuras organizativas empresariales), obligan a la adopción de una norma que, a la vez que cumpla debidamente con las exigencias constitucionales, contenga una regulación con un contenido moderno y actual más acorde con el mundo laboral, la sociedad y la economía del presente.

4. Transcurridos más de 45 años desde la promulgación de la norma constitucional resulta preciso, pues, por fin y sin más dilación, abordar esta tarea encomendada al legislador, dando cumplimiento mediante la presente Ley a dicho mandato del constituyente en beneficio de los importantes intereses y bienes constitucionalmente protegidos descritos, mediante una regulación que, asimismo, tenga en cuenta la necesidad de su ponderación y conciliación con los demás derechos constitucionales implicados. En este sentido, en especial, el artículo 28.2 de la Constitución española obliga al legislador a establecer las garantías precisas para asegurar el mantenimiento de los servicios esenciales para la comunidad.

Capítulo I
Objeto de la Ley Orgánica de Huelga: Concepto, modalidades y titularidad del derecho de huelga

Artículo 1

1. Por medio de la presente Ley Orgánica, en cumplimiento y desarrollo del mandato contenido en el artículo 28.2 de la Constitución española, se regula el derecho a la huelga de los trabajadores para la defensa de sus intereses.
2. El derecho de huelga comprende la cesación temporal total, parcial, u otras perturbaciones no abusivas en el régimen de trabajo, acordadas colectivamente por los trabajadores para la defensa de sus intereses, que produce la suspensión del contrato de trabajo y, en caso de ser total, una situación de alta especial en la seguridad social.
3. El derecho fundamental a la huelga es irrenunciable. Serán nulas las cláusulas de los contratos de trabajo, pactos o declaraciones unilaterales del trabajador que supongan renuncia o restricción de su derecho a la huelga. No obstante, serán válidas las cláusulas obligacionales pactadas en los convenios colectivos por las que se establezca un deber de paz.

Artículo 2

1. Se considerarán ilegales las siguientes huelgas:
a) Las que tengan por objeto subvertir el orden constitucional.
b) Las huelgas novatorias que tengan por objeto alterar lo pactado en un convenio colectivo, acuerdo o pacto de empresa durante su vigencia, así como, en su caso, lo establecido en laudo arbitral. No se consideran novatorias las huelgas si tienen por objeto reclamar una interpretación

del convenio, el cumplimiento de lo estipulado o cuando lo que se reivindique forme parte de materias no reguladas en aquél.
c) Las huelgas que incumplan lo establecido en materia de mantenimiento de los servicios esenciales para la comunidad.
d) En general, las demás huelgas en cuya convocatoria y/o desarrollo se omita o infrinja manifiestamente el procedimiento y el régimen previsto en esta Ley o el que se hubiera pactado específicamente para tal fin.
2. Se podrán considerar abusivas y, en su caso, ilícitas, las huelgas que, aunque no figuren entre las modalidades ilegales previstas en el apartado anterior, supongan un daño desproporcionado para el empresario, los trabajadores no huelguistas, los usuarios y consumidores o, en su caso, para los intereses de la comunidad. En especial, tendrán esta consideración las huelgas rotatorias, las de celo o reglamento y las denominadas estratégicas, tapón o trombosis, salvo prueba en contrario.

Artículo 3

1.El derecho a la huelga regulado por esta Ley, en desarrollo del artículo 28.2 de la Constitución española, se refiere a las personas trabajadoras que sean sujetos de una relación laboral al servicio de cualesquiera empleadores, privados o públicos.
2. El derecho a la huelga de quienes sean sujetos de una relación funcionarial o estatutaria al servicio de las Administraciones Públicas se ajustará a lo establecido en la Ley que, en su caso, les reconozca tal derecho. No obstante, no podrá reconocerse el derecho a la huelga a los miembros de las Fuerzas Armadas o demás personal sujeto a disciplina militar; como tampoco, en ningún caso, a los Jueces, Magistrados y Fiscales.
3. La persona trabajadora individual tiene derecho a participar voluntariamente en las actividades preparatorias o complementarias con relación al desarrollo de las huelgas y a recibir información sobre sus causas y objetivos, a adherirse a las mismas, así como a no participar en ellas o a desvincularse de aquellas a las que hubiera decidido sumarse, reincorporándose a su puesto de trabajo sin sufrir ningún tipo de sanción o represalia.
4. En el plano colectivo, el ejercicio del derecho a la huelga comprende las facultades de convocatoria de la huelga, la elección de su ámbito y modalidad, la adopción de cuantas medidas tengan por objeto el desarrollo de la misma, así como su desconvocatoria. La titularidad de las facultades relativas al ejercicio colectivo del derecho a la huelga corresponde a las organizaciones sindicales que tengan presencia en el ámbito de la huelga y, en todo caso, a las que tengan carácter de más representativas conforme a los dispuesto en la Ley Orgánica de Libertad Sindical, así como a los órganos de representación legal de los trabajadores previstos en el título II del Estatuto de los Trabajadores. En su caso, también podrá producirse por decisión mayoritaria de los propios trabajadores de la empresa o centro de trabajo reunidos en asamblea conforme a lo previsto en el artículo 80 del Estatuto de los Trabajadores.

Capítulo II
Procedimiento, desarrollo y fin de la huelga

Artículo 4

1. La convocatoria de huelga se notificará: al empresario o Administración pública responsable del servicio o, en su caso, a las organizaciones empresariales afectadas, por escrito y con una antelación mínima de cinco días naturales a la fecha de iniciación prevista, salvo que se trate de empresas encargadas de la prestación de servicios esenciales para la comunidad en que el prea-

viso deberá ser de diez días naturales. Una copia de la convocatoria será remitida a la Autoridad Laboral o, en el caso de huelga en las Administraciones Públicas, a la Autoridad Gubernativa.
2. El escrito de comunicación de la convocatoria de huelga contendrá, como mínimo, los siguientes extremos: a) Motivación y modalidad de la huelga; b) Ámbito funcional y territorial, fecha de iniciación y, en su caso, de terminación; c) Procedimientos de solución del conflicto utilizados con carácter previo, en su caso; d) Composición del Comité de huelga e identidad de sus miembros, que deberán ser trabajadores afectados por el conflicto o representantes sindicales o unitarios con representatividad en las empresas o sectores afectados.
3. Cuando sean necesarias medidas para garantizar el mantenimiento de los servicios esenciales de la comunidad, se impone, asimismo, a los convocantes de la huelga un deber de publicidad, antes de su iniciación, en favor de los usuarios del servicio y los ciudadanos potencialmente afectados. Adicionalmente, la dirección de la empresa o la Administración pública responsable del servicio también tiene el deber de comunicar, con una antelación suficiente, a los usuarios potencialmente afectados las modalidades de desarrollo de la huelga, las alteraciones de la actividad previstas como consecuencia de aquélla, así como, en su caso, las circunstancias relativas a la reanudación de la actividad laboral.

Artículo 5

1. Durante la huelga, los trabajadores huelguistas podrán, de forma pacífica, efectuar publicidad, personalmente y/o través de medios electrónicos o telemáticos, y difusión de la misma a través de medios de comunicación y redes sociales, así como llevar a efecto recogidas de fondos sin coacciones.
2. En todo caso, se respetará la libertad de trabajo de aquellos trabajadores que no quisieran sumarse a la huelga, la libre circulación y acceso al centro de trabajo de éstos, del empresario y personal directivo, así como, en su caso, de proveedores, usuarios y clientes.
3. Los trabajadores huelguistas podrán permanecer en los locales de la empresa ejerciendo el derecho de reunión en lugares donde no se impida el trabajo de quienes no participen en la huelga, salvo cuando se origine notorio peligro de daños para las personas o bienes presentes en el centro de trabajo. En este último caso, en caso de ilegal ingreso en los locales o de una ilegal negativa de desalojo frente a una legítima orden de abandono esta permanencia no podrá continuar.

Artículo 6

1. La huelga podrá finalizar, en cualquier momento, por decisión de quienes la hubiesen promovido mediante su desconvocatoria, así como al cumplirse el período de duración de la misma que, en su caso, se hubiera establecido en el escrito de comunicación de su convocatoria. Asimismo, la huelga se considerará finalizada cuando la totalidad de los trabajadores huelguistas, en ejercicio de su libertad individual de trabajo, hayan decidido su reincorporación y la reanudación de su prestación laboral.
2. Mientras dure la huelga, las partes en conflicto tendrán el deber de negociar de buena fe para la solución del mismo. A estos efectos, la Inspección de Trabajo y Seguridad Social podrá ejercer su función de mediación desde que se comunique la huelga hasta la solución del conflicto.
3. La huelga podrá finalizar por acuerdo entre los trabajadores y el empresario o empresarios afectados. Dicho acuerdo tendrá la naturaleza y eficacia propia de los convenios colectivos regulados en el Título III de la Ley del Estatuto de los Trabajadores, cuando se suscriba por sujetos con legitimación suficiente y conforme a los requisitos y procedimientos previstos en dicha

norma. En este caso, regirán las reglas legales aplicables a este tipo de convenios en cuanto a vigencia, sucesión y concurrencia.

En cualquier caso, siempre se admitirá la incorporación o recepción voluntaria, expresa o tácita, del contenido y condiciones estipuladas en el acuerdo de huelga a las relaciones individuales de trabajo.

4. En caso de desacuerdo, la partes en conflicto podrán someter voluntariamente, en cualquier momento, la discrepancia a procedimientos de mediación, arbitraje o conciliación en el seno de los órganos creados al efecto por los acuerdos a que se refiere el artículo 83.3 de Ley del Estatuto de los Trabajadores que correspondan según el ámbito del conflicto.

Cuando en el desarrollo de la huelga concurran circunstancias de las que se deriven perjuicios graves para los intereses generales o para la economía nacional, el sometimiento del conflicto a dichos órganos de solución extrajudicial de conflictos será preceptivo, los cuales resolverán mediante un arbitraje obligatorio, fijando expresamente el plazo de vigencia del laudo.

Capítulo III
Garantías y obligaciones durante la huelga

Artículo 7

1. Mientras dure la huelga, queda prohibida la adscripción al ámbito para el haya sido convocada de trabajadores que no formen parte del mismo al momento de iniciarse el conflicto, tanto mediante la contratación (directa o indirecta a través de empresas de trabajo temporal) de trabajadores nuevos como a través de la movilidad de trabajadores correspondientes a otros ámbitos.

A los efectos anteriores, por ámbito de la huelga se entenderá la empresa (o, cuando proceda, el grupo empresarial) en su totalidad, el centro de trabajo, la unidad productiva autónoma o el grupo profesional, en función del área de actuación identificada en la convocatoria de huelga.

La movilidad o adscripción de trabajadores no huelguistas a los puestos de trabajo de los huelguistas dentro de cada uno de estos ámbitos no se considerará esquirolaje prohibido.

2. Mientras dure la huelga, se presumirán abusivas las ampliaciones del tiempo de trabajo de los trabajadores no huelguistas adoptadas desde el inicio del conflicto, bajo cualquiera de las modalidades legalmente previstas, salvo que se pruebe que las mismas ninguna conexión guardan con el proceso huelguístico.

Artículo 8

1. Convocada la huelga, y durante el período de preaviso, el empresario o Administración pública responsable del servicio y los representantes de los trabajadores, deberán acordar para cada centro de trabajo, las medidas necesarias para garantizar la prestación de los servicios para la seguridad de las personas y de las cosas, el mantenimiento de los locales, maquinaria, instalaciones y materias primas, en orden a la ulterior reanudación del trabajo.

Asimismo, deberá acordarse la concreta determinación e identificación de los trabajadores que hayan de hacerse cargo de la prestación de tales servicios, debiendo, preferentemente, considerarse idóneos para ocupar los correspondientes puestos de trabajo, de haberlos, los trabajadores que contando con las aptitudes necesarias hayan optado por no sumarse a la huelga.

2. En caso de desacuerdo, la cuestión se someterá preceptivamente a arbitraje obligatorio urgente por parte de los órganos creados al efecto por los acuerdos a que se refiere el artículo 83.3 de Ley del Estatuto de los Trabajadores que correspondan según el ámbito del conflicto.

En cualquier caso, no podrá iniciarse la huelga, en tanto no se hayan establecido las medidas y asegurado la prestación de tales servicios de seguridad y mantenimiento.

Artículo 9

1. En cumplimiento del artículo 28.2 in fine de la Constitución española, a los efectos de esta Ley se considerarán servicios esenciales para la comunidad, con independencia del régimen público o privado de su prestación, aquellos cuyo mantenimiento resulte necesario para garantizar el contenido esencial de los siguientes derechos y libertades constitucionalmente protegidos: la vida, la integridad física y la protección de la salud; la libertad y la seguridad; la libre circulación; la libertad de información; la comunicación; la educación y la tutela judicial efectiva.
2. El ejercicio del derecho de huelga debe ser compatible con el mantenimiento de dichos servicios esenciales. A tal fin, deberán asegurarse el conjunto de prestaciones indispensables en los siguientes sectores y actividades:
a) La sanidad y la higiene pública.
b) La defensa, la seguridad pública y la protección civil.
c) El pago de las prestaciones públicas de protección social, así como los servicios sociales en cuanto fuesen necesarios para la vida o la salud.
d) La protección del medio ambiente en los supuestos de riesgo.
e) Los servicios funerarios.
f) La ordenación del tráfico y los transportes públicos terrestres de viajeros, regulares y colectivos.
g) Los transportes de pasajeros aéreos y marítimos y, en especial, el tráfico con las Islas Canarias, Islas Baleares, Ceuta y Melilla, que además asegure el suministro de productos imprescindibles para el abastecimiento de la población en esos territorios.
h) El transporte y la distribución de mercancías de primera necesidad.
i) Los servicios públicos de telecomunicación, postales y telegráficos.
j) Los servicios informativos de la radio y la televisión públicas.
k) Los suministros de energía eléctricos, agua, gas y combustibles para los usos domésticos, de locomoción o para otras actividades comprendidas en este artículo.
l) La educación en lo relativo a la evaluación de conocimientos para la superación de cursos, niveles, ciclos o grados oficialmente reconocidos.
m) La administración de justicia en lo referente a actuaciones concernientes a la libertad y seguridad de las personas.
n) Las instituciones penitenciarias.
o) Las aduanas, por lo que hace a prevención sanitaria y al control de animales y mercancías perecederas.
p) La ejecución por las Administraciones públicas de actividades no recogidas en anteriores letras de este apartado, cuando su prestación resulte indispensable e inaplazable para la atención de los ciudadanos y tenga relación con alguno de los derechos y libertades referidos en el apartado 1 de este artículo.
q) El ejercicio de sus funciones por los Poderes Públicos constitucionales.
3. Con sujeción a los criterios generales que, en su caso, se hubieran establecido en los acuerdos sobre materias concretas a que se refiere el artículo 83.3 de la Ley del Estatuto de los Trabajadores, en el ámbito concreto de la huelga, dentro de los tres días siguientes a la comunicación de la misma, sus convocantes deberán negociar con el empresario o Administración pública responsable del servicio, o, en su caso, con las organizaciones empresariales, las medidas a adoptar para el mantenimiento de los servicios esenciales de la comunidad, así como lo relativo

a la designación de los trabajadores que deberán atender las tareas correspondientes, que habrá de recaer, preferentemente y en lo posible, sobre personas trabajadoras con experiencia y capacidad para el desarrollo de las mismas que hayan optado por no sumarse a la huelga.
En caso de acuerdo, su contenido se notificará, dentro de las veinticuatro horas siguientes, a la Autoridad Gubernativa que tenga encomendada la competencia y ordenación del servicio esencial en el ámbito territorial donde vaya a producir efectos la huelga, la cual deberá dictar una resolución administrativa en la que confirme la suficiencia o, en caso contrario, complete las medidas propuestas, con una antelación mínima de cuatro días al inicio previsto para la huelga. Transcurrido este plazo, el silencio administrativo será positivo.
En caso de desacuerdo, en las veinticuatro horas siguientes, se presentarán a la indicada Autoridad las propuestas de ambas partes en conflicto. A la vista de las mismas, la Autoridad indicada dictará resolución motivada al menos cuatro días antes de la fecha prevista para el comienzo de la huelga en la que se establecerán las medidas necesarias para el mantenimiento de los servicios esenciales.
4. Las resoluciones administrativas referidas en el apartado anterior deberán ser comunicadas al empresario o Administración pública responsable del servicio y a los convocantes de la huelga, y en su motivación se hará constar qué trabajos no pueden sufrir interrupción como consecuencia de la esencialidad del servicio y de las características de la huelga convocada, tales como las relativas a su extensión o duración.
5. Salvo en el caso de acuerdo en la negociación en cuanto a las medidas y a la designación de los trabajadores encargados de los servicios confirmado íntegramente por la resolución de la autoridad gubernativa, cuando sea ésta quien complemente o concrete las medidas necesarias, corresponderá al empresario, en el plazo máximo de las veinticuatro horas siguientes a la comunicación de las resoluciones correspondientes, y en base a las medidas que se concreten en las mismas, la designación de los trabajadores que habrán de atender los correspondientes servicios, previo informe de los representantes de los trabajadores, conforme al criterio de designar, preferentemente y en lo posible, a personas trabajadoras con experiencia y capacidad para el desarrollo de las mismas que hayan optado por no sumarse a la huelga. Dicha designación se comunicará, en el plazo de las veinticuatro horas siguientes, a la Autoridad Gubernativa, así como a los trabajadores afectados y a sus representantes legales.

Capítulo IV
Control y tutela judicial del derecho de huelga

Artículo 10

1. Corresponde al Orden Jurisdiccional Social:
a) Conocer, en general, de todas las pretensiones que se promuevan como consecuencia de la aplicación de esta Ley, declarando, en su caso, tras el correspondiente proceso, la legalidad o ilegalidad de la huelga y aplicando los efectos que sean procedentes en cada caso según las prescripciones de esta norma.
La paralización judicial de las huelgas, como medida cautelar, sólo procederá, muy excepcionalmente, en aquellos casos en que de manera flagrante y directa, del contenido del escrito de comunicación de la convocatoria de huelga, o de las conductas y actuaciones colectivas de los huelguistas, se desprendan indiscutidamente motivaciones, modalidades o procedimientos no permitidos en esta Ley, así como, en general, la falta de cumplimiento de los requisitos esenciales exigidos en esta norma para la legalidad de la huelga.

b) Conocer de las impugnaciones que se formulen contra las resoluciones administrativas que fijen las medidas de garantía de los servicios esenciales para la comunidad y, en su caso, reconocer y fijar las correspondientes indemnizaciones. Asimismo, conocerá de los litigios relativos a la designación concreta de las personas trabajadoras que hayan de asumir la prestación de tales servicios, incluido el personal laboral al servicio de las Administraciones públicas.

c) Tutelar a los titulares del derecho de huelga que consideren lesionado el mismo por actuaciones de cualquier persona o entidad pública o privada, a través del procedimiento especial de protección jurisdiccional de los derechos fundamentales. A tal efecto, el órgano judicial competente, admitida a trámite la demanda y asumidas sumarias informaciones, podrá ordenar la cesación inmediata de la actuación presuntamente lesiva del derecho de huelga. Asimismo, podrán reconocerse y fijarse las indemnizaciones que, en su caso, procedan.

En particular, controlar el ejercicio de la potestad disciplinaria del empresario con relación al ejercicio del derecho de huelga de su personal.

2. Corresponde al Orden Jurisdiccional Contencioso-Administrativo el conocimiento de las cuestiones litigiosas y recursos contra sanciones impuestas a los empresarios en aplicación de la Ley sobre Infracciones y Sanciones en el Orden Social.

Capítulo V
Efectos de la huelga y responsabilidades

Artículo 11

1. Desde que la persona trabajadora inicie el ejercicio del derecho de huelga de conformidad con lo establecido en esta Ley hasta el momento de su reincorporación efectiva al puesto de trabajo se producirá la suspensión del contrato de trabajo y no podrá haber lugar a represalia, sanción o medida disciplinaria alguna por esta causa.

En particular, la empresa no podrá ejercer sus facultades directivas, de movilidad geográfica o funcional, con el fin de penalizar el ejercicio de la huelga y el período en que la persona trabajadora permanezca en esta situación no afectará a la duración de las vacaciones ni perjudicará al cómputo de la antigüedad ni a los derechos que puedan estar a ella vinculados.

2. La suspensión del contrato de trabajo a que se refiere el apartado anterior determinará la pérdida de las retribuciones correspondientes a los días u horas en huelga, repercutiendo tanto sobre el salario base como sobre los complementos salariales, con descuento, asimismo, de la parte proporcional de la retribución correspondiente a los días de descanso semanal, a las pagas extraordinarias y, en su caso, a las pagas de participación en beneficios o similares.

Ello no obstante, la retribución correspondiente a las vacaciones y a los días festivos que no coincidan con los días en huelga se cobrará íntegra, sin descuento alguno.

Los períodos en huelga sólo podrán ser considerados como faltas de asistencia a efectos del correspondiente descuento proporcional sobre eventuales complementos salariales relacionados con la asistencia o asiduidad, cuando así se haya estipulado expresamente en el convenio colectivo aplicable en que se hayan acordado tales complementos.

Para el cálculo de los descuentos retributivos que resulten de lo regulado este apartado será de aplicación la fórmula prevista en la Disposición Adicional Segunda de esta Ley.

3. En materia de seguridad social, los períodos en que la persona trabajadora permanezca en huelga producirán una situación de alta especial, con suspensión de la obligación de cotizar en caso de huelga total, y con los demás efectos que, en cada momento, se prevean por la legislación de seguridad social vigente.

Artículo 12

1. A los empleadores, tanto privados como entidades o Administraciones públicas, autoridades gubernativas o terceros cuando actúen contra lo establecido en la presente Ley y/o lesionen, de cualquier modo, el ejercicio legítimo del derecho fundamental de huelga protegido por la misma, les serán exigibles las responsabilidades de carácter civil, penal o administrativo que correspondan conforme a la legislación específica vigente en cada momento.
2. Concretamente, las acciones u omisiones de los empresarios contrarias a lo dispuesto en esta Ley podrán constituir infracciones laborales, de conformidad con la tipificación y régimen sancionador que, en cada momento, estén vigentes en la Ley sobre Infracciones y Sanciones en el Orden Social. En particular, cualquier conducta del empleador de los trabajadores huelguistas que sea constitutiva de esquirolaje en los términos previstos en el artículo 7 de esta Ley, en cuanto expresión de una vulneración del derecho fundamental de huelga, habrá de ser sancionada siempre como infracción muy grave.
Dichas responsabilidades administrativas no podrán exigirse, por virtud del principio non bin idem, cuando con identidad de sujetos, hechos y fundamento, conforme a lo dispuesto en el artículo 315 del Código Penal, se haya declarado la existencia de responsabilidad penal.
3. En el ámbito de la responsabilidad civil, cuando se declarase la existencia de actuaciones lesivas del derecho de huelga, en la sentencia se incluirá la reparación de las consecuencias derivadas del acto a cargo de aquellos de los sujetos responsables indicados en el apartado primero de este artículo que procedan, incluida la indemnización que corresponda en favor de las personas trabajadoras perjudicadas o de sujetos colectivos, en función de si los derechos o intereses lesionados han sido los de titularidad individual o las facultades de ejercicio colectivo de la huelga.

Artículo 13

1. El ejercicio del derecho de huelga y de sus facultades de carácter colectivo de forma contraria a lo establecido en la presente Ley, podrá dar lugar a las correspondientes responsabilidades, incluso penales en caso de que se declare la existencia de coacciones o huelgas insurreccionales, a cargo de los sujetos que sean declarados responsables.
2. No podrá exigirse responsabilidad a los sindicatos, de conformidad con el artículo 5 de la Ley Orgánica de Libertad Sindical, respecto a los actos individuales de sus afiliados, salvo que éstos se produzcan el ejercicio regular de sus funciones representativas o se pruebe que actuaban por cuenta del sindicato.
3. No obstante lo dispuesto en el apartado anterior, cuando se reconozcan indemnizaciones de daños y perjuicios en favor del empleador, asociaciones empresariales, Administraciones Públicas o de terceros, a cargo de titulares de facultades de carácter colectivo del derecho de huelga, no podrá exigirse, por los mismos hechos, responsabilidad a los trabajadores que ejerciesen el mismo.

Artículo 14

1. Las personas trabajadoras, por sus actos durante la huelga, podrán quedar sujetas, asimismo, al ejercicio del poder disciplinario empresarial, con el régimen establecido y garantías previstas en la normativa aplicable.
2. En concreto, podrá tener la consideración de incumplimiento grave y culpable susceptible de ser sancionado con el despido:

a) La participación activa e individualizada del trabajador en una huelga ilegal o formar parte de piquetes violentos o coactivos.
b) El incumplimiento de sus obligaciones en materia de garantía de prestación de servicios de seguridad y mantenimiento.
c) La negativa a atender el funcionamiento de los servicios esenciales de la comunidad que se hubiesen establecido de conformidad con lo previsto en esta Ley.

Disposición Adicional Primera*. La presente Ley no será aplicación a las personas referidas en el artículo 3.2 que se regirán por lo dispuesto en el Real Decreto Legislativo 5/2015, de 30 de octubre, por el que se aprueba el Texto Refundido de la Ley del Estatuto Básico del Empleado Público o en las normas específicas que la sucedan. No obstante, lo regulado en esta Ley podrá ser de aplicación supletoria para los aspectos no previstos en dicha normativa específica.*

Disposición Adicional Segunda. *Para el cálculo de los descuentos a efectuar sobre las retribuciones de las personas trabajadoras huelguistas, durante la huelga legal, se aplicará la siguiente fórmula, unificada para su aplicación tanto a las huelgas por días como horas: Retribución anual total – importe vacaciones – importe festivos/días u horas laborables año.*

Disposición Transitoria. *En tanto los agentes sociales negocien y, en su caso, implementen las medidas concretas necesarias para la viabilidad y aplicación del arbitraje obligatorio previsto en el artículo 8.2 de esta Ley, supletoriamente, las partes deberán someter la cuestión e instar dicho arbitraje a la Autoridad laboral en caso de que en 48 horas desde la convocatoria de la huelga no se llegue a un acuerdo sobre la adopción de estas medidas, la cual resolverá en el plazo máximo de 24 horas, previo informe de la Inspección de Trabajo y Seguridad Social.*

Disposición Derogatoria*. Queda expresamente derogado el Real Decreto Ley 17/1977, de 4 marzo, de Relaciones de Trabajo y, tácitamente, cuantas normas se opongan a la regulación contenida en la presente Ley.*

Disposición Final. *La presente Ley entrará en vigor el día siguiente al de su publicación en el Boletín Oficial del Estado.*

Anexo II
LOS DEBATES PARLAMENTARIOS PREVIOS A LA CONSTITUCIÓN Y A LA LOLS

Tras las elecciones generales del día 15 de junio de 1977, el Congreso de los Diputados ejerció la iniciativa constitucional que le otorgaba el art. 3 de la Ley para la Reforma Política y, en la sesión de 26 de julio de 1977, se creó una Comisión Constitucional con el encargo de redactar un proyecto de Constitución. Así, la citada comisión del Congreso de los Diputados desarrolló los primeros debates sobre, entre otras, las materias relativas a derecho de huelga y libertad sindical relacionadas con el objeto de este estudio. A continuación, se reproducen los preceptos que afectaban a estas materias del anteproyecto que sirvió de referencia inicial, obviando las numeraciones de los artículos y apartados, dado que pueden originar confusión, ya que apenas coinciden con las correspondientes a la versión final aprobada actualmente vigente, pues dichos preceptos fueron cambiando, no sólo de redacción, sino también de ubicación a lo largo del proceso constituyente:

"Los sindicatos de trabajadores, las organizaciones profesionales y las asociaciones empresariales, contribuyen a la defensa y promoción de los intereses económicos y sociales. Su creación y el ejercicio de su actividad son libres dentro del respeto a la Constitución y a la ley".
"Todos tienen derecho a sindicarse libremente. La ley podrá excluir o limitar el ejercicio de este derecho para determinadas categorías de servidores del Estado. La libertad sindical comprende el derecho a fundar sindicatos y a afiliarse al de su elección, sí como el derecho de los sindicatos a formar confederaciones y a fundar organizaciones sindicales internacionales o afiliarse a las mismas. Nadie podrá ser obligado a afiliarse a un sindicato".
"Se reconoce el derecho a la huelga de los trabajadores para la defensa de sus intereses. La ley regulará el ejercicio de este derecho, que no podrá atentar al mantenimiento de los servicios esenciales de la comunidad".

"Los empresarios tienen derecho a adoptar medidas de conflicto colectivo, sin perjuicio de las limitaciones expresas que al ejercicio de este derecho pueda establecer la ley. Este derecho no podrá atentar, en su ejercicio, al mantenimiento de los servicios esenciales de la comunidad".
"La ley regulará el estatuto de los funcionarios públicos, las condiciones del ejercicio de su derecho a sindicación, el sistema de incompatibilidades y las garantías para la imparcialidad política en el ejercicio de sus funciones".
"Los Jueces y Magistrados, así como los Fiscales, mientras se hallen en activo, no podrán desempeñar cargos públicos, pertenecer a partidos políticos, sindicales o integrarse en asociaciones profesionales".
La Ponencia mantuvo el texto inicial del anteproyecto de Constitución: "Una ley orgánica determinará las funciones, principios básicos de actuación y estatutos de las Fuerzas y Cuerpos de seguridad" y rechazó, por mayoría, la enmienda que había sido formulada en el seno de la propia Ponencia por el Grupo Comunista proponiendo un nuevo apartado en este precepto que contuviese el reconocimiento expreso del derecho de sindicación de los miembros de las Fuerzas de Orden Público.

De los debates en la citada Comisión de asuntos constitucionales y libertades públicas, en los posteriores que tuvieron lugar en el Pleno del Congreso de los Diputados, así como en la fase posterior, en la Comisión y el Pleno del Senado, es posible extraer ciertos temas clave que protagonizaron las discusiones sobre las materias relacionadas con esta obra. Entre ellos destacan, en especial, las cuestiones relacionadas con la posibilidad del reconocimiento a los empleadores del **cierre patronal o *lock-out*** (pues —como hemos visto más arriba—, en el anteproyecto se incluía un derecho empresarial a la adopción de medidas de conflicto colectivo equiparable y con cierto paralelismo con la regulación propuesta para el derecho de huelga), así como sobre el **alcance del derecho de huelga** (se discutía si la noción de huelga habría de ser puramente laboral, profesional o, incluso, política) y, también, sobre las eventuales **exclusiones de la titularidad** del derecho de libertad sindical de determinados colectivos **de funcionarios públicos** y, en particular, de los **jueces y magistrados,** con la consiguiente repercusión sobre su derecho de huelga.

A. Asociacionismo empresarial y cierre patronal

– Una de las primeras cuestiones que suscitó especial polémica en el seno de la Comisión de asuntos constitucionales y libertades públicas (sesión 6, celebrada el martes, 16 de mayo de 1978) fue el relativo a la redacción del actual art. 7 CE, pues latía en las deliberaciones sobre esta materia el temor a resucitar el corporativismo franquista y, de entrada, existía cierta discrepancia sobre si debía incluirse la referencia expresa a Colegios (HERRERO RODRÍGUEZ DE MIÑÓN, UCD) y organizaciones profesionales o sólo a estas últimas. Asimismo, se discutía sobre si habría que introducir la expresión "sus intereses" o "los intereses económicos y sociales que les son propios". Así, frente al texto propuesto por PECES BARBA (Grupo Socialista): «Los sindicatos de trabajadores, las asociaciones empresariales y los colegios y demás organizaciones profesionales contribuyen a la defensa y promoción de sus intereses», FRAGA IRIBARNE (Alianza Popular) defendió la redacción inicial de la Ponencia "la defensa y promoción de los intereses económicos y sociales". Entendía que decir que contribuyen a la defensa de sus intereses propios sería una tautología; "pues no contribuyen, es lo que defienden". Por otra parte, prevenía que, de quitarse la denominación económicos y sociales, podría entenderse que eso sí que era corporativismo y sería atribuirles otras representaciones posibles.

De la intervención de MARTÍN TOVAL (Grupo Socialistes de Catalunya) en esta sesión se obtiene —a los efectos que a este estudio interesan— un primer gran debate en torno a si en la Constitución debería reconocerse un **derecho de sindicación sólo de los trabajadores**, en exclusiva, **o** en un mismo nivel, **también debería reconocerse a las asociaciones empresariales y a las organizaciones profesionales**. La intervención comienza, así, con una referencia a la constitucionalización del derecho de sindicación de los trabajadores, que —afirmaba— que está justamente en la Constitución italiana, en la francesa claramente y en la alemana (algo más amplia en cuanto que generaliza el derecho de los ciudadanos, pero se refiere básicamente a los trabajadores), pero difícilmente se podrá decir lo mismo en cuanto a la constitucionalización de las asociaciones empresariales y de las organizaciones profesionales. Así, MARTÍN TOVAL valoraba como grave el intento de establecer un contrapeso de esa constitucionalización del derecho de sindicación, manteniendo como equivalente al derecho constitucional de sindicación de los trabajadores, el de organizaciones profesionales y de asociaciones empresariales, pero, a su vez, consideraba mucho más grave que para los tres colectivos se señalara que todos ellas contribuyen a la defensa y promoción de los intereses económicos y sociales. Se evidenciaba en este discurso el temor, no ya hacia el corporativismo (había tratado de evitarse cuidadosamente el tema en el curso de los trabajos de la Ponencia) sino, más allá, a volver al *estamentarismo franquista,* ante el riesgo de que este otro reconocimiento patentizara una reminiscencia, que fuera, a la vez, "una semilla de posteriores normativas que nos lleven a posiciones claramente contrapuestas con la democracia pluralista que queremos defender". En el ámbito del debate sobre estas cuestiones, estaba, pues, también sobre la mesa la materia relativa a los **intereses económicos y sociales** que son propios a cada una de estas fuerzas sociales ("llámese lucha de clases") respecto de los que MARTÍN TOVAR defendió que, o bien no se constitucionalizaba, aunque existiría de todos modos, o si se hacía habría que hacerlo bien y claramente, sin abstracciones.

Finalmente, ROCA JUNYENT (Minoría catalana) en nombre de la Ponencia trasladó a la Comisión el acuerdo unánime de la Ponencia sobre un texto que integraba las distintas enmiendas presentadas: "Los sindicatos de trabajadores, las asociaciones profesionales, **los Colegios y demás organizaciones profesionales** contribuyen a la defensa y promoción de los intereses económicos y sociales que les son propios. Su creación y el ejercicio de su actividad son libres dentro del respeto a la Constitución y a la ley. Su estructura interna y funcionamiento deberán ser democráticos". Así, posteriormente, en la sesión plenaria del miércoles, 5 de julio de 1978, el art. 7 CE fue aprobado inicialmente por el pleno del Congreso con dicha redacción. Por tanto, se incluía todavía en el texto, a diferencia del texto actualmente vigente, a los Colegios y organizaciones profesionales. Cabe recordar que, en el texto constitucional finalmente aprobado, hoy vigente, el texto citado respecto de los sindicatos y asociaciones empresariales quedó incólume en el art. 7 CE, pero la referencia a los Colegios y organizaciones profesionales no quedó en el Título preliminar, sino que la alusión a las peculiaridades propias del régimen jurídico de los primeros y al ejercicio de las profesiones tituladas pasó al art. 36 y las organizaciones profesionales "que contribuyan a la defensa de los intereses económicos que les sean propios" se recogieron en el art. 52, especificándose, en ambos preceptos, que su estructura interna y funcionamiento deberán ser democráticos[103].

– Un segundo gran tema que se planteó en aquellos debates —muy conectado con la discusión anterior sobre el reconocimiento de un derecho de sindicación no sólo de los trabajadores sino también, en un mismo nivel, a las asociaciones empresariales— fue el relativo a la concreción de dicha **equiparación en cuanto a las medidas de conflicto colectivo a adoptar por ambas partes y, específicamente, respecto del reconocimiento constitucional del cierre patronal o *lock out*.**

CARRILLO SOLARES (Grupo comunista), ya en la primera sesión de la Comisión de asuntos constitucionales y libertades públi-

---

103 Ocurrió que, en el debate sobre el art. 7 CE que tuvo lugar en el Senado, en el seno de la Comisión de Constitución, durante la sesión del martes 22 de agosto de 1978, SAINZ DE VARANDA JIMENEZ (Grupo Socialista) denunció que la redacción del texto del Congreso adolecía de un defecto importante relacionado con la inclusión de una mención a los Colegios profesionales. Se reprochó al respecto, cierta reminiscencia de la denominada democracia orgánica de la dictadura franquista y, aun reconociendo la importancia de tales Colegios en la vida profesional y el papel que habían desempeñado en la lucha contra la dictadura, lo cierto es que no se trata de entidades homologables a las demás que están recogidas en el art. 7, pues los Colegios profesionales en el sistema jurídico-administrativo español son tradicionalmente corporaciones de derecho público. Se proponía, así, su regulación separada, con una mención a que la Ley regularía las peculiaridades propias de estos Colegios profesionales, que serían: Primero, tratarse de corporaciones de derecho público; segundo, tener una adscripción obligatoria para el ejercicio de determinadas profesiones, y tercero, una exclusividad territorial. Se proponía, asimismo, que debería reflejarse que habrían de tener una estructura y funcionamiento absolutamente democráticos. Por su parte, VILLAR ARREGUI (UCD), completó aduciendo que el Título preliminar no era el lugar para los Colegios profesionales, pues dicho Título se dedica a declaraciones solemnes y a regular cuestiones fundamentales de la convivencia futura de los españoles, añadiendo que sería excesivamente pretencioso inscribir a los Colegios profesionales en el frontispicio de la Constitución, a diferencia de los partidos políticos, sindicatos y asociaciones empresariales, que todos ellos son movimientos que emergen desde el seno de la sociedad y que se inscriben en ella, apuntando hacia la participación en las decisiones políticas o en otras decisiones públicas, porque todos ellos convergen en la efectividad de la democracia. Así, en línea con lo defendido por el senador PEDROL RIUS, propuso llevar a la Constitución a los Colegios profesionales en un precepto específico (muy parecido al actual art. 36) que podría rezar los siguiente: «La ley regulará las peculiaridades propias de los Colegios profesionales. Su estructura y su funcionamiento se ajustarán a criterios democráticos».

cas, celebrada el viernes 5 de mayo de 1978, se refirió al tema del cierre patronal o *lock-out*, pues —dijo— "si el proyecto se aprobara tal como está, resultaría que España sería uno de los raros países que reconocen a los empresarios el derecho a utilizar como arma de lucha contra los obreros el cierre de la empresa. Formalmente puede parecer que eso equipara en derechos a empresarios y trabajadores, en la medida en que a éstos se les reconoce el derecho de huelga, pero en la realidad no es así. En la realidad el derecho a la huelga es una especie de reconocimiento y de compensación de algo y para algo que es obvio: la desigualdad existente entre el empresario y el trabajador. El trabajador no posee más bien que su fuerza de trabajo. El patrono posee los medios de producción. Si a este enorme privilegio se le añade el de poder declarar el <lock-out>, el patrono podrá imponer sus exigencias no sólo al trabajador, sino al propio Estado, prácticamente sin limitaciones. "(...) los artículos que se refieren al derecho de sindicación y de huelga, se prestan a las interpretaciones más arbitrarias, pues por ejemplo se excluye del derecho de sindicación o se limita éste para «determinadas categorías de servidores del Estado», que quedan absolutamente indeterminadas. Nosotros consideramos indispensable concretar el derecho de sindicación de los funcionarios civiles del Estado".

Aparecía, así pues, una primera posición contraria al reconocimiento del poder empresarial de cierre como arma ofensiva y opuesta al principio que, con expresión alemana, se conoce como de la *Waffengleichheit*, también llamado de la *Kampfparitat* (igualdad de armas o paridad en la lucha), esto es, de la igualdad de trato entre las medidas de conflicto nacidas en el campo obrero y las que tienen su origen en el sector empresarial.

En el mismo sentido, con posterioridad, durante la sesión del martes 22 de agosto de 1978, en la Comisión constitucional del Senado, el senador VIDA SORIA (Grupo Socialista), frente a la posiciones que "a la hora de no tener más remedio que reconocer el derecho constitucional a la huelga, lo conectan inmediatamente con el derecho al cierre patronal o *lock-out*" afirmó que se trataría de un "procedimiento pintoresco por cuanto que no es de uso común en ningún país civilizado, y en cualquier caso el reconocimiento del derecho al *lock-out* por parte de los empresarios vendría a neutralizar y, en consecuencia, a suprimir materialmente el derecho de huelga reconocido constitucionalmente". Así, más adelante, subrayó también que lo que se pretendía era contrarrestar o intentar contrarrestar el derecho de huelga con el derecho al cierre empresarial cuando en ningún país del mundo hoy día se reconoce la bilateralidad entre «lock-out», o cierre patronal, y huelga. El profesor VIDA SORIA fundamentó esta posición en cuatro argumentos fundamentales: "En primer lugar, el reconocimiento del derecho de huelga se basa en un deseo de reequilibrar las fuerzas desequilibradas de las clases sociales interlocutoras en el conflicto laboral. Nosotros constatamos (y no es una cosa que intentemos legalizar, sino que lo constatamos de la realidad) que existe una lucha de clases, lucha de clases que nosotros para resolverla por medios pacíficos intentamos introducir en la Constitución. ¿Por qué medio? Por medio de ese sentido de la responsabilidad del movimiento obrero, aceptando la constitucionalización del derecho de huelga como una manera de contrabalancear o de reequilibrar las fuerzas inicialmente desequilibradas. En segundo lugar, si nosotros aceptáramos el derecho de cierre patronal, estaríamos en la práctica, incluso en la técnica, eliminando el derecho de huelga. En tercer lugar, el «lock-out», o cierre patronal, afecta, y por eso no puede ser comparado con el derecho de huelga, a trabajadores que pueden no ser huelguistas y, en consecuencia, es una medida que no puede contraponerse con la otra, incluso desde el punto de vista mecánico. Finalmente, la huelga se reconoce en la Constitución o en el ordenamiento jurídico sobre la base de que cuesta cara a los trabajadores. Los trabajadores dejan de trabajar, pero a la vez dejan de percibir sus salarios y pierden muchas otras cosas. Es decir, la huelga es una medida violenta —relativamente violenta en el sentido jurídico de la palabra por parte de la clase obrera, pero tiene una contrapartida, en cambio, que es el cierre patronal, y lo único que haría sería que la empresa o las sociedades de empresas rehusaran contratar a determinados trabajadores, sin que por ello les tenga que costar nada en absoluto. En consecuencia, repito, el cierre patronal no puede ser comparado ni siquiera mecánicamente con el derecho a la huelga".

Por el contrario, en esta misma sesión de la Comisión del Senado, el senador SATRÚSTEGUI FERNÁNDEZ (GPPSI) abogó por equiparar los derechos de los empresarios a los de los trabajadores, en el mismo sentido que ambos quedaban referidos también en el art. 7

del proyecto del Congreso (actual art. 7 CE) y entendía que "si luego hay un artículo —actual 28 CE— que se refiere a los sindicatos y no se aclara más, pero se entiende que se refiere a los trabajadores, puesto que luego habla de la huelga, lo lógico es que cuando nos refiramos a los derechos de los trabajadores nos refiramos también a los derechos de los empresarios. Hay que recordar que, si los trabajadores tienen derecho a sindicarse, los empresarios lo tienen a asociarse. Y no veo razón alguna para que en este artículo que se refiere al derecho de sindicación no se añada también el derecho de los empresarios a asociarse". Para ello se adujo el número 4 del artículo 6 de la Carta Social Europea cuando dice: "Se reconoce el derecho de los trabajadores y de los empresarios a acciones colectivas en caso de conflicto de intereses, incluido el derecho de huelga, condicionado a las obligaciones que pudieran resultar de los convenios colectivos en vigor". Asimismo, reincidió en esta idea en la posterior sesión de 30 de agosto de 1978 de dicha Comisión del Senado en la que se discutió el texto del art. 33 (actual art. 37 CE), formulando SATRÚSTEGUI FERNÁNDEZ una enmienda «in voce» que pretendía que el apdo. 2 del actual art. 37 CE hubiera reflejado, con arreglo también a la redacción del artículo 6 de la Carta Social Europea, lo siguiente: «Se reconoce el derecho de los trabajadores y empresarios a acciones colectivas en caso de conflicto de intereses, incluido el derecho de huelga, condicionado a las obligaciones que pudieran resultar de los convenios colectivos en vigor. La ley que regule el ejercicio de este derecho, sin perjuicio de las limitaciones que pueda establecer, incluirá las garantías precisas para asegurar el funcionamiento de los servicios esenciales en una sociedad democrática». Con esta redacción pretendía salir al paso de la sensación que —a su juicio— se estaba generando en la Comisión en el sentido de que era vergonzoso defender el cierre patronal. Según su postulado, "al defender yo la huelga de los trabajadores y el cierre patronal, estoy defendiendo lo que dice la Carta Social Europea" (…) "Por tanto, cuando los liberales progresistas hemos luchado por esta democracia nunca hemos renunciado a los derechos de los patronos en cuanto a asociarse y a emplear, frente al arma de los trabajadores, la suya propia. Así lo reconoce la Europa democrática, y en España no se debe hacer una excepción. (…) Los derechos de los trabajadores son sagrados; los derechos de los empresarios, que son los que crean los puestos de trabajo, también lo son".

Ulteriormente, ya en el Pleno del Senado, en la sesión de 28 de septiembre de 1978, este tema volvió al debate y, de nuevo SATRÚSTEGUI FERNÁNDEZ, propuso una nueva redacción en la que se refundieran los textos de los arts. 28 y 37 CE en el primero de ellos, lo cual conectó —por vez primera y única en todos los debates parlamentarios previos a la Constitución— con la cuestión de la titularidad por los extranjeros de estos derechos[104], que —como fue analizado en el texto principal de esta obra— sería objeto, muchos años después, de importantes pronunciamientos del TC. Se opuso, del mismo modo, a la redacción vigente de la CE, por entender que respalda el derecho individual a la huelga, cuando él lo consideraba un derecho referido a la colectividad: "El derecho de huelga individual es algo que, en el mundo occidental, en Europa, no se acepta; esto significaría la constitucionalización de la huelga salvaje".

Se tocaban aquí cuestiones que, después, serían objeto de tratamiento por la paradigmática STC 11/1981, de 8 de abril, en la que se reconoció la titularidad individual, pero de ejercicio colectivo, del derecho de huelga, así como la constitucionalidad de las huelgas espontáneas o salvajes, es decir, de aquellas huelgas no sindicalizadas que parten directamente de la iniciativa de los propios trabajadores.

En este sentido, VIDA SORIA contraargumentó las palabras de SATRÚSTEGUI FERNÁNDEZ, indicando que no podían admitirse mayores restricciones a la huelga que el propio hecho de integrarla en el ordenamiento jurídico, lo cual "ya es bastante. La Constitución constitucionalizaría un derecho de huelga individual. Pues sí, señor. Es que el derecho de huelga es individual en toda Europa, y así lo reconocen los Tribunales Supremos y los Tribunales constitucionales de toda Europa. Lo único que pasa es que es un derecho individual que se ejerce colectivamente. Esa es la postura técnica respecto a la huelga". Por otro lado, respeto a las huelgas salvajes consideró que no se entendía bien lo que es la huelga salvaje y explicó que este tér-

---

104 "Porque si ustedes se fijan —yo no había caído en la cuenta, ni quizá ningún parlamentario, hasta ahora—, el artículo 37, relativo al derecho de negociación colectiva y al derecho a las medidas de conflicto colectivo que puedan plantear trabajadores y empresarios, está en un capítulo que se refiere a los ciudadanos. O sea, que está referido sólo a los españoles y, evidentemente, éstos son derechos que afectan también a los extranjeros que actúan laboralmente en España".

mino "es una mala traducción de lo que se llama huelga espontánea, que es como se debe decir en español o castellano. Es huelga espontánea y es algo dejado al tema sindical estrictamente. Yo no conozco ninguna legislación en Europa que vaya contra la huelga salvaje".

Y, finalmente, denunció que esta propuesta de refundición de preceptos del Senador SATRÚSTEGUI FERNÁNDEZ, en realidad, escondía una estrategia restringir el derecho de huelga "(que es un derecho individual, aunque se ejerza colectivamente, que tiene que estar circunscrito a los límites que le imponga el ordenamiento jurídico), se trata de conectarla con la negociación colectiva laboral y, a la vez, meter el *lock-out* o cierre patronal, que era lo que inicialmente pretendía el Senador señor Satrústegui. Nosotros estamos en desacuerdo con esa posición, y estamos en desacuerdo con constitucionalizar el *lock-out* porque es un despropósito decir que el *lock-out* es correlativo con el derecho de huelga. No hay correlación técnica, política ni social entre el cierre patronal y la huelga. Estamos en contra también de restringir el derecho de huelga más allá de lo que lo restringe el hecho de haberlo metido en la Constitución. Miren ustedes, señores Senadores —y espero tener ocasión de decirlo otra vez—, la huelga es un hecho, y bastante hace la clase obrera con aceptar que se integre su hecho particular, bastante hace con integrarlo en el ordenamiento jurídico general. No le pongamos puertas al campo, que va a ser peor".

B. Alcance del derecho de huelga: huelga laboral o profesional vs huelga política

– La sesión plenaria en el Congreso de los Diputados del martes, 11 de julio de 1978, tuvo por objeto principal la discusión y votación de una enmienda sobre el precepto del dictamen de Proyecto de Constitución dedicado al **derecho de huelga**. El contenido de dicho debate parlamentario se reproducirá y glosará aquí en casi toda su extensión, por el gran interés concreto que, por su objeto y por el valor de los criterios jurídicos —no sólo políticos— introducidos en las distintas argumentaciones esgrimidas por los diputados, presenta para el análisis realizado en este estudio.

En efecto, JARABO PAYA (Grupo Parlamentario Alianza Popular) presentó enmienda, proponiendo el texto siguiente: «*Se reconoce el de-*

recho a la huelga de los trabajadores para la defensa de sus intereses ***laborales****. La ley regulará su ejercicio,* ***garantizando la plena libertad de decisión del trabajador*** *para el uso de tal derecho, que* ***podrá ser limitado por razones de seguridad nacional, de intereses*** *o servicios esenciales de la comunidad».* Dicho Grupo parlamentario popular afirmó defender, sin reservas, el derecho a la huelga de los trabajadores, por entender que no sólo es un instrumento legítimo de defensa de sus intereses, sino, en muchas ocasiones, único e insustituible para plantear las legítimas reivindicaciones laborales de éstos. Pero, al propio tiempo, mostraron su preocupación al respecto del posible desbordamiento de la conflictividad y trataron de resucitar aquel principio (del Decreto-Ley de 1975) de la última «ratio» o último recurso, "que tiene, además, que darse en ella esa adecuación con los objetivos que se pretende alcanzar, esa proporcionalidad entre la acción y el propósito a conseguir". En este sentido, manifestaron que la huelga desproporcionada, desmesurada, produce una serie de efectos claramente negativos y gravosos para la economía nacional, que "no sólo consisten en esos millones de horas perdidas, en esos miles de millones de pesetas de pérdidas de producción, no sólo en las empresas en conflicto y en las que directa o indirectamente están vinculadas a aquéllas, cientos de millones de salarios no percibidos por los trabajadores, millones no satisfechos a la Seguridad Social, sino algo que es todavía mucho más importante, aunque no sea posible su cuantificación, que es el innegable deterioro que en las relaciones laborales de la empresa se produce", amén de la "inseguridad e incertidumbre que esta conflictividad, siempre posible, crea en el empresariado y que provoca en la empresa y en el capital su inhibición en la inversión y, como consecuencia, un importante y grave incremento en esa tremenda situación de desempleo que, entiendo, debe ser un motivo de seria preocupación para todos".

En primer lugar, el grupo parlamentario popular subrayó su deseo de no incluir en una legitimación constitucional las llamadas **huelgas políticas y las de solidaridad o simpatía pura**. Y pensaban que este propósito se veía fortalecido y refrendado por un análisis comparativo con la legislación laboral de prácticamente todos los países del occidente europeo, en los que tanto la jurisprudencia como la doctrina se pronunciaron con un criterio sumamente restrictivo, cuando no prohibitivo, respecto a la procedencia y legitimidad de este tipo de conflictos. Asimismo, se hizo referencia al RDLRT, cuyo art. 11, apartado a) dice: «será huelga ilegal la que se inicie o sostenga por motivos políticos o por cualquier otra finalidad ajena al interés profesional de los trabajadores afectados». Y en la letra b), las de apoyo o solidaridad, salvo que afecten directamente a los trabajadores que las mantengan o promuevan. Y, al respecto, se puso de manifiesto el temor a que, con la redacción constitucional que se proponía, esta norma legal "de indiscutible importancia" (el RDLRT) pudiera ser declarada inconstitucional, "con todo lo que ello pudiera suponer de imprecisión, de equívoco, de riesgo y de extensión de la conflictividad".

El segundo objetivo que se trataba de propugnar en dicha enmienda era el de **garantizar la plena libertad de decisión del trabajador** en su resolución de ir a la huelga, posibilitando la aprobación de normas que asegurasen que el trabajador, cuando hiciera uso del legítimo derecho de huelga, no fuera objeto de presión ni de represalia por los empresarios o por piquetes coactivos ("que se exceden en el cometido que les es propio y que de acuerdo con toda la legislación comparada debe reducirse a una acción informativa, persuasoria y pacífica"). En este sentido, se trajo también a colación el art. 6.4 del RDLRT que establece: «Se respetará la libertad de trabajo de aquellos trabajadores que no quisieran sumarse a la huelga».

Por último, como tercer objetivo de la enmienda se hizo referencia a la **limitación del derecho de huelga por razones de seguridad nacional, intereses y servicios esenciales para la comunidad**. Esto se justificaba, en primer lugar, por hacerlo coherente con otros preceptos constitucionales, "como el que habla de la posibilidad de suspensión de este derecho en los estados de sitio, de emergencia o de guerra". Y, en segundo lugar, porque pensaban que la referencia a los servicios esenciales era insuficiente y había que hablar también de intereses o de necesidades esenciales de la comunidad, inspirándose en el precepto de la Ley de huelgas de 1909 que hablaba de la exclusión del derecho a la huelga en los servicios públicos y también en aquellos medios de producción de consumo general y necesario.

Frente a la enmienda propuesta, SAAVEDRA ACEVEDO (Grupo socialista) con relación a que la huelga debiera ser considerada la «última ratio» y también a los efectos desproporcionales que, desde el punto de vista económico, se pudieran derivar de un ejercicio abusivo de la misma, señaló que no era "extraño que fuese precisamente el año 1976 el que llevase el récord del número de horas afectadas y que, precisamente, en ese año todavía estábamos sometidos al Decreto de 22 de mayo de 1975, elaborado en el Gobierno de Arias y siendo ministro de Trabajo Fernando Suárez". Subrayó, a continuación, la importancia del tema de la huelga política respecto de la cual dijo que "efectivamente, goza de criterios restrictivos en la jurisprudencia europea, pero también es cierto que en ninguna Constitución europea se establece una restricción, ni una alusión a la huelga política, ni a la huelga de solidaridad". Por consiguiente, no consideró estar en el lugar oportuno para determinar ya una exclusión, con rango constitucional, de las huelgas políticas y de las huelgas de solidaridad. Acto seguido, se refirió al problema fundamental de determinar **qué son las huelgas políticas.** La huelga política afirmó que es un concepto completamente abierto y que, además, si ignorásemos las huelgas políticas, que han abierto cauce a la conquista de derechos para la clase trabajadora, probablemente estaríamos ignorando gran parte de la historia política y sindical de Europa de las últimas décadas. "¿Qué es, si no una huelga política, la huelga general francesa en mayo del 68? ¿Qué son las huelgas de solidaridad en apoyo de la clase trabajadora española en el año 70? Esas huelgas de solidaridad y esas huelgas políticas probablemente caerían dentro de los criterios restrictivos de la jurisprudencia, pero lo cierto es que esas huelgas se practicaron y dieron paso a conquistas (...)". Por consiguiente, se rechazó el argumento de la seguridad para aquellos que se sienten inseguros con el reconocimiento pleno del derecho de huelga, porque, al restringirla a la defensa de intereses laborales, se generaría un conflicto de interpretación permanente entre lo que es laboral y lo que no es laboral: "Porque, ¿sería huelga política también una huelga organizada por los trabajadores españoles en el futuro en defensa de un plan de seguridad social más justo, más moderno, más equilibrado? ¿Sería también una huelga política, una huelga convocada por los sindicatos españoles en contra de un plan económico, o en contra de una política de renta, o en contra de una restricción a la libertad sindical?". Estos límites a nivel constitucional se valoraron como que desprestigiarían la propia ley suprema del país, sometiéndola a un conflicto permanente de valoración por parte de la clase trabajadora, porque no se trataba —como decía el dictamen de la Comisión— de que «la ley que regule el ejercicio de este derecho incluirá las garantías precisas para asegurar el mantenimiento de los servicios esenciales de la comunidad», sino que en el texto de la enmienda se hablaba claramente de que en la ley que regulase su ejercicio «podrá ser limitado el derecho por razones de seguridad nacional», etc.: "No es lo mismo limitar el ejercicio o establecer garantías en el ejercicio del derecho que limitar el derecho en sí".

En definitiva, el Grupo socialista, defendió la protección y reconocimiento en el texto constitucional del derecho de huelga como una manifestación, como un atributo de la personalidad del ciudadano trabajador. Asimismo, se equiparó el contenido de la enmienda del Grupo popular "con una segunda edición de algo que otros países también, desgraciadamente, han reconocido, con nuestro movimiento obrero, de pasar de esa fase de prohibición, de tolerancia y reconocimiento del derecho, a una de nueva prohibición, como la que inicia el Fuero del Trabajo, calificando a la huelga con aquella expresión tan sorprendente de delito de lesa patria". Y añadió: "Precisamente hemos iniciado a partir de ese Decreto-ley de 4 de marzo de 1977, que el enmendante pretende que no se declare anticonstitucional, una etapa de permisibilidad de la huelga; pero no hay todavía en nuestro derecho un reconocimiento de la huelga. Y es precisamente eso lo que quieren los sindicatos y la clase trabajadora española. No queremos seguir una etapa de permisibilidad como la que aparece en ese artículo 11, declarando ilegales una serie de huelgas que, normalmente, no tienen por qué ser consideradas ilegales. Si nosotros queremos que la Constitución signifique algo para la clase trabajadora es necesario que ese Decreto-ley, afortunadamente, pase a ser anticonstitucional, porque indicará que la Constitución contiene algo significativo para la clase trabajadora que es este artículo 26 —actual 28—, en el que no sólo se plasma la libertad sindical, sino que se reconoce el derecho de huelga en su plenitud por vez primera en una Constitución española, una política de huelga legal, cosa que no ocurrió en la Constitución de 1931. Fue únicamente la Ley de Contratos de Trabajo de Largo Caballero la que permitió, por vez primera en nuestro ordenamiento jurídico, el reconocimiento de la huelga como un derecho, pero no llegó a tener el rango constitucional. Y, desgraciadamente, el rango constitucional lo alcanza en el Fuero del Trabajo para ser declarada un delito, con una actitud de prohibición, de supresión del derecho de huelga".

Finalmente, efectuadas las votaciones, quedó aprobado en el Congreso el apartado 1 del artículo 26 (actual art. 28), rechazada la enmienda formulada por JARABO PAYA (AP) al apartado 2 de dicho artículo 26 y aprobado el texto del dictamen correspondiente a tal precepto.

Con posterioridad, en las explicaciones de los votos, FRAGA IRIBARNE (Grupo Parlamentario Alianza Popular) subrayó que ellos habían planteado la prohibición de la huelga política, pero que, aunque no fuera un problema de definiciones jurídicas, querían una afirmación concreta de si los intereses que pueden defenderse por medio de la huelga son los laborales o profesionales. Concluyó haber entendido que, en la interpretación del señor Saavedra —y la de su Grupo socialista—, la huelga política es lícita y respecto al "ejemplo brillante" que éste puso de la huelga política de mayo del 68, en su opinión, es el ejemplo mismo de lo que nunca debió ser cubierto por el derecho de huelga, así como, tampoco la huelga a favor de una idea determinada de la Seguridad Social o de un determinado plan de política de renta.

Por su parte, HERRERO Y RODRÍGUEZ DE MIÑÓN (UCD) explicó el voto a favor de su grupo porque muchos de los extremos que la enmienda de Alianza Popular pretendía introducir en el texto constitucional eran más bien materia de una ley ordinaria. Por otra parte, advirtió que tampoco podía admitir la apología de la huelga indiscriminada, incluso de la huelga política, entre otras cosas, porque "la jurisprudencia de los países más estables o las doctrinas mil veces reiteradas de la OIT o Constituciones recientes, como la Constitución griega, apuntan criterios restrictivos". Para HERRERO Y RODRÍGUEZ DE MIÑÓN: "La huelga, no cabe duda, que para todos se define como un medio de presión que equilibra la diferencia entre los trabajadores y los propietarios de los medios de producción (...) En todo caso, la huelga puede interpretarse también de una manera más extensiva y suponer un medio de presión, no ya frente a los empresarios ni en reivindicación de intereses económicos, profesionales y laborales propios, sino utilizando el símil de Sorel, el gran teórico de **la huelga general revolucionaria**, como medio de conseguir el «fin catastrófico de los conflictos». Este tipo de huelga es, a nuestro juicio, malo para el orden político, social y económico de cualquier país y, **a nuestro juicio, no tiene cabida en el precepto constitucional que acabamos de aprobar**. Porque, dejando al lado clasificaciones y categorías menos importantes, aquí **se ha planteado la oposición entre una huelga política y una huelga estrictamente profesional, olvidando que normalmente las huelgas también pueden ser mixtas"**. "La huelga política es una forma larvada de guerra civil, porque en la guerra civil se discute quién manda en la ciudad por medios violentos, y en la huelga política general indiscriminada lo que se plantea es quién manda, si mandan los huelguistas o mandan los organismos o instituciones legales democráticas, si mandan los intereses concretos o la voluntad general. Utilizando una expresión familiar: «Si manda Behernoth o manda Leviatán». Por otra parte, la huelga profesional es la huelga que han regulado aquellos sistemas que, incluso a nivel constitucional, han tratado de instrumentar el derecho de huelga al servicio de los verdaderos, de los netos, de los propios derechos del mundo obrero; desde Méjico, en 1917, a Suecia, en 1975, y creo que ambas citas son suficientemente elocuentes".

En este orden de cuestiones, defendió una interpretación de este precepto que admitiera suficientes criterios limitativos de la huelga a lo que es un instrumento de reivindicaciones profesionales, y no de reivindicaciones políticas generales. Entendía que no es un medio de presión sobre el Estado, sino un medio de presión en la negociación, fundamentalmente con los empleadores. Y tal es el sentido que a la huelga ha dado constantemente la OIT. Además, añadió que los límites son de dos tipos: aquellos que se deducen de la interpretación sistemática de la Constitución y aquellos que se contienen en la propia literalidad del precepto.

En cuanto a los primeros, especificó que no cabe duda de que todos los ciudadanos, incluso los huelguistas, están sujetos a la Constitución, de acuerdo con el artículo 9.1 y, por eso, sería tachada de delito la huelga que se dirigiera contra el orden constitucional del Estado o la huelga que no respetase los estados y excepciones limitativos, constitucionalmente impuestos. En segundo término, el derecho de huelga, como todo derecho, habría de ejercerse dentro del respeto a la ley, según el artículo 10 CE[105].

Por otro lado, explicó que, en el propio precepto constitucional aprobado para el derecho de huelga, al derivar de la libertad sindical del primer apartado del mismo artículo, no cabe duda de que **las limitaciones subjetivas que pueden introducirse en la libertad sindical pueden y deben suponer otras tantas limitaciones en el derecho de huelga**; también de acuerdo con la más reiterada doctrina de la OIT. Por lo demás, destacó que, de este mismo precepto, se derivan unos **los límites internos**, que suponen la **afectación de ese derecho** a un fin concreto, **a la defensa de los intereses de los trabajadores, de *sus* intereses: ¿A qué se refiere este posesivo «sus»? «Sus intereses» son sus intereses económicos y profesionales,** como reiteradamente ha señalado la OIT, **que no han de serlo sólo los laborales,** los que se dan en el seno de una relación contractual de trabajo, **sino los profesionales y económicos propios.** Para ello se adujeron tres razones: En primer término, la interpretación constante de la OIT ("decenas y decenas de decisiones del Comité de Libertad Sindical"). En segundo lugar, la interpretación que se deduce de la Carta Social Europea. Y, por último, porque así se deduce al vincularse el derecho de huelga al principio de libertad sindical en un mismo artículo: como los sindicatos, según el art. 7, se afectan a la promoción de los intereses económicos y sociales que «son propios» a los trabajadores, puede deducirse que la huelga, derivación del principio de libertad sindical, está afectada a un fin, a la defensa de estos intereses propios económicos y profesionales.

---

105 Asimismo, vino a decir también que el respeto al derecho de los demás, según señala este mismo art. 10 (y entre estos derechos de los demás se encontraría el derecho individual al trabajo de cualquier ciudadano, puesto en relación con la cláusula de no obligatoriedad de la sindicación: libertad sindical negativa), llevaba a conclusiones tan evidentes que hacía superflua la mención de la «libertad de decisión del trabajador para el ejercicio de este derecho» Por otra parte, ese mismo derecho de los demás deja fuera de la legalidad a lo que la doctrina denomina «huelgas abusivas», desde aquellas que no respetan el principio de proporcionalidad a las huelgas que supusieran la ocupación violenta o ilícita de locales o instrumentos de trabajo.

A continuación, SOLÉ TURA (Grupo Comunista) dijo que pareciera que estaban haciendo una especie de concurso de interpretación auténtica para que en el futuro el Tribunal constitucional, o el legislador pueda interpretar en un sentido o en otro. En tal caso, su grupo interpretaba el precepto en el sentido literal, pues —a su juicio— respecto al derecho de huelga lo único que se dice es que se reconoce el derecho a la huelga de los trabajadores para la defensa de sus intereses, sin más calificativos: "los intereses de una clase social fundamental, de una clase social que no sólo tiene un interés económico corporativo estrecho, sino que tienen intereses que son fundamentalmente económicos corporativos, pero además no se desgaja en ningún momento su interés de clase social de los intereses generales de cada uno de los grandes temas de la sociedad contemporánea". La única limitación que este artículo 26 —hoy 28— establece, si es que cabe hablar de limitaciones, es su inciso segundo cuando habla de que la ley que lo regule establecerá las garantías necesarias, no para limitar el ejercicio de este derecho, sino para que los servicios esenciales que puedan quedar afectados sigan funcionando.

Finalmente, PECES-BARBA MARTINEZ (Grupo Socialista) rechazó "cualquier interpretación extravagante" remitiéndose, en su caso y en su momento, al Tribunal Constitucional, manifestando que esperaba que aquellas personas que puedan tener interpretaciones extravagantes no lleguen a ser miembros de ese Tribunal constitucional para su momento.

– Más tarde, este mismo debate resurgió en el seno de la Comisión de Constitución del Senado, durante la sesión del martes, 22 de agosto de 1978, donde ROYO-VILLANOVA Y PAYA (UCD) recalcó que en un tema como el de la huelga, de máxima trascendencia para la convivencia política, social y económica de un Estado, era absurdo redactar un artículo ambiguo que se presta a dos interpretaciones tan diametralmente opuestas por quienes lo han confeccionado y que, según fuese el criterio final del TC, cambiaría el contenido de la convivencia política y social en la España del futuro, según aceptase la interpretación de UCD o la del PSOE y PCE. De este modo, incitó al Senado a definir "el contenido del derecho de huelga y si incluye o no, como afirmó el portavoz de Unión de Centro Democrático en el Congreso, la huelga política. La huelga, como recurso de equilibrio social, constituye un rasgo básico de las relaciones laborales en los sistemas de economía de mercado. La experiencia nos muestra que el progreso de estos sistemas resulta compatible con el fenómeno de las huelgas (...)". "Existen numerosas clasificaciones de los tipos de huelga, pero me limitaré a seguir la de Martín Valverde, que las reduce a tres: primero, el modelo contractual, en el que el derecho de huelga sirve como instrumento de equilibrio de fuerzas en la negociación colectiva del trabajo; segundo, el modelo laboral, en el que la huelga es un medio de autodefensa colectiva en todos los aspectos de las relaciones de trabajo y, tercero, el modelo polivalente, o huelga política, en el que la huelga se concibe como un medio de expresión y acción directa de las clases trabajadoras en todos los ámbitos de la vida social. En las dos primeras concepciones (modelo contractual y laboral) se parte de que el interés tutelado por el derecho de huelga es el interés profesional de una colectividad parcial dentro de la sociedad (los trabajadores de una empresa o de un sector) que contrasta con el de otra colectividad parcial (el empresario o grupo de empresarios), pero sin conexión con el ámbito de la sociedad global. Se delimita como ámbito del conflicto obrero la empresa o el sector de producción, enfocándolo exclusivamente como «conflicto industrial» y no como manifestación estructural de la lucha de clases. Estas dos modalidades de huelga son las contempladas y admitidas por la OIT. La tercera concepción, la huelga política, se define por el propio Martín Valverde como «medio de autotutela de los trabajadores en todos los ámbitos de la vida social en que se adoptan decisiones sobre sus intereses, y no sólo en el ámbito de las relaciones de trabajo». Esta huelga no tiene como destinatario únicamente la otra parte de la relación laboral, sino que puede ejercitarse «erga omnes», frente a todas las instancias del poder —Gobierno, Parlamento, etc.—, cuyas decisiones puedan afectar a los intereses de los trabajadores y no sólo frente al empresario. Esta clase de huelga sirve para defender no sólo los intereses específicamente laborales, sino cualquier clase de reivindicaciones que afecten a los intereses de clase de los trabajadores, por ejemplo, lucha por las reformas, política de viviendas, de transportes colectivos, exenciones fiscales, política económica, etc. La huelga política configurada como un derecho subjetivo público significa, sin más, la legalización de la lucha de clases, aunque sea por medios pacíficos; significa la anulación o mediatización de las instituciones de la democracia política (partidos políticos, elecciones generales, Cortes y Gobierno), como fuerza de presión respecto a la política que cualquier Gobierno o Parlamento, del color que sea, realice de conformidad con un resultado electoral que, en definitiva, es lo que ese pueblo, en esa coyuntura histórica, ha querido". Así, pues, advirtió que de no añadirse el adjetivo «profesionales» a los intereses protegidos por el derecho de huelga, limitando con ello claramente el ámbito del derecho de huelga a la contractual y a la laboral, estaríamos reconociendo constitucionalmente, de conformidad con la interpretación socialista, la huelga política y la lucha de clases.

Para OLARRA UGARTEMENDIA (Grupo parlamentario independiente), el reconocimiento de la huelga es un derecho que está admitido en la práctica en la casi totalidad de las naciones más progresistas y desarrolladas de Occidente. La democracia no sólo es el derecho al voto y a nombrar la mayoría que gobierna un país, sino que afecta a otras muchas facetas de la vida y, por supuesto, a la de defender las reivindicaciones que se consideren justas. De ahí la necesidad de la huelga en determinadas ocasiones, aun teniendo en cuenta que la huelga en sí supone un hecho que no beneficia a la sociedad, al disminuir el nivel de producción del país, afectando a los mismos protagonistas de la misma, tanto a la empresa como a los trabajadores que ven, durante un período de tiempo, disminuidos o anulados sus ingresos. Por ello, la huelga tiene que ser **la «ratio» última** a la que hay que recurrir, cuando las demás instancias han fracasado ya. Las negociaciones previas son indispensables y, por ello, ésta es una práctica común y obligatoria en todos los países civilizados y desarrollados. Sin embargo, en estos últimos tiempos estamos asistiendo en España al triste espectáculo de las llamadas «**huelgas preventivas**», que son un instrumento de presión para obtener ventajas adicionales en el momento concreto de la negociación colectiva. Si a este fenómeno añadimos la gran cantidad de huelgas desencadenadas en estos últimos tiempos en España por motivos políticos y sociales, que nada tienen que ver con las empresas, comprenderemos por qué tenemos el triste honor de figurar a la cabeza de los países de la OCDE en cuanto a número de horas de trabajo perdidas por persona. Hasta fechas recientes, existía el pretexto de que no había en España libertades políticas y que, por lo tanto, había que utilizar a las empresas como campo de batalla para alcanzar objetivos políticos.

De ahí que las empresas hayan constituido un auténtico yunque en el que iban a estrellarse toda clase de reivindicaciones políticas y sociales. Pues bien, todas estas razones han desaparecido ya. El pueblo español puede ejercer su plena soberanía y nombrar sus representantes en el Parlamento, en donde, al existir auténtico pluralismo ideológico, deben someterse a debate las más variadas facetas de la vida nacional. Nos parece muy sospechoso el querer mantener como norma de rango constitucional el derecho a la huelga por razones que no sean estrictamente profesionales. Es sospechoso y antidemocrático, porque proporciona a determinados grupos políticos, que no pueden conseguir la mayoría en las urnas, una auténtica arma de presión para imponerse a esa mayoría utilizando la paralización de la estructura productiva del país, el malestar social y la algarada callejera. Añadió, por último, que "la huelga política no sólo resulta nefasta para el porvenir del sistema democrático, sino que es gravemente perjudicial para la estructura productiva y para el nivel de vida del país. En estos últimos tiempos paree haberse olvidado algo tan elemental como es el concepto de productividad, que resulta la clave del arco de cualquier sistema económico. Nadie se preocupa en concienciar al país de que los futuros logros sociales sólo pueden conseguirse con incrementos mayores de la productividad".

PÉREZ PUGA (UCD) puntualizó las palabras de su compañero de UCD ROYO-VILLANOVA Y PAYA, sobre la inclusión en el texto de los «intereses profesionales». De ahí que convendría precisar que las huelgas que afectaran a la propia entidad de la Constitución y que pudieran subvertir el orden constitucional, indudablemente deberían ser prohibidas y postergadas. Pero entendió que esa definición clara y concreta de lo que es una huelga que pueda subvertir y afectar a fines del Estado, y por tanto al ordenamiento constitucional, y esa otra huelga legítima, esa otra huelga profesional, esa otra huelga necesaria en esta economía de mercado para restablecer y poder actuar con mayor equidad en las relaciones laborales, difícilmente se podría instalar en un texto constitucional: "Nuestro texto constitucional hay que contemplarlo, como ya el señor Herrero de Miñón puso de manifiesto en el debate del Congreso, también a la luz del artículo 7, en donde se habla de la libertad de constituir asociaciones sindicales y también empresariales para la defensa de los intereses económicos y sociales que le son propios. Indudablemente, el legislador, cuando tenga que desarrollar los preceptos que han de regular la huelga, en caso de que lo haga, o el Tribunal Constitucional cuando tuviera que definir si unos actos determinados afectan al orden constitucional, o por el contrario están legitimados, tendrán que referirse, necesariamente, a todos los preceptos relacionados y no sólo a éste. Nosotros entendemos que el compromiso de las organizaciones sindicales y empresariales de formar parte de la organización básica del Estado como pieza de esa arquitectura que es la Constitución tiene una autolimitación, y es que no puede afectar a los fines del Estado. Por otra parte, al hablar de la defensa de sus intereses, se da por sentado que sus intereses son los intereses económicos y sociales, también llamados, quizá mejor, profesionales. Por último, queremos decir que este precepto de la ley tiene también una garantía importante, o que o bien ha pasado inadvertida o se les ha olvidado a quienes en un momento u otro han entrado en la controversia de este artículo, y es el párrafo último que dice: «La ley que regule el ejercicio de este derecho establecerá las garantías precisas para asegurar el mantenimiento de los servicios esenciales de la comunidad». Aquí es donde puede estar la clave de esa justa limitación del alcance de la huelga para que no subvierta el orden social, para que no afecte a los fines propios del Estado y también para que garantice de manera clara y rotunda esos efectos muchas veces no queridos, pero directamente afectados, relativos a los servicios esenciales en la comunidad. Por tanto, aquí no se constitucionaliza la huelga política. Si así fuera, UCD votaría rotundamente en contra de este precepto, pero creemos que tal y como están establecidos estos preceptos se refieren a la huelga profesional".

VILLAR ARREGUI (Grupo de Progresistas y Socialistas Independientes) subrayó que la postura restrictiva excluye, al parecer, que la defensa de los derechos de los trabajadores pueda obedecer a intereses que no sean estrictamente profesionales. Interpretó que el artículo que excluye el derecho a la huelga revolucionaria era el 10.2 CE, con arreglo al cual cuantos derechos y libertades fundamentales se consagran, se reconocen o se garantizan en el proyecto de Constitución han de ser interpretados a la luz de la Declaración Universal de los Derechos del Hombre y de los demás acuerdos o tratados ratificados por España en materia de derechos humanos. Así, pues, no sería nuestro país un islote en el concierto de un contexto geopolítico.

Pero defendió la sustitución en el precepto de la expresión «... asegurar el mantenimiento de los servicios esenciales de la comunidad», —"demasiado ambigua"— por: «La ley habilitará los medios necesarios para prevenir y reducir los perjuicios que el ejercicio de este derecho pueda ocasionar en el funcionamiento de los servicios públicos indispensables en una sociedad democrática»: "Defendemos, por tanto, la inclusión de un paradigma de Derecho público, que sería el de los servicios indispensables en una sociedad democrática".

VIDA SORIA (Grupo Socialista), con relación a la cuestión de la adición del término «profesionales», remarcó que "Dice el señor Olarra: si la palabra «profesionales» no aporta nada, ¿por qué no la ponemos? Y yo digo: si no aporta nada, ¿por qué la metemos? Si ante una frase ya consagrada por el Congreso de los Diputados para la defensa de sus intereses se quiere introducir ahora el término «profesionales», es porque detrás de «profesionales» viene algo: viene la desconfianza. Y lo que yo quiero precisamente es que no haya desconfianza. La constitucionalización del derecho de huelga es una enorme concesión que la clase obrera hace a la burguesía, una vez que admite y propugna su integración en el ordenamiento jurídico. La huelga, como ha dicho el señor Pérez Puga, es un hecho; esté o no en la Constitución, se va a ejercer. En el contexto de una Constitución con libertades públicas y personales nadie podría ir contra el ejercicio libre de un derecho de huelga que consiste simplemente en no trabajar. Aceptar por parte de la clase obrera, e incluso propugnar, que el derecho de huelga se constitucionalice es una manifestación clara de la madurez del movimiento obrero, ya que integra su arma principal —el derecho de huelga— dentro del ordenamiento jurídico, a sabiendas de que de esa manera el ejercicio de su derecho a la huelga va a estar limitado por el conjunto del ordenamiento jurídico. Ni siquiera tendríamos que poner «intereses»; con sólo poner la palabra «huelga» en el texto constitucional ya introducimos el derecho de huelga en el ordenamiento jurídico.

– Finalmente, ROYO-VILLANOVA Y PAYA (UCD), en la sesión plenaria del Senado de 28 de septiembre de 1978, insistió en añadir el **calificativo «profesionales» a los intereses que puedan defender los trabajadores con la huelga.** Así, señaló que: "La huelga, como recurso de equilibrio social, es una de las piezas clave en las relaciones laborales de los países del mundo occidental. En los países de socialismo real no existe el derecho de huelga. Los trabajadores socialistas de esos países carecen de ese derecho, aunque tengan o puedan tener objetivos profesionales diferentes de los que les conceden sus dirigentes políticos y económicos. La huelga es, pues, una institución típica y característica de los países de economía libre de mercado, en cuyo seno ha nacido y evolucionado. La Constitución que estamos haciendo es la de un país europeo libre, englobado en los países libres en el mundo occidental, con los que aspira a integrarse más profundamente, y el conjunto de libertades y derechos que queremos para nuestros ciudadanos, incluido el de la huelga, es el que gozan y disfrutan los de esas naciones. Por ello es imprescindible analizar la regulación del derecho de huelga en las Constituciones de estos países y, sobre todo, las orientaciones de la Carta Social Europea, la Convención Europea de los Derechos Humanos y las resoluciones de la OIT. Pero todo ello ya ha quedado ampliamente recogido en el Diario de Sesiones del Congreso y del de la Comisión del Senado, y no voy a molestar a sus Señorías con la reiteración. Sin embargo, las conclusiones de este análisis son tajantes: en Europa Occidental se reconoce ampliamente la huelga laboral como huelga-derecho y se prohíbe, tácita o expresamente, la huelga política (…)".

Así, mediante un análisis de Derecho comparado, distinguió dos grupos: países donde sólo existe una protección jurisprudencial a las huelgas, y países donde el derecho a la huelga se reconoce en la Constitución: "Entre los primeros destacan Holanda y la República Federal Alemana. El Hoge Raad holandés ha ido ampliando paulatinamente las condiciones de licitud, pero nunca aceptó la posible licitud de huelgas políticas o mixtas. Realmente el debate actual gira sólo alrededor de la licitud de las huelgas por intereses profesionales, que sólo pueden ser satisfechos por los poderes públicos. En lo que se refiere a la República Federal Alemana, el Tribunal Federal de Trabajo se ha pronunciado recientemente por la ilicitud de las huelgas políticas y mixtas, consumando así la tradición germana, disuasoria de los excesos huelguísticos, y que exige la vinculación de la huelga a la negociación colectiva. De los segundos, en Francia el Tribunal de Casación concibe a la huelga-derecho en inequívoca relación con la defensa de intereses profesionales. En Italia, el Tribunal Constitucional elaboró una definición completa de la huelga-derecho como «abstención concertada del trabajo para la tutela de un interés profesional colectivo». Además, en base al artículo 3.º (homólogo del artículo 9. 2 del proyecto español), ese Tribunal elaboró la categoría de huelgalibertad, que ampara parcialmente las huelgas políticas pacíficas, no concediendo en estos casos a los huelguistas inmunidades contra el posible despido o sanción laboral".

De este modo, concluyó que la huelga política representa un instrumento de la lucha de clases, pero, aún más, significa la anulación o mediatización de las instituciones de la democracia política: partidos, elecciones generales, Cortes y Gobierno. Significa la negación de la democracia; va claramente contra la voluntad mayoritaria de un pueblo, expresada a través de unas elecciones, pues da lugar a que unas minorías, al no controlar democráticamente las decisiones del Parlamento o del Gobierno por el número de sus votantes, pretendan mediatizarlas por la fuerza en la calle. Y es por eso, por su incompatibilidad con el libre juego de la democracia, por lo que en los países libres de occidente se rechaza de plano.

Finalmente, justificó su insistencia en la introducción del calificativo «profesionales» como reacción ante el "encendido elogio que el portavoz socialista en el Congreso hizo de la huelga política en general, citando expresamente la huelga general francesa de mayo del 68, o al poner en duda si sería política la huelga organizada por los trabajadores españoles contra un plan de seguridad social, una ley sindical o un plan económico". ROYO-VILLANOVA Y PAYA combatió especialmente las argumentaciones socialistas sobre que «restringir los denominados conceptos de huelga política no sirve de nada ante la realidad social, que rebasa siempre los límites que ponen las leyes». E interpretó esta frase como que, como va a haber en todo caso huelgas políticas, cualquier referencia expresa contraria desprestigiaría la Constitución por su incumplimiento. Valoró muy negativamente este argumento —que calificó como "curioso para oírlo en un Parlamento democrático y nada menos que del representante en ese momento del segundo partido político nacional"— y entendió, así, que estaba plenamente justificado el "fantasma de la desconfianza" con que se me había amenazado. Pero no respecto a la huelga laboral y profesional, que apoyaba en su sentido más extensivo y progresivo, sino respecto a la huelga política.

Y, por último, alentó a que "salga pronto la ley reguladora de la huelga, que aclare su contenido, sus requisitos, su condición de última «ratio», como instrumento necesario para el equilibrio de la relación empresa-trabajador, pero negativo para la productividad y para la economía de España".

El profesor VIDA SORIA (Grupo socialistas), contraargumentó —irónicamente— que otra vez aparecía "el fantasma del pesimismo antropológico contra la clase obrera; esa clase tan deleznable que anda por ahí, funcionando, haciendo huelgas y revoluciones". Y añadió, nuevamente, que, en realidad, se trataba de restringir el derecho de huelga, poniéndole el apellido de huelga para la defensa de los intereses profesionales, olvidando que "en las Constituciones de esos tres países que acaba de citar, Italia, Francia y Alemania, la palabra huelga viene sin el apellido profesional detrás, lo cual quiere decir que en España puede pasar aproximadamente lo mismo. A mí me parece que el tema de la huelga profesional y el tema del miedo a la huelga política es utilizado como un arma arrojadiza; lo que pasa es que el arma es fantasmagórica, en el sentido de que nadie sabe lo que es una huelga política. Aquí está la gran confusión. Jaurès, nuestro gran socialista, decía: «La clase obrera sólo tiene que sentarse para saber la fuerza que tiene». Eso quiere decir que la huelga es fundamentalmente un hecho, y que ese hecho lo va a ser siempre que quiera y siempre que, pueda, naturalmente. Entonces, si nosotros tenemos eso en la cabeza, vamos a aprender de verdad, bien y correctamente, lo que significa introducir la huelga en el ordenamiento jurídico, es decir, en la Constitución. No es una concesión que se hace la burguesía a la clase obrera; es todo, lo contrario, es una muestra de madurez de la clase obrera, que acepta que su arma más destructiva entre dentro del mecanismo del ordenamiento jurídico; es la clase obrera la que cede y concede a la burguesía el entrar porque no tendría por qué hacerlo. Fíjense ustedes; en esta Constitución, si no existiera el artículo sobre el derecho de huelga, ¿qué pasaría? No lo sé. ¿Es que estaría prohibida? No; la huelga sería huelga de libertad, sin estar sometida a ningún otro trámite. ¿Y qué pasaría? Que los despidos no estarían protegidos. ¡Qué más da, si después de una huelga viene una negociación o viene un convenio colectivo! En el convenio que acaba con una huelga, una de las cláusulas que se mete —pasa en todos los países europeos— dice que los que hayan hecho esta huelga, aunque no sea de derecho, no van a ser despedidos. Ustedes lo que están intentando es restringirla. ¡La huelga revolucionaria! Si un día se puede hacer, se hará, y desde luego, contra esa no vale la Constitución ni nada. En definitiva, lo que digo es que defenderemos el texto del Congreso. El texto del Congreso se refiere a lo mismo que en Italia, en Alemania y en Francia: a la huelga. La huelga, de esa manera, está dentro del ordenamiento jurídico, del ordenamiento jurídico íntegro. Dejen ustedes el concepto de huelga, un concepto, como dice la doctrina que yo he citado, porque yo soy la doctrina que el Senador de UCD ha citado también. Yo soy, en este caso, la doctrina, y digo que es un concepto que se llama un concepto jurídico indeterminado".

MONGE RECALDE (UCD): Matizó, en nombre de su grupo, —como ya ocurrió en la Comisión del Senado— el criterio de su compañero ROYO-VILLANOVA Y PAYA en cuanto a la conveniencia de adjetivar el término «intereses» con el término «profesionales», clarificando que el criterio de UCD —aunque respetaba la opción de su senador y, por qué no decir, algo de razón tiene en que el texto quedaría mucho más claro si se agregara el adjetivo profesionales—, como defendió HERRERO Y RODRÍGUEZ DE MIÑÓN en el Congreso, era que el texto, tal como fue configurado por la Comisión Constitucional, presentaba razones más que suficientes para llegar a la conclusión de que, en modo alguno, se estaba constitucionalizado la huelga política. En primer lugar, porque tanto este artículo como el 37.2, que regula también la huelga bajo el concepto de conflicto colectivo, no pueden ser analizados e interpretados en su sentido literal y aisladamente, sino necesariamente en relación con todos aquellos otros preceptos que se integran dentro del marco laboral que la Constitución configura. Y uno de esos preceptos, y no el menos importante, es el artículo 7, que se incluye en el Título Preliminar, donde se dice que las asociaciones sindicales y las asociaciones empresariales tendrán como fines propios la defensa y promoción de los intereses económicos y sociales. Una concreción ésta mucho más amplia que la que supone la inclusión del adjetivo «profesionales». Y, si la huelga es una de las más típicas actividades de las asociaciones sindicales, es evidente que tal peculiar actividad ha de estar también empapada, ha de estar también impregnada de esa defensa de intereses económicos y sociales y, por tanto, la huelga dirigida a la defensa de esos fines será lícita, será constitucionalmente válida, y no será, en cambio, la que pretenda otros fines que trascienden de esos límites marcados.

Asimismo, tildó de ilusorio tratar de reflejar en los límites concisos de una definición qué es lo que se entiende por huelga política y qué es lo que se entiende por huelga laboral, "porque, evidentemente, dentro de esa variadísima gama nos encontraríamos, en primer lugar, la huelga revolucionaria, después la huelga política no revolucionaria, después la huelga con pretexto laboral pero política, después la huelga con pretexto político pero laboral, etc. Ustedes pueden comprender que incluso en una ley es tremendamente difícil recoger todos estos supuestos, porque la realidad es mucho más rica que la mente del legislador. En consecuencia, salvada la huelga política clara y neta, que es lo que de verdad está, a nuestro juicio, excluido de la regulación constitucional, se presentarán, qué duda cabe, una serie de supuestos oscuros y ambiguos que, caso por caso, serán estudiados en concreto por los tribunales que entiendan del asunto, como está sucediendo en todos los países de la Europa Occidental".

Pero, además, esgrimió una segunda razón, más importante, para afirmar que no se estaba constitucionalizado la huelga política, que consistía en que el precepto propuesto contenía un mandato para el legislador de regular la huelga por ley, en el bien entendido que regulación de esa ley debería excluir esa supuesta huelga política. En tal sentido, consideró, adicionalmente, que "el legislador deberá acudir a unas fuentes de inspiración, que no pueden ser otras que aquellos pactos que España tiene suscritos o aquellas decisiones de organismos de la OIT, como pueda ser el Comité de Libertad Sindical, donde en diversas Resoluciones han aclarado que no entra dentro del derecho de la libertad sindical el ejercicio de una huelga que no lo sea con fines de defensa de los intereses profesionales.

En definitiva, tras todas las deliberaciones anteriores, efectuada la votación del texto del dictamen del artículo 28, el texto vigente (sin referencia específica al carácter profesional de los intereses a defender por los trabajadores en huelga) fue aprobado por el Pleno del Senado por 165 votos a favor y 2 en contra, con 12 abstenciones.

C. Titularidad: la sindicación de los funcionarios públicos, las Fuerzas Armadas, el personal civil dependiente de establecimientos militares y los Jueces y Magistrados

Si bien las deliberaciones durante el proceso constituyente, salvo puntualmente, no se dirigieron directamente, por lo general, al tema de la titularidad del derecho de huelga (sino —como puede verse en el apartado B de este Anexo II— más bien a su alcance y posibles manifestaciones), lo cierto es que sí que se reprodujo un intenso debate en torno a la cuestión estrechamente conectada relativa a la titularidad del derecho de libertad sindical.

Pues, en efecto, sin perjuicio de que se admitan las huelgas salvajes o espontáneas (convocadas directamente por los propios trabajadores en asamblea, sin mediación sindical) para los colectivos que tengan reconocido este derecho, lo cierto es que —habida cuenta que la acción sindical integra entre sus facultades la negociación colectiva y la huelga—, en su caso, como lógica consecuencia de la negación constitucional del derecho sindicación a determinados colectivos, habría de derivarse, asimismo, un deseo de los constituyentes de imposibilitar el ejercicio del derecho de huelga para los mismos. Pues no parecería razonable negar la libertad de sindicación a determinados colectivos para garantizar la independencia, apoliticismo y eficacia de determinadas funciones, si ello no implica correlativamente la imposibilidad de paralización de las actividades correspondientes mediante la huelga. Por ello, en lo que sigue, se incluye también el análisis de las discusiones parlamentarias previas a la aprobación de la Constitución relativas a la titularidad (y exclusiones) del derecho de libertad sindical:

– CARRILLO SOLARES (Grupo comunista), en la primera sesión de la Comisión de asuntos constitucionales —ya antes comentada— de 5 de mayo de 1978, subrayó que "(...) los artículos que se refieren al derecho de sindicación y de huelga, se prestan a las interpretaciones más arbitrarias, pues por ejemplo se excluye del derecho de sindicación o se limita éste para «determinadas categorías de servidores del Estado», que quedan absolutamente indeterminadas. Nosotros consideramos indispensable concretar el derecho de sindicación de los funcionarios civiles del Estado. En cuanto al derecho de huelga, se dice «que no podrá atentar al mantenimiento de los servicios esenciales de la comunidad». ¿De qué servicios se trata? ¿Cuáles son tan esenciales que no pueden ser afectados por la huelga?"

Asimismo, en la segunda sesión de dicha Comisión (lunes, 8 de mayo de 1978) LETAMENDIA BELZUNCE (Euskadiko-Ezkerra) hizo un llamamiento a las "fuerzas de oposición que se llaman socialistas: (...) nos opondremos con vosotros a las limitaciones indignantes e inexcusables al derecho de huelga —que no puede atentar al mantenimiento de supuestos servicios esenciales a la comunidad— y al derecho de sindicación —del que quedan excluidas determinadas categorías, nadie sabe cuáles, de funcionarios—; así como a la exclusión expresa de este último derecho a los funcionarios de la carrera judicial".

En las sesiones de la Comisión constitucional del Congreso (sesión número 16, celebrada el martes, 6 de junio de 1978), SOLÉ TURA (Grupo comunista) se pronunció sobre el tema de la **sindicación de las fuerzas de orden público o de seguridad**[106]. Al respecto, SOLÉ TURA subrayó que, para el Grupo comunista, éste era un tema fundamental para abordar con éxito el proceso de democratización de nuestro país que implicaba la democratización de todo el aparato del Estado. No obstante, retiraron la enmienda al texto propuesto porque, tal como estaba redactado el artículo dedicado a la libertad sindical ("podrá") se contemplaba la posibilidad, pero no la cerraba definitivamente. Asimismo, ulteriormente, en la sesión plenaria del martes, 11 de julio de 1978, antes glosada, relativa al precepto dedicado al derecho de huelga, en la que SOLÉ TURA (Grupo Comunista) defendió una interpretación literal y manifestó que —a su juicio— "el artículo en cuestión dice, primero, que todos tienen derecho a sindicarse libremente. Establece la libertad sindical plena y no establece más limitación posible —no taxativa ni obligatoria, sino posible— al ejercicio de este derecho que a las Fuerzas e Institutos armados y a los demás Cuerpos sometidos a disciplina militar. Esas son las únicas limitaciones posibles respecto al derecho de sindicación".

---

106 Hay que recordar que el texto del art. 27 de aquel anteproyecto (actual art. 28.1) incluía entonces la referencia —parecida, pero ciertamente diferente al texto finalmente aprobado, hoy vigente—: "La ley podrá excluir o limitar el ejercicio de este derecho para determinadas categorías de servidores del Estado".

En la posterior sesión de la Comisión constitucional del Senado de 29 de agosto de 1978, VILLAR ARREGUI (UCD) introdujo el interesante tema relativo a **la espinosa cuestión de excluir de la sindicación y de la huelga a trabajadores que prestan servicio en entidades de tipo militar**, "como puede ser, «ad exemplum», el Instituto Nacional de Técnica Aeronáutica u otros establecimientos cuya estructura en la cúspide es militar, pero cuya base es eminentemente laboral".

Para VIDA SORIA (Grupo Socialista), la expresión del art. 26 (actual 28.1 CE): «y regulará las peculiaridades de su ejercicio para los funcionarios públicos» iba en contra de los Convenios 87 y 98 de la OIT, ratificados por España, que hacen referencia a especialidades en la regulación jurídica del derecho de sindicación respecto al personal militar y a las fuerzas de orden público, lo cual entendía que significaba, «a sensu contrario», que el íntegro ejercicio, tanto estructural como funcional, del derecho sindical debe ser reconocido a toda clase de empleados públicos. Junto con estas razones técnicas (acomodar nuestro texto constitucional con los textos internacionales ya ratificados por España), otros motivos de índole práctico (conseguir un precepto realista que pueda ser sea cumplido) aconsejaban —para su Grupo socialistas— la supresión del inciso comentado. En este sentido, se defendió una Constitución que fuera realista en el sentido de que no ignorase la sindicación de los funcionarios públicos, en su aspecto funcional, que hoy día está prácticamente equiparada a la sindicación, en su aspecto funcional también, a la de los trabajadores por cuenta ajena, sin más calificativos. Esta posición no suponía excluir que podría haber determinadas peculiaridades que deberían venir determinadas, más que por una restricción «a priori» del ordenamiento constitucional, y en su caso del ordenamiento ordinario, por la propia dinámica, esencia y peculiaridades del movimiento sindical.

Por el contrario, GAMBOA SANCHEZ-BARCAIZTEGUI presentó, asimismo, una enmienda en la que se apoyaba el mantenimiento del inciso «las peculiaridades de su ejercicio para los funcionarios públicos» y se pretendía agregar «Y el personal civil al servicio de la Administración militar». Defendió, asimismo, que las Fuerzas Armadas, por su propia naturaleza, son incompatibles con la sindicación de sus miembros, cuyas relaciones se mueven ineludiblemente dentro de la subordinación a la jerarquía que imprime la disciplina militar, y las consecuencias que derivarían del eventual reconocimiento del derecho a la sindicación dentro de las Fuerzas Armadas, podrían llevar al resquebrajamiento de la disciplina militar, aun a su desintegración. Del mismo modo, propuso una segunda modificación para incluir la posibilidad de limitar el derecho de sindicación de los funcionarios civiles, pensando fundamentalmente en los funcionarios civiles al servicio de la Administración Militar, e incluso en el personal no funcionario (laboral) que presta sus servicios en dicha Administración; y en otro plano, para los miembros de las carreras judicial y diplomática, por entender que la peculiar naturaleza de sus respectivas misiones justifica la autorización a la ley ordinaria para el establecimiento, en su caso, de limitaciones en el derecho de sindicación.

Por su parte, MATUTES JUAN, abogó también por **exceptuar a las Fuerzas Armadas del derecho de sindicación**, haciéndoles objeto de un estatuto especial por ley orgánica. Dicha posición se fundamentaba en su rechazo del "principio de lucha de clases" que inspira a las "centrales sindicales existentes en España" y en que las Fuerzas Armadas son una institución en cuya estructuración el concepto de jerarquía de clase juega un papel importante como uno de los soportes básicos en que se apoya el principio de disciplina que, a su vez, constituye un principio esencial a toda concepción eficaz de la organización militar y principio inamovible de la misma. En este sentido, citó a Calderón, "en unos versos ya clásicos, pero vigentes, que todavía figuran en las paredes de algunos cuarteles": «Aquí la más principal hazaña es saber obedecer». A mayor abundamiento, si las Fuerzas Armadas tienen como misión, entre otras, la de defender el ordenamiento constitucional, consideraba aconsejable que mantengan su apoliticismo y su neutralidad política, pues no pueden ignorarse las especiales vinculaciones existentes entre las grandes centrales sindicales y determinados partidos políticos.

En la enmienda defendida por SATRÚSTEGUI FERNÁNDEZ se consideraba que la Carta Social Europea (cabe recordar que, en su versión original de 1961 fue ratificada por España, posteriormente, en 1980) debía presidir la redacción de nuestra Constitución, porque, de lo contrario, se daría el contrasentido de que podría redactarse una Constitución para ser rectificada por la ratificación de la

Carta Social. En este sentido, se refirió al art. 5 de la Carta Social Europea en lo relativo a la libertad de los trabajadores y de los empresarios para constituir organizaciones locales, nacionales o internacionales para la protección de sus intereses económicos y sociales y para adherirse a esas organizaciones, con la posterior salvedad de las Fuerzas Armadas. Por ello, propuso un texto en el que regulaba conjuntamente el derecho de sindicación de los trabajadores y el derecho de asociación de los empresarios, con exclusión de las Fuerzas Armadas: «Todos tienen derecho a sindicarse o a asociarse libremente para la protección de sus intereses económicos y sociales. La ley podrá limitar o exceptuar el ejercicio de este derecho a las Fuerzas o Institutos Armados o a los demás cuerpos sometidos a disciplina militar. La libertad sindical o de asociación comprende el derecho a fundar sindicatos de trabajadores y asociaciones empresariales, y a afiliarse a los de su elección, así como el derecho de unos y otras a formar confederaciones y a fundar organizaciones internacionales o afiliarse a las mismas. Nadie podrá ser obligado a afiliarse a un sindicato de trabajadores o a una asociación empresarial».

XIRINACS DAMIANS defendió enmienda para suprimir el inciso: «La ley podrá limitar o exceptuar el ejercicio de este derecho a las Fuerzas o Institutos armados o a los demás cuerpos sometidos a disciplina militar y regulará las peculiaridades de su ejercicio para los funcionarios públicos», con la única intención de fondo de democratización de la vida ciudadana y el no hacer compartimientos estancos con desigualdad de trato: "Es necesario un cambio de mentalidad en este sentido, y deberíamos todos hacer un esfuerzo por eliminar estos «ghettos» no democráticos, estos feudos que hemos heredado y que pugnan por mantenerse". En este sentido, se estimaba suficiente con la garantía de los servicios esenciales para la comunidad y con la previsión de la suspensión de las libertades y derechos fundamentales en las situaciones de estado de excepción y de estado de sitio y, por tanto, se duplicaría la evitación de la posibilidad de que estos servicios de defensa y de la Administración queden colapsados por una huelga inoportuna.

Por otro lado, PÉREZ PUGA (UCD) sostuvo la tesis de que determinados funcionarios al servicio de la Administración pública, bien sea la Administración civil o bien sea la Administración militar, tienen unas características peculiares que les llevan a que en nuestro ordenamiento constitucional se pueda restringir o modificar de alguna manera ese principio de la libertad sindical. Así, PÉREZ PUGA dijo: "La libertad sindical pasa por el derecho de libre sindicación, por la autonomía sindical y, en cierto modo, también por una pluralidad sindical" y razonó que, aunque estos principios se establecieron ya en el artículo 7, en el Título Preliminar, en el cual tanto las organizaciones sindicales de trabajadores como las asociaciones de empresarios se instalaban como piezas importantes de la organización del Estado y, por ello, este otro precepto, parecería a primera vista una redundancia y una duplicidad de lo que ya se estableció en el artículo 7, tiene una justificación en el desarrollo del derecho de sindicarse libremente. A continuación introdujo un argumento de gran interés jurídico, **al asociar este derecho de sindicarse libremente con unas connotaciones muy específicas, que pasan por el derecho de huelga y también por la negociación colectiva**: "La libertad sindical y el derecho de sindicarse libremente no son la simple incorporación a una entidad profesional, el derecho a participar o no, el derecho a formar coaliciones de carácter internacional o confederaciones nacionales, sino que pasan necesariamente por el derecho de huelga y por la negociación colectiva".

Bajo su punto de vista, el «status» jurídico del funcionario público no es la relación jurídico-laboral del trabajador por cuenta ajena. Su retribución viene fijada de distinta manera, su estabilidad en el empleo es permanente y no puede ser despedido, sino que ha de ser destituido. La responsabilidad de su función no sólo se incorpora al propio trabajo de la Administración, sino que genera consecuencias directas para el interés general y para la comunidad de los ciudadanos. Por tanto, no se trata de restringir un derecho, sino de establecerlo en la justa medida en que él tiene que operar en su función. No es lo mismo prestar un servicio al Estado que a una empresa con ánimo de lucro. Las matizaciones podrían ser muchas... Pero si esto es así para los funcionarios de la Administración civil del Estado, para los funcionarios de la Administración militar lo es mucho más. Esto no rompe la libertad y no afecta a los derechos fundamentales de la persona humana, sino que viene a poner a cada ciudadano en el papel y con las prerrogativas y las funciones que le corresponden en la sociedad.

Añadió, además, que en el Título Preliminar de la Constitución se reconoce a las Fuerzas Armadas precisamente junto a las organizaciones sindicales como piezas básicas de la organización del Estado, con una responsabilidad grande, también con un protagonismo importante. Lo que hay que tratar, en este caso, es de neutralizar políticamente a las Fuerzas Armadas y a las sometidas a la disciplina militar. La neutralidad de la Constitución tiene que ser total y absoluta, tiene que ser la máxima garantía para situar a estos funcionarios de la Administración civil en el ejercicio responsable, de grave responsabilidad, que tienen en la Administración militar. No se trataba, pues, de que estos ciudadanos fueran a estar al margen de cualquier derecho o libertad fundamental que les reconoce la Constitución, sino que, exclusivamente en ese papel que juegan como funcionarios responsables de la Administración militar, tendrán unas peculiaridades en el desarrollo de determinadas libertades que vienen a garantizar esa independencia que deben tener en el ejercicio de su función.

Posteriormente, GAMBOA SANCHEZ-BARCAIZTEGUI completó las palabras de PÉREZ PUGA pretendiendo la extensión de este mismo razonamiento a los funcionarios civiles al servicio de la Administración militar, dada su peculiar función, que en muchas ocasiones llegan a estar en posesión de información de los Estados Mayores, "porque hay mucho personal administrativo civil que presta servicio en los Estados Mayores, en las bases navales, en los hospitales y esto debe tener alguna peculiaridad especial en la ley". Frente a lo cual VILLAR ARREGUI espetó que "no hay que confundir dos cuestiones harto distintas: el derecho de sindicación con el deber de secreto que afecta a todo trabajador por cuenta ajena, a todo funcionario público".

Por último, en la sesión de la Comisión del Senado de 6 de septiembre de 1978, RAMOS FERNÁNDEZ-TORRECILLA (Grupo socialistas) postuló frente a la fórmula en aquel entonces propuesta para el actual 103.3 CE: «La ley regulará el estatuto de los funcionarios públicos, el acceso a la función pública de acuerdo con los principios de mérito y capacidad, las condiciones del ejercicio de su derecho a sindicación...», su sustitución por «las peculiaridades del ejercicio de su derecho a sindicación», en coherencia con el texto del actual art. 28 CE. Dicha enmienda fue aprobada por asentimiento.

– En la sesión plenaria del Senado de 28 de septiembre de 1978, XIRINACS DAMIANS (independiente) trató, de nuevo, de suprimir en el apartado 1 de este artículo, la frase «La ley podrá limitar o exceptuar el ejercicio de este derecho a las Fuerzas o Institutos armados o a los demás cuerpos sometidos a disciplina militar y regulará las peculiaridades de su ejercicio para los funcionarios públicos». En realidad, nuestra sociedad padece toda una serie de alienaciones, y el principio de que la soberanía reside en el pueblo y que todos los poderes del Estado emanan del pueblo, queda contrariado por estas alienaciones. Estos Cuerpos cuya soberanía, cuyo poder emana del pueblo, pueden haber crecido tanto que incluso llega un momento en que se separan de la base y se enfrentan a la misma; se producen antagonismos, que pueden oprimir a la base que les dio la vida. Puede haber una dictadura militar cuando el cuerpo militar crece tanto que se impone totalmente al pueblo. Puede haber lo que llamamos burocracia cuando el cuerpo administrativo crece tanto que se impone al pueblo, y estas dos cosas las hemos padecido cuarenta años en buena parte y no creemos tampoco que son propias de nuestro Estado, sino que son cosas que amenazan a todo el mundo y debemos defendernos de ellas. En cambio, el sindicalismo es una especie de puente, por la vía laboral, entre el pueblo y estos cuerpos. Por consiguiente; que el pueblo se encuentre cómodo yendo hacia estos cuerpos y que estos cuerpos se sientan pueblo, no separados de él parece que es una importantísima medida democrática que tendería a ir evitando tos peligros de dictadura militar y de burocracia que siempre se ciernen sobre las sociedades modernas.

Justo en sentido contrario, GAMBOA SANCHEZ-BARCAIZTEGUI (Senador por designación real) solicitó que se exceptuase expresamente la posible sindicación del personal militar. Y dijo que "el texto del proyecto señala que «todos tienen derecho a sindicarse libremente. La ley *podrá* limitar o exceptuar el ejercicio de este derecho a las Fuerzas o Institutos armados o a los demás cuerpos sometidos a disciplina militar». Se limita, por tanto, a autorizar a la ley para limitar o exceptuar el ejercicio, no ya el derecho, para dicho personal. Es, pues, una posibilidad de la que se podrá hacer uso o no por el partido mayoritario en cada momento, que podrá, a su vez, corregir la legislación establecida por el anterior. La Administración militar no puede quedar supeditada a estos posibles vaivenes en materia tan esencial. Sus relaciones se desarrollan en el ámbito de jerarquía y subordinación que marca la disciplina militar; disciplina castrense en la cual no cabe, bajo ningún concepto, la posibilidad —aunque sólo sea tal posibilidad— de establecer en su seno organización sindical alguna. Las consecuencias que se derivarían del eventual reconocimiento del derecho de sindicación dentro de las Fuerzas Armadas en orden al resquebrajamiento de su disciplina me obligan a defender encarecidamente la necesidad de modificar la redacción actual en este sentido. Además, ello supondría, dada la vinculación de las centrales sindicales a los partidos políticos, permitir la penetración del partidismo en las Fuerzas Armadas, que, por la propia naturaleza de su alta misión de defensa y salvaguardia de lo permanente, deben permanecer al margen del juego político contingente, como establece un decreto-ley del año pasado".

En segundo término, se refirió a los funcionarios públicos y al personal civil de la Administración militar y afirmó que cortaba la precisión del proyecto constitucional en orden a que la ley ordinaria regulará las peculiaridades de ejercicio del derecho de sindicación de los funcionarios públicos; corta, en un doble sentido: al referirse a las peculiaridades de ejercicio y al limitarse a los funcionarios públicos. Así, subrayó que, efectivamente, los funcionarios públicos están al servicio de la comunidad nacional, no de una empresa privada; pero existe, sobre todo, una serie de funcionarios cuya misión justificada especialmente el establecimiento de limitaciones al derecho de sindicación: fundamentalmente, los miembros de las carreras judicial y diplomática, por sus misiones de aplicación de la ley de administración de la justicia, en igualdad para todos, por los jueces, y la alta representación de toda la nación que ostentan los diplomáticos. Igualmente, podría incluirse a los miembros de la policía gubernativa.

Pero, sobre todo se centró en el personal civil al servicio de la Administración militar, y no sólo en los funcionarios civiles, sino en todo el personal que integra la Administración militar: "La Administración militar emplea personal civil, funcionario o no, en prácticamente todos sus niveles, además en número muy considerable, y no sólo en organismos autónomos —como se dijo en la Comisión de Asuntos Constitucionales—, sino, incluso, en los escalones más importantes de los Estados Mayores. En los puestos que ocupan tienen acceso con frecuencia a informaciones reservadas de trascendental importancia para la seguridad y defensa nacionales; informaciones cuya reserva se haría difícil de mantener en el caso de penetrar las centrales sindicales en la Administración militar. Además, lo que dije antes respecto del personal militar vale también, si bien en menor escala, para este personal civil. La gran vinculación de las centrales sindicales a los partidos políticos supondría la entrada de la acción política en el seno de la Administración militar, que, por su propia naturaleza, se debe eludir". Por la naturaleza de la Administración militar, antes referida, se postuló en favor de establecer asociaciones profesionales en su seno para dicho personal, garantizando el mantenimiento de la estructura y funcionamiento de la Administración militar sin dar cabida en ellas a la lucha política. Pero entendió que, de mantenerse el texto actual, serían gravísimas las consecuencias que afectarían esencialmente al normal funcionamiento de las Fuerzas Armadas y, por tanto, a la seguridad y defensa de la comunidad nacional.

Por su parte, VIDA SORIA (Socialistas) exclamó que parecía "que el fenómeno sindical es malo, cuando resulta que es todo lo contrario, que es bueno. El fenómeno sindical lo que hace es institucionalizar el conflicto social, normalizarlo y someterlo a unas reglas. De lo que se trata, pues, es de decir que lo que hay que hacer es promover, promocionar el fenómeno sindical, no ponerle trabas. Es mucho mejor, se lo aseguro; se lo aseguran, además, todos los países occidentales en donde el fenómeno sindical está institucionalizado, no ya a nivel de norma, sino a nivel de realidad social. Pero respecto al tema concreto de la sindicación de personal civil al servicio de la Administración militar, los argumentos en contra se pueden resumir en uno que el Senador señor Gamboa acaba de decir aquí: qué pasaría si un sindicalista tuviera acceso a secretos militares o a información de carácter militar. Y yo digo que no pasaría más que lo que va a pasar cuando un socialista sea Ministro de Defensa, por ejemplo".

"Y entonces, ¿qué es lo que pasa? Que se va a poder sindicar al personal civil que, no siendo funcionario, esté sometido también a disciplina militar. O, dicho de otra manera, el personal civil que esté sometido a disciplina militar también entrará dentro de la posibilidad de limitar o exceptuar el ejercicio. En cuanto a los funcionarios militares de verdad, esos no estarán incluidos en la libertad absoluta de sindicación, sino que estarán siempre limitados o exceptuados en su ejercicio. Y ¿qué es lo que va a pasar entonces? Repito que el personal civil que haya al servicio de la Administración militar se va a poder sindicar. Y no es que se vaya a poder sindicar —y esto me interesa mucho decir o—, es que ya está sindicado. Hay muchas empresas militares, por ejemplo (digo una por no citar más), la empresa nacional Santa Bárbara, que tiene su comité de empresa, sus enlaces sindicales; es decir, que están sindicados normalmente. Si admitimos la frase que aquí se quiere introducir, no sólo llevamos a la Constitución el pesimismo antropológico respecto al tema de la sindicación, es que estamos volviendo atrás, pues que ya están sindicados".

GAMBOA SANCHEZ-BARCAIZTEGUI contestó que al aludir al personal civil no funcionario al servicio de la Administración militar, no se refería al personal adscrito a las empresas que prestan su colaboración a la institución militar, es decir, a empresas nacionales (Santa Bárbara, Bazán, etc.), pues "estas tienen sus obreros y son empresas normales y su personal puede estar perfectamente sindicado, como lo está. Yo a lo que me refiero es al personal no funcionario que está al servicio directo de la Administración militar, es decir, al que presta servicios, por ejemplo, dentro de los arsenales, de los estados mayores, de los hospitales, que es un personal que presta unas funciones y unos servicios sustituyendo al personal militar y que desempeña una función que está muy directamente ligada al estamento militar. A ése es al que me he referido, no al de las empresas. Si es una empresa normal, aunque sea una empresa estatal, da lo mismo".

Posteriormente, MATUTES JUAN dijo: "pretendo con mi enmienda, simple y sencillamente, exceptuar a las Fuerzas Armadas, exclusivamente a las Fuerzas Armadas, del derecho de sindicación, haciéndoles objeto de un estatuto especial, por ley orgánica, y dejando intacto el resto del artículo 28. Baso mi argumentación en el hecho de que las más importantes centrales sindicales operantes en España parten del principio de la lucha de clases, y aunque se trate de un principio que yo no comparto, creo que es importante señalarlo aquí, precisamente porque las Fuerzas Armadas, por otra parte, son una institución en cuya conformación el concepto de jerarquía de clase juega un papel fundamental a la hora de estructurar la disciplina, que es el principio esencial en el que se basa una organización eficaz de las Fuerzas Armadas. Evidentemente, mal puede compaginarse el principio de la lucha de clases, al que nos referíamos, con el principio de obediencia ciega al mando personificado en las distintas clases militares. No quiero extenderme ni profundizar en chistes fáciles sobre si habrá que consultar a los enlaces o a los comités a la hora de dar una orden de ataque, pero es evidente que hay aquí una contradicción muy importante y es a esta contradicción a la que me refiero. Nada tengo en contra de la sindicación en general. Como ha dicho el Senador Vida Soria, y comparto este principio, la sindicación es buena y positiva para el país, para las empresas, porque permite encontrar interlocutores válidos a la hora de ventilar los grandes problemas económicos y sociales. Ahora bien, no cabe duda de que, en el caso de las Fuerzas Armadas, si pretendemos sindicarlas, estamos resquebrajando el principio de disciplina. Y esto lo han dicho personas y voces mucho más autorizadas que yo en este campo, como han sido distintas personalidades militares. A mayor abundamiento, si estamos predicando la conveniencia de que las Fuerzas Armadas sean apolíticas, porque por su misión de defender el ordenamiento constitucional debe situarse fuera de la lucha política diaria contingente, y tenemos en cuenta, por otro lado, la clara vinculación existente entre las principales centrales sindicales y algunos partidos políticos, es evidente que encontramos otro argumento de mucho peso para excluir ya radicalmente de la Constitución, sin que tenga que hacerse por una ley —lo que, en definitiva, ya dependería de un Gobierno contingentado—, la posibilidad de sindicación de las Fuerzas Armadas exclusivamente. Esto es todo. Creo que han quedado claros mis argumentos y no nos preocupa ni pretendemos atacar el principio sindical, que lo considero positivo, ni a mí personalmente me preocupa el que un miembro de un sindicato o de un partido socialista pueda acceder a unos secretos militares. Esto es otra cuestión que no tiene nada que ver con el principio que aquí se defiende, que es el de la incompatibilidad clara entre la disciplina militar y el hecho de tener unas vinculaciones de orden disciplinario con otros Cuerpos, en este caso los sindicales".

Por último, MONGE RECALDE (UCD) afirmó que "Por lo que se refiere a la sindicación de las Fuerzas Armadas, de los Institutos armados, debemos aclarar también que no es que por virtud de este tan traído y llevado consenso se haya introducido en el proyecto constitucional una fórmula peculiar de uso exclusivo en nuestro país, porque aquí lo único que se ha hecho es transcribir literalmente la frase que en el artículo 5.º de la Carta Social Europea regula este extremo, y allí se dice, precisamente, igual que en el artículo que comentamos, que la ley puede limitar o exceptuar, es decir, se utiliza un término facultativo y no obligatorio. No hay, pues, fórmulas específicas inventadas por el consenso, sino transcripción literal de la Carta Social Europea. Otra cosa es, en lo que se refiere al derecho de sindicación de los funcionarios, donde, por cierto, tampoco la Constitución prohíbe dicha sindicación ni siquiera la limita, en el sentido de reducir, sino que se refiere a regular unas peculiaridades que la relación del funcionario con la Administración lleva consigo. Es evidente que tales peculiaridades deben existir, porque no es lo mismo la sindicación nacida sobre la relación laboral de un trabajador con una empresa que la que se origina en la relación jurídica del funcionario con la Administración. Existen peculiaridades muy notables y no voy a citar nada más que una de ellas, que es la de la inamovilidad del funcionario, que el trabajador todavía no ha conseguido y, como prueba, ahí está la primera línea de cualquier tabla reivindicativa, donde el trabajador clama por su estabilidad en el empleo".

– Finamente, con relación a la cuestión de si **los jueces y magistrados pueden o no pertenecer a** partidos políticos o **sindicatos**, en la Comisión constitucional del Congreso (sesión 17, celebrada el jueves, 8 de junio de 1978) se encendió un acalorado debate al respecto:

Así, FRAGA IRIBARNE Y LÓPEZ RODÓ (Grupo popular, AP) apostaron con relación al art. 119 (actual 127 CE) por suprimir la última línea del proyecto de la Ponencia, que prohibía también a los Jueces y Magistrados integrarse en asociaciones profesionales, pues entendieron que debía ser lícito para los Jueces y Magistrados el formar parte de asociaciones profesionales, y que únicamente había que declarar incompatible su función de administración de justicia con el desempeño de cargos públicos o con la pertenencia a partidos políticos o a sindicatos. Mientras ROCA JUNYENT (Grupo Minoría catalana), en el mismo sentido, subrayó que "por si ello no fuera suficientemente limitativo, se introduce, además, esta prohibición expresa a integrarse en asociaciones profesionales como si tal solución no tuviera que descartarse constitucionalmente, como incluso una posible solución de transacción o de recambio respecto a esta prohibición que se establece del derecho de sindicación". CASTELLANO CARDALLIAGUET (Grupo socialista) añadió: "en la línea de ese Derecho comparado de que ha hablado el señor Roca, que no se puede prohibir a ningún miembro de la carrera judicial o fiscal el que trate de fomentar y llevar adelante sus propias asociaciones en defensa de intereses profesionales e, incluso, sus propios sindicatos porque esto está hoy en la realidad y si se ha dicho tantas veces que hay que elevar a categoría de normal en la ley lo que es normal en la calle, sería una auténtica regresión el que hoy ocultáramos lo que está pasando y tratáramos de pronto de inducir a nadie a no se sabe qué apostasías políticas para poder seguir permaneciendo en los diferentes puestos". Por último, SOLÉ BARBERÁ (PSUC), adujo que era preciso distinguir entre los derechos políticos de los componentes del Cuerpo judicial y los derechos sindicales. Respeto de estos últimos, denunció que, cuando se discutió el artículo la Constitución (actual 28.1 CE) dedicado a los derechos sindicales, se estableció únicamente la posibilidad de una limitación en el ejercicio de los derechos de vinculación sindical para los pertenecientes a las Fuerzas o Cuerpos Armados: "En aquel momento no se hizo referencia alguna a ningún tipo de funcionarios, ni se hizo referencia a ningún otro tipo de ciudadanos que pudieran ver limitado el ejercicio de sus derechos comprendidos dentro de la Declaración de los Derechos Humanos y debidamente recogidos dentro de nuestra Constitución".

– Por último, la sesión plenaria del jueves, 13 de julio de 1978, tuvo por objeto el texto del art. 121.1 del dictamen de la Comisión (actual art. 127.1 CE):

> Los Jueces y Magistrados, así como los Fiscales, mientras se hallen en activo, no podrán desempeñar cargos públicos, ni pertenecer a partidos políticos o sindicatos. La ley establecerá el sistema y modalidades de asociación profesional de los Jueces, Magistrados y Fiscales.

El debate en el pleno del Congreso recrudeció de nuevo las disputas en torno a la cuestión del derecho de sindicación (y la pertenencia a partidos políticos) que ya había tenido lugar en el seno de la Comisión en los términos más arriba comentados, pero efectuada la votación, quedaron rechazadas las enmiendas formuladas y fue aprobado el texto del dictamen de la Comisión.

D. El debate parlamentario previo a la LOLS

Con posterioridad a la promulgación de la CE, a diferencia del derecho de huelga reconocido en el apdo. 2º del art. 28 de la misma que sigue sin regulación legal postconstitucional, la libertad de sindicación, contemplada en su apdo. 1º, fue objeto de desarrollo, hace ya 40 años, por la Ley Orgánica de libertad sindical 11/1985, de 2 de agosto (LOLS).

Como expone Palomeque López (2025), de primera mano, el anteproyecto de la LOLS fue elaborado por una Comisión que se constituyó en el mes de marzo de 1983 en el seno del Instituto de Estudios Laborales y de la Seguridad Social (IELSS) —organismo autónomo adscrito al Ministerio de Trabajo y Seguridad Social— que, curiosamente, tenía por objeto conjuntamente el "estudio de los anteproyectos de leyes orgánicas de libertad sindical y huelga". En dicha Comisión habría de elaborarse un "borrador de criterios básicos" que sería elevado al consejo de dirección del Ministerio y, a continuación, conformaría un "borrador de anteproyecto de ley o leyes". Por último, una vez listo el correspondiente anteproyecto legislativo, que finalmente se concentró en la regulación de la libertad sindical, fue sustanciado "a través de los eslabones harto conocidos del proceso de elaboración parlamentaria de la Ley y del largo camino hacia su publicación oficial"[107].

Dada la ineludible conexión entre la titularidad del derecho de libertad sindical y el de huelga que deriva, no sólo de su ubicación constitucional compartida en el art. 28, sino también, en especial, de su íntima proximidad determinada por la propia naturaleza jurídica de ambos derechos (en la medida que —como el art. 2.2.d) LOLS corroboró— forman parte inescindible de la actividad sindical, el ejer-

---

107 Cabe destacar tras su aprobación, en la tercera reforma (de 2011) que sufrió la LOLS, la nueva regulación sobre el personal civil que ejerciera el derecho de actividad sindical en establecimientos militares, tras la modificación de su disposición adicional tercera por la Ley Orgánica 9/2011, de 27 de julio, de derechos y deberes de los miembros de las fuerzas armadas.

cicio del derecho a la negociación colectiva y del derecho de huelga, así como el derecho al planteamiento de conflictos individuales y colectivos), en lo que sigue, a efectos hermenéuticos, será analizado el contenido de las deliberaciones y de las principales argumentaciones esgrimidas en la sesión plenaria Congreso de los Diputados, celebrada el martes, 28 de febrero de 1984, en la que tuvo lugar el debate a la totalidad del Proyecto de ley de la LOLS.

De dicho debate, con relación al tema objeto de este estudio, es posible extraer los siguientes criterios y argumentos principales:

– ALMUNIA AMANN (Ministro de Trabajo), en su presentación del Proyecto de Ley Orgánica ante la Cámara, concretó que en dicho proyecto se partía de que la libertad sindical que se reconoce en el art. 28 del texto constitucional se refiere a los trabajadores, en sentido amplio, es decir, a cuantos presten sus servicios de modo retribuido y dependiente, al margen de la naturaleza o vínculo jurídico que les una a los empleadores. Pero, al propio tiempo, matizó que se comprendían única y exclusivamente trabajadores, porque el derecho de asociación empresarial no tiene cabida posible en este precepto de la Constitución, como han puesto de manifiesto la doctrina y la jurisprudencia de los Tribunales.

Asimismo, destacó como uno de los aspectos más relevantes del proyecto, las manifestaciones básicas de la actividad sindical, en la empresa y fuera de ella. Así, en su artículo 2, señala que las organizaciones sindicales tendrán derecho a la negociación colectiva, al ejercicio del derecho de huelga, al planteamiento de conflictos individuales y colectivos y a la financiación de candidaturas para la elección de comités de empresa y delegados de personal, sin perjuicio de los demás derechos y garantías que a lo largo del articulado del proyecto se prevén respecto de todos los sindicatos o entes sindicales a los distintos niveles. De este modo, subrayó que la libertad sindical no se agota en el derecho mismo de sindicación, que es el instrumento que debe permitir la acción colectiva de los trabajadores, sino que, por el contrario, son parte del contenido constitucional esencial de la libertad sindical el derecho a la huelga, el conflicto colectivo, la negociación colectiva y, finalmente, la libertad para el ejercicio de la acción sindical.

– Por su parte, SUÁREZ GONZÁLEZ (Grupo popular) planteó la cuestión: "¿Los empresarios españoles tienen libertad sindical? (...) Cabe incluso tomar la Constitución al pie de la letra y sostener que su artículo 7, al distinguir los sindicatos de trabajadores y las asociaciones empresariales, se mueve en esa dirección, de modo que la libertad sindical sería patrimonio exclusivo de los trabajadores".

En este sentido, relató que la tesis de que la libertad sindical es patrimonio exclusivo de los trabajadores procedía de "algunos italianos, en efecto, y sus copistas españoles" que sostenían que el asociacionismo empresarial no está comprendido en el mismo precepto que garantiza la libertad de los sindicatos, que son conceptos no simétricos, y que los empresarios deben recurrir al derecho común de asociación y no al especifico derecho de sindicación. Según su opinión, este planteamiento conducía a consecuencias muy importantes.

A su juicio, si los empresarios quedaran marginados del sindicalismo y para defender sus intereses tuvieran que recurrir al derecho genérico de asociación "se podría, por ejemplo, exagerando las cosas, llegar a sostener que las asociaciones empresariales, que no serían sindicatos, son esas organizaciones profesionales que contribuyen a la defensa de los intereses económicos que les son propios, y a los que se refiere el artículo 52 de la Constitución. Supongo que no es necesario recordar aquí las diferentes garantías que para uno y otro derecho supone la redacción del artículo 53, o la consecuencia evidente de que la libertad sindical exige Ley Orgánica para su regulación, en tanto que las organizaciones empresariales podrían ser reguladas por Ley ordinaria".

Además, frente a la postura del Gobierno que se refería al sindicalismo como desarrollo del art. 28.1 CE, en el que no aparecen expresamente citados los empresarios, objetó que era necesario recordar el art. 10.2 CE en cuanto que «las normas relativas a los derechos fundamentales y a las libertades que la Constitución reconoce se interpretarán de conformidad con la Declaración Universal de Derechos Humanos y los Tratados y Acuerdos internacionales sobre las mismas materias ratificados por España». Y, desde esta perspectiva, acudió a la Declaración Universal de Derechos Humanos que, en su art. 23.4, establece que «Toda persona tiene derecho a fundar sindicatos y a sindicarse para la defensa de sus intereses» y al art. 8 del Pacto Internacional de Derechos Económicos, Sociales y Culturales, al expresar que «Los Estados parte en el presente Pacto se comprometen a garantizar el derecho de toda persona a fundar sindicatos y a afiliarse al de su elección», así como al Pacto Internacional de Derechos Civiles y Políticos, en su art. 22: «Toda persona tiene derecho a asociarse libremente con otras, incluso el derecho de fundar sindicatos y afiliarse a ellos para la protección y defensa de sus intereses». Y, por ello, concluyó que la referencia de estos instrumentos internacionales al término persona conllevaba que no se podía negar la libertad de sindicación de los empresarios, puesto que "no conocemos un solo testimonio legal, doctrinal o jurisprudencial que permita argumentar que los empresarios no son personas".

Asimismo, acudió a la Carta Social Europea, en vigor en España desde 1980 («Todos los trabajadores y empleadores tienen derecho a asociarse libremente») y al Convenio 87 de la OIT, relativo a la libertad sindical y a la protección del derecho de sindicación, ratificado por España, cuyo art. 11 establece que todo miembro de la OIT para el cual esté en vigor el Convenio se obliga a adoptar todas las medidas necesarias y apropiadas para garantizar a los trabajadores y a los empleadores el libre ejercicio del derecho de sindicación: "Los trabajadores y los empleadores —dice el artículo 2—, sin ninguna distinción y sin autorización previa, tienen el derecho de constituir las organizaciones que estimen conveniente".

Al respecto, señaló que todo esto lo estaba reconociendo el Tribunal Supremo y que le parecía "temerario suponer que no lo va a reconocer el Tribunal Constitucional cuando planteemos la cuestión", con lo cual parecía anticipar ya el planteamiento de un recurso de inconstitucionalidad frente a esta norma proyectada[108].

Por otro lado, opuso que esta reducción de la titularidad del derecho, regulando únicamente el de los trabajadores, afectaba al con-

---

108 La importante STC 98/1985, de 29 de julio, resolvió los recursos previos de inconstitucionalidad acumulados núms. 584, 585 y 594, todos ellos de 1984, promovidos respectivamente por el Parlamento Vasco, por el Gobierno Vasco y por 65 Diputados contra el texto definitivo del Proyecto de Ley Orgánica de Libertad Sindical.

tenido esencial del mismo y vulneraba los arts. 28 y 81 de la Constitución: "¿O es que la titularidad de un derecho no forma parte del contenido esencial del mismo?"

La segunda gran cuestión que planteó SUÁREZ GONZÁLEZ para fundamentar la enmienda de totalidad de su grupo parlamentario era la referida a los funcionarios públicos. Defendió al respecto que, bajo su concepción, los trabajadores no son una clase en permanente conflicto y esa clase trabajadora no está integrada por todos cuantos venden su fuerza de trabajo, por lo que podían diferenciar entre quienes trabajan para un empresario privado y quienes lo hacen para la Administración o las Administraciones públicas. Pero, a su modo de ver, "la tesis de la mezcolanza tiene un obstáculo muy importante en la Constitución, cuyos artículos 35 y 103 obligan muy lúcidamente a distinguir entre el Estatuto de los Trabajadores y el Estatuto de los Funcionarios Públicos; pero ésta no es ahora la cuestión central. La cuestión central está en que la Constitución dice por dos veces que la Ley regulará las peculiaridades del ejercicio del derecho de sindicación de los funcionarios públicos, y dice también que esa Ley tiene que ser orgánica porque desarrolla un derecho fundamental. Esto no es una opinión de Partido, señorías; esto es una evidencia constitucional. ¿Y qué hace este proyecto? Pues véalo quien lo dude: incumplir ostensiblemente la Constitución y dar al tema un tratamiento unificado; así lo dice expresamente la exposición de motivos, sin referirse en absoluto a peculiaridad alguna".

Pero, además, insistió en este otro aspecto que consideró fundamental para justificar una regulación de la libertad sindical de los funcionarios separada de la de los trabajadores: la necesidad de establecer peculiaridades, por razones evidentes de interés nacional, con relación al derecho de negociación colectiva y al derecho de huelga.

Así, concretamente, se refirió **al derecho de huelga de los funcionarios que, aunque la Constitución no lo reconoce, lo cierto es que tampoco lo prohíbe y, por tanto, el legislador ordinario puede reconocérselo**, pero expresó que "no es serio, no es responsable concedérselo por el camino indirecto de considerarlos trabajadores, en lugar de regularlo expresamente con todas las exigencias que el servicio y el bien público aconsejan".

– Por otro lado, NÚÑEZ PÉREZ, en nombre del Grupo Centrista, presentó enmienda de devolución del Proyecto de Ley Orgánica por considerar que venía a complicar considerablemente algo que debería regularse de manera clara, sencilla y sistemática, haciendo tabla rasa de la legislación vigente en esta materia, derogando, entre otras, la Ley 19/1977, de 1 de abril, sobre regulación del derecho de asociación sindical —todavía hoy vigente para la regulación de las asociaciones empresariales—.

En este sentido, objetó que la regulación de la acción sindical en la empresa no requería, formalmente, de Ley Orgánica y que, por tanto, pudo haberse remitido al Congreso como Ley ordinaria. A su juicio, la acción sindical no constituía un elemento o contenido esencial de la libertad sindical y de este modo sospechaba que se pretendía "producir en las materias objeto de regulación de este proyecto una petrificación abusiva, (…) pues como el Alto Tribunal tiene declarado en la sentencia famosa de 13 de febrero de 1981, y ratificado en otras posteriores, cuando se da el supuesto de que en una misma Ley Orgánica concurran materias estrictas y materias conexas, hay que afirmar que, en principio, éstas también quedarían sujetas al régimen de congelación de rango señalado en el artículo 81.2 de la Constitución, y que así debe ser en defensa de la seguridad jurídica. Pero este régimen —nos dice el Tribunal Constitucional puede ser excluido por la misma Ley Orgánica en relación con alguno de sus preceptos, indicando cuáles de ellos contienen sólo materias conexas y pueden ser alterados por una Ley ordinaria".

Asimismo, como razones de fondo, se refirió también a la insuficiencia del ámbito subjetivo de la norma, en cuanto que, a su modo de ver, hubiera de haberse referido tanto a los empresarios como a los trabajadores, pero, además, denunció que, incluso en lo referido a los trabajadores, sólo se incluían a los que fueran sujetos de un contrato de trabajo o una relación estatutaria o administrativa, olvidando a importantes colectivos profesionales e incumpliendo el desarrollo del art. 28.1 CE cuyo mandato expresa, de manera terminante, que «todos tienen derecho a sindicarse libremente». En segundo lugar, abogó —en contra del criterio de TS— por el reconocimiento del derecho de sindicación, por medio de esta Ley, a pensionistas y parados, "cuyos graves problemas no son, en muchísimos casos, coincidentes con los intereses de las centrales sindicales más representativas". En este sentido, frente a la interpretación restrictiva del TS del término «trabajador», sujeto del derecho a la libertad sindical, entendido como «sujeto del contrato de trabajo», defendió una concepción más moderna que lo entiende como sujeto del «derecho del trabajo».

– Por último, CARRILLO SOLARES también defendió una enmienda de totalidad por parte de los Diputados comunistas del Grupo Mixto. En primer lugar, dejó claro que, según su visión, la libertad sindical del art. 28 CE no puede confundirse con el derecho de los empresarios a asociarse, que tiene un ámbito distinto en el art. 7 CE. En segundo lugar, reprochó al proyecto de ley que restringiera los derechos de los funcionarios públicos en una buena medida, pues, bajo su punto de vista, los funcionarios públicos sí son trabajadores, y forman parte de la clase trabajadora, aunque trabajen para un empresario que no es privado, que es el Estado. Concretamente, denunció que se negara a los funcionarios civiles que trabajan en establecimientos militares el derecho a la sindicación. Así, esgrimió que el art. 28 CE dice: «La Ley podrá limitar o exceptuar el ejercicio de este derecho a las Fuerzas o Institutos armados o a los demás Cuerpos sometidos a disciplina militar…»: "Es decir, «la Ley podrá», pero la Constitución no prohíbe de antemano la sindicación, ni siquiera a las Fuerzas Armadas. Se podría defender un proyecto de sindicación de las Fuerzas Armadas sin romper con lo que establece la Constitución". Paradójicamente, aunque el Diputado comunista no llegó al extremo de defender en esta intervención el derecho de sindicación de las Fuerzas Armadas, sí que lo llegó postular para las Fuerzas de Orden Público, aunque tengan una estructura militar, "a pesar de que los trabajadores suelen ver a la Policía Nacional y a la Guardia Civil en momentos poco gratos, cuando los poderes públicos encargan a estos Cuerpos medidas de represión, nosotros sabemos muy bien lo duras que son las condiciones de trabajo de la Policía Nacional y de la Guardia Civil y lo justificado que estaría el que estos Cuerpos pudieran también tener una vía de defensa de sus intereses en el terreno sindical".

– Frente a las tres enmiendas de devolución arriba resumidas en lo que a los aspectos que al tema objeto de este estudio interesan, CHAVES GONZÁLEZ (Grupo socialista) defendió, en primer lugar, respecto al derecho de asociación de los empresarios, que este no deriva del art. 28.1 CE sino del art. 7 CE y que, para ello, están los Convenios 87 y 98 de la OIT. A lo anterior añadió que, en la actual legislación, aunque sea preconstitucional, no hay ninguna merma de los principios de libertad que establecen dichos Convenios, pero que, en cualquier caso, siempre queda abierta la posibilidad de una Ley ordinaria para regular ese derecho de los empresarios, pero nunca por la vía del art. 28.1 CE de la Constitución por Ley Orgánica. En segundo lugar, frente al argumento de que la acción sindical que regula el proyecto de Ley no tenía necesidad de ser regulada por una Ley Orgánica, consideró que, en la práctica, no es posible separar el ejercicio del derecho de la libertad sindical y el ejercicio de la actividad o de la acción sindical que son totalmente inseparables. En consecuencia, acudió a la jurisprudencia y a la propia doctrina del Comité de Libertad Sindical que señalan que, cuando hay un atentado contra la actividad o contra la acción de los sindicatos, se entiende que es un atentado contra la estricta libertad sindical de los trabajadores o de sus organizaciones sindicales. Concluyendo que, por eso, es bueno que se regulen conjuntamente.

Valoró, asimismo, que hubiera sido un error político y también un error sindical —e, incluso, un propio error para los colectivos de parados y de jubilados— el que ellos puedan tener su organización absolutamente separada de la organización de los trabajadores en activo u ocupados, porque les haría caer, única y exclusivamente, en planteamientos corporativos y quizá muchas veces alejados de la realidad económica del país: "Lo lógico es que el trabajador que está parado, porque, en base al principio de solidaridad, el trabajador ocupado, que tiene más fuerza y tiene mayor posibilidad de presión sindical, puede defender mucho mejor los intereses y los derechos de los trabajadores que están desempleados o que están jubilados y que pertenecen a su mismo sindicato. Esa es la razón de la relatividad en el derecho de libertad sindical con respecto a los jubilados en el sentido de que no se les permita la posibilidad de construir sindicatos precisos para ellos y, de que, en cambio, se les reconozca la posibilidad de que se incluyan o se integren en los sindicatos a los que habían pertenecido cuando eran trabajadores en activo".

Respecto al tema de las peculiaridades del derecho de sindicación de los funcionarios públicos, explicó que en el campo de la acción sindical (de la negociación colectiva o del ejercicio del derecho de huelga) sí que puede haber peculiaridad, pero no hay ninguna razón que avale ninguna discriminación o ninguna diferenciación entre el derecho de sindicación de los funcionarios públicos y el derecho de sindicación del resto de los trabajadores: "¿Por qué tiene que ser diferente? ¿Por qué el derecho de afiliación o el derecho de constituir sindicatos o el derecho de federarse o confederarse tiene que ser distinto para unos y para otros?"

Finalmente, clarificó que la Ley, en ningún momento, anula o impide la libertad sindical del personal civil al servicio de la Administración militar ni el de la policía. Con relación a los Cuerpos y Fuerzas de Seguridad del Estado, el proyecto de Ley dice que se regularán por su reglamentación especifica en función de las características que evidentemente concurren en estos colectivos y, en cuanto al personal civil al servicio de la Administración militar, especificó que puede sindicarse libremente, puede negociar convenios colectivos, pero, lógicamente, en función de las características que concurran en los establecimientos militares, se les restringe la acción sindical.